TESS GERRITSEN

Umrzeć po raz drugi

Z angielskiego przełożył
JERZY ŻEBROWSKI

Tytuł oryginału:
DIE AGAIN

Redakcja: Katarzyna Dziedzic

Zdjęcie na okładce: © Lauren Bates/Flickr/Getty Images

Skład: Laguna

ISBN 978-83-7885-394-7
Książka dostępna także jako e-book

Dystrybutor

Firma Księgarska Olesiejuk sp. z o.o. sp. j.
Poznańska 91, 05-850 Ożarów Mazowiecki
tel. (22) 721 30 00, faks (22) 721 30 01
www.olesiejuk.pl

Wydawca

WYDAWNICTWO ALBATROS ANDRZEJ KURYŁOWICZ S.C.
Hlonda 2A/25, 02-972 Warszawa
www.wydawnictwoalbatros.com

2015. Wydanie III
Druk: WZDZ – Drukarnia Lega, Opole

Dla Leviny

Rozdział pierwszy

DELTA OKAWANGO, BOTSWANA

Dostrzegam go w padających ukośnie promieniach porannego słońca. Jest ledwo widoczny, jak znak wodny odciśnięty w ziemi. Gdyby było południe, kiedy padające pionowo promienie afrykańskiego słońca palą i oślepiają, mogłabym go w ogóle nie zauważyć, ale o świcie w nawet najmniejszych zagłębieniach terenu są ocienione miejsca, więc kiedy wychodzę z namiotu, ten pojedynczy ślad przyciąga mój wzrok. Przykucam obok niego i nagle przenika mnie dreszcz, gdy uświadamiam sobie, że podczas snu chroniła nas tylko cienka warstwa brezentu.

Richard wychodzi z namiotu i przeciąga się z pomrukiem zadowolenia, wdychając zapachy zroszonej trawy, dymu drzewnego i śniadania przyrządzanego nad ogniskiem. Zapachy Afryki. Ta przygoda to spełnienie jego marzeń. Jego, nie moich. Jestem uległą dziewczyną, która mówi pokornie: „Oczywiście, zgadzam się, kochanie". Nawet gdy oznacza to dwudziestoośmiogodzinną podróż z Londynu do Johannesburga, a potem do Maun i w głąb buszu trzema różnymi samolotami, z których ostatni jest rozklekotanym rzęchem z pilotem na kacu. Nawet gdy trzeba spędzić dwa tygodnie w namiocie, opędzać się od komarów i sikać za krzakami.

Nawet jeśli mogę zginąć, bo właśnie o tym myślę, wpatrując się w ten ślad, odciśnięty w ziemi zaledwie metr od miejsca, w którym Richard i ja spaliśmy tej nocy.

– Czujesz to powietrze, Millie? – pieje z zachwytu Richard. – Nigdzie indziej tak nie pachnie!

– Był tutaj lew – mówię.

– Chciałbym zamknąć je w butelce i zabrać do domu. To byłaby dopiero pamiątka! Zapach buszu!

Wcale mnie nie słucha. Zanadto upaja go Afryka, pochłania urojony świat wielkiego białego podróżnika, gdzie wszystko jest „cudowne" i „fantastyczne", nawet wczorajsza kolacja, złożona z wieprzowiny i fasoli, którą uznał za „najlepszą, jaką kiedykolwiek jadł!".

– Był tutaj lew, Richard – powtarzam głośniej. – Tuż obok naszego namiotu. Mógł rozedrzeć go pazurami i dostać się do środka. – Chcę wzbudzić jego niepokój, chcę, żeby powiedział: „O Boże, Millie, to poważna sprawa".

A on tymczasem woła niefrasobliwie do znajdujących się najbliżej członków naszej grupy:

– Hej, zobaczcie! Mieliśmy tu zeszłej nocy lwa!

Pierwsze podchodzą dwie dziewczyny z Kapsztadu, które rozbiły namiot obok naszego. Sylvia i Vivian mają holenderskie nazwiska, których nie potrafię ani przeliterować, ani wymówić. Obie są opalonymi, długonogimi blondynkami w wieku dwudziestu paru lat. Początkowo nie umiałam ich rozróżnić, dopóki Sylvia nie burknęła w końcu zirytowana:

– Nie jesteśmy bliźniaczkami, Millie! Nie widzisz, że Vivian ma niebieskie oczy, a ja zielone?

Gdy dziewczyny przyklękają koło mnie z obu stron, żeby przyjrzeć się odciskowi łapy, czuję, że pachną też różnie. Niebieskooka Vivian emanuje zapachem słodkiej trawy, świeżą, pozbawioną cierpkiej nuty wonią młodości. Sylvia pachnie olejkiem z trawy cytrynowej, którym smaruje się zawsze, aby odstraszyć komary, bo „DEET to trucizna, wiesz o tym, prawda?". Otoczona przez dwie blond boginie widzę, że Richard znów gapi się na biust Sylvii, wyeksponowany prowokująco pod koszulką z mocno wyciętym dekoltem. Jak na dziewczynę, która tak się troszczy, by nacierać ciało środkiem przeciw komarom, odsłania zatrważająco dużą powierzchnię narażonej na ukąszenia skóry.

Naturalnie Elliot też szybko do nas dołącza. Nigdy nie oddala się zbytnio od blondynek, które poznał dopiero kilka tygodni temu w Kapsztadzie. Przywiązał się do nich jak wierny szczeniak, liczący na odrobinę uwagi.

– Czy to świeży ślad? – pyta zatroskanym głosem. Przynajmniej ktoś podziela mój niepokój.

– Nie widziałem go tu wczoraj – odpowiada Richard. – Lew pojawił się zapewne w nocy. Wyobraź sobie, że wychodzisz się wysikać i natykasz się na niego. – Naśladuje ryk lwa i wyciąga rękę z palcami zakrzywionymi jak pazury w kierunku Elliota, a ten cofa się przerażony. Richard i blondynki wybuchają śmiechem, bo Elliot jest ich nadwornym błaznem, wiecznie zatroskanym Amerykaninem, który ma zawsze w kieszeniach chusteczki higieniczne, spray przeciw owadom, krem z filtrem przeciwsłonecznym i płyn dezynfekujący, lekarstwa na alergię, tabletki jodyny i wszelkie inne akcesoria niezbędne do tego, by pozostać przy życiu.

Nie śmieję się razem z nimi.

– Ktoś mógł zginąć – rzucam.

– Ale to się zdarza na safari, prawda? – mówi radośnie Sylvia. – Jesteś w buszu z lwami.

– Nie wygląda na bardzo duży okaz – stwierdza Vivian, pochylając się, by obejrzeć ślad. – Może to samica, jak sądzisz?

– Samiec czy samica, tak samo może cię zabić – odpowiada Elliot.

Sylvia poklepuje go.

– O, boisz się?

– Nie. Myślałem po prostu, że Johnny przesadza, gdy mówił nam pierwszego dnia: „Nie wychodźcie z jeepa ani z namiotu, bo zginiecie".

– Jeśli chcesz być całkowicie bezpieczny, Elliot, może powinieneś był pójść do zoo – radzi mu Richard i blondynki śmieją się z tej ciętej uwagi. To cały on, samiec alfa. Jak bohaterowie jego powieści, jest człowiekiem, który przejmuje dowodzenie i ratuje sytuację. Albo przynajmniej tak mu się wydaje. Tu, w buszu, jest tak naprawdę tylko jeszcze jednym zagubionym londyńczykiem, ale udaje eksperta w sztuce przetrwania. To kolejna rzecz, która irytuje mnie tego ranka, jakby nie dość było, że jestem głodna, źle spałam, a teraz dopadły mnie komary. Zawsze mnie dopadają. Gdy tylko wychodzę z namiotu, słyszą jakby dzwonek na obiad i muszę natychmiast klepać się po szyi i twarzy.

– Clarence, podejdź tu! – woła Richard do afrykańskiego tropiciela. – Zobacz, jakieś zwierzę przeszło nocą przez obóz.

Clarence popijał kawę przy ognisku z państwem Matsunaga. Teraz idzie powoli w naszym kierunku, niosąc blaszany kubek z kawą, po czym przykuca, aby spojrzeć na odcisk w ziemi.

– To świeży trop – mówi Richard, nowy ekspert od buszu. – Lew musiał tędy przechodzić niedawno.

– To nie lew – oznajmia Clarence. Spogląda na nas, mrużąc oczy, a jego hebanowa twarz lśni w porannym słońcu. – To pantera.

– Jak możesz być pewny? To tylko odcisk jednej łapy.

Clarence kreśli w powietrzu kółko nad śladem.

– Widzi pan, to przednia łapa. Ślad jest okrągły, taki jaki zostawia pantera. – Wstaje i rozgląda się. – To jedno zwierzę, więc poluje samotnie. Tak, to pantera.

Pan Matsunaga pstryka zdjęcia śladu swym gigantycznym nikonem, który ma teleobiektyw jak wyrzutnia statku kosmicznego. On i jego żona noszą identyczne kurtki safari, spodnie khaki, bawełniane chusty i kapelusze z szerokim rondem. Są dopasowani ubiorem w najdrobniejszym szczególe. W kurortach turystycznych na całym świecie spotyka się takie pary, odziane bliźniaczo w cudaczne stroje. Człowiek zastanawia się, czy budzą się pewnego ranka z postanowieniem: „Pozwalamy dziś światu, żeby się z nas pośmiał".

Gdy słońce wznosi się wyżej i znikają cienie, dzięki którym widać było tak wyraźnie odcisk łapy, inni także robią zdjęcia, by zdążyć, nim światło stanie się zbyt ostre. Nawet Elliot wyciąga kieszonkowy aparat, zapewne dlatego, że nie chce być gorszy od pozostałych.

Tylko ja nie idę w ich ślady. Richard robi wystarczająco dużo zdjęć za nas oboje, używając swego canona, „takiego samego aparatu, z jakiego korzystają fotoreporterzy National Geographic!". Przesuwam się w cień, ale nawet tutaj, nie stojąc w słońcu, czuję strużki potu pod pachami. Zaczyna się upał. W buszu każdy dzień jest gorący.

– Teraz widzicie, dlaczego każę wam nie wychodzić nocą z namiotu – mówi Johnny Posthumus.

Nasz przewodnik podszedł tak bezgłośnie, że nie zdałam sobie sprawy, iż wrócił już znad rzeki. Odwracam się i widzę, że stoi tuż za mną. Ma ponuro brzmiące nazwisko, Posthumus, czyli pośmiertny, ale powiedział nam, że wśród afrykanerskich osadników, których jest potomkiem, występuje ono powszechnie. Widzę, że odziedziczył rysy po swych krzepkich holenderskich przodkach. Ma wypłowiałe blond włosy, niebieskie oczy i ogorzałe od słońca muskularne nogi. Jest w krótkich spodenkach koloru khaki. Najwyraźniej nie dokuczają mu komary ani upał, nie nosi też kapelusza ani nie naciera się olejkiem przeciw owadom. Dorastając w Afryce, uodpornił się na niedogodności jej klimatu.

– Przeszła tędy tuż przed świtem – mówi Johnny, wskazując zarośla na obrzeżach obozu. – Wyszła z tamtych krzaków w kierunku ogniska i zmierzyła mnie wzrokiem. Dorodna samica, duża i zdrowa.

Zdumiewa mnie jego spokój.

– Naprawdę ją widziałeś?

– Szykowałem ognisko na śniadanie, kiedy się zjawiła.

– Co zrobiłeś?

– To, co radziłem was wszystkim zrobić w takiej sytuacji.

Stanąłem wyprostowany. Pozwoliłem jej zobaczyć moją twarz. Zwierzęta, na które polują mięsożercy, takie jak zebry czy antylopy, mają oczy po bokach głowy, a drapieżnik ma je umieszczone z przodu. Zawsze pokazuj kotu twarz. Niech zobaczy, gdzie masz oczy, a będzie wiedział, że też jesteś drapieżcą. Zastanowi się dwa razy, zanim zaatakuje. – Johnny spogląda na siedmioro klientów, którzy płacą mu, by zachował ich przy życiu na tym odludziu. – Zapamiętajcie to, dobrze? Kiedy zapuścimy się w busz, zobaczymy następne wielkie koty. Gdybyście jakiegoś napotkali, wyprostujcie się i starajcie się wyglądać jak olbrzym. Patrzcie mu prosto w oczy. A przede wszystkim nie uciekajcie. Będziecie mieli większe szanse na przeżycie.

– Byłeś twarzą w twarz z panterą – odzywa się Elliot. – Czemu nie użyłeś tego? – Wskazuje na strzelbę, która wisi zawsze na ramieniu Johnny'ego.

Ten kręci głową.

– Nie zastrzelę pantery. Nie zabiję żadnego dużego kota.

– Ale czy nie po to jest strzelba? Żeby się bronić?

– Za mało ich już zostało na tym świecie. Ta ziemia należy do nich, a my jesteśmy tu intruzami. Nie sądzę, bym mógł ją zabić, gdyby pantera mnie zaatakowała. Nawet po to, by ocalić życie.

– Ale to nie dotyczy nas, prawda? – Elliot śmieje się nerwowo i spogląda na swoich towarzyszy podróży. – Zastrzeliłbyś panterę, żeby nas obronić, tak?

– To się okaże. – Johnny uśmiecha się ironicznie.

□ □ □

Do południa jesteśmy spakowani i gotowi ruszać dalej w głąb buszu. Johnny prowadzi ciężarówkę, a Clarence siedzi na krzesełku dla tropiciela, wystającym przed zderzak. Wydaje mi się to niebezpieczną pozycją, gdyż nogi zwisają mu swobodnie, stanowiąc łatwy łup dla lwa, który chciałby go zaatakować. Johnny zapewnia jednak, że dopóki jesteśmy w samochodzie, nic nam nie grozi, bo drapieżniki uważają nas za jedno ogromne zwierzę. „Ale zejdźcie tylko z ciężarówki, a staniecie się ich obiadem. Czy wszyscy to rozumieją?"

Tak jest. Wiadomość odebrana.

Nie ma tu żadnych dróg, tylko lekko zgnieciona trawa w miejscu, gdzie opony przejeżdżającego wcześniej pojazdu ubiły nieurodzajną ziemię. Johnny mówi, że szkody wyrządzone przez jedną ciężarówkę mogą zeszpecić krajobraz na wiele miesięcy, ale nie wyobrażam sobie, by wiele z nich zapuszczało się tak daleko w głąb delty. Jesteśmy trzy dni jazdy od lądowiska w buszu, gdzie wysadzono nas z samolotu, i nie zauważyliśmy na tym pustkowiu żadnych innych pojazdów.

Jeszcze cztery miesiące temu, siedząc w naszym londyńskim mieszkaniu i słuchając bębniącego o szyby deszczu, nie wierzyłam naprawdę w istnienie dżungli. Gdy Richard przywołał mnie do swego komputera i pokazał wycieczkę na safari w Botswanie, którą chciał zarezerwować dla nas na wakacje, zobaczyłam zdjęcia lwów i hipopotamów, nosorożców i panter, tych samych dobrze znanych zwierząt, które można spotkać w ogrodach zoologicznych i rezerwatach. Właśnie to sobie wyobrażałam: gigantyczny rezerwat z wygodnymi kwaterami i drogami. Przynajmniej z drogami. Zgodnie z informacją w internecie, miały być „noclegi w buszu", ale liczyłam na wspaniałe duże namioty z prysznicami i spłukiwanymi toaletami. Nie sądziłam, że zapłacę za przywilej kucania w krzakach.

Richardowi zupełnie nie przeszkadza brak luksusu. Dla niego Afryka to szczyt marzeń, wyższy niż Kilimandżaro. Gdy jedziemy, bez przerwy robi zdjęcia. Aparat siedzącego za nami pana Matsunagi klika tyle samo razy, ale ma dłuższy obiektyw. Richard nie przyzna się, że jest o to zazdrosny, ale gdy wrócimy do Londynu, zaraz wejdzie do internetu, żeby kupić lepszy sprzęt. Tak walczą współcześni mężczyźni, nie na włócznie i miecze, lecz na karty kredytowe. Moja platynowa przebija twoją złotą. Biedny Elliot ze swoją zwykłą minoltą pozostaje w tyle, ale chyba mu to nie przeszkadza, bo znów siedzi w ostatnim rzędzie, przytulony do Vivian i Sylvii. Spoglądam na ich troje i dostrzegam w przelocie zaciętą twarz pani Matsunagi. Ona też robi dobrą minę do złej gry. Jestem pewna, że wypróżnianie się w krzakach nie pasowało do jej wizji wymarzonych wakacji.

– Lwy! Lwy! – krzyczy Richard. – Tam!

Aparaty pstrykają szybciej, gdy podjeżdżamy tak blisko stada, że widzę czarne muchy przywierające do boku samca. W pobliżu są trzy samice, które spoczywają w cieniu drzewa. Nagle słyszę za sobą podniesione głosy Japończyków i odwróciwszy się, widzę, jak pan Matsunaga zrywa się z miejsca. Żona trzyma go od tyłu za kurtkę, próbując rozpaczliwie powstrzymać męża, który chce wyskoczyć z ciężarówki, by zrobić lepsze zdjęcie.

– Siadaj! – grzmi Johnny głosem, którego żadna istota, człowiek ani zwierzę, nie mogłaby zignorować. – Już!

Pan Matsunaga natychmiast opada z powrotem na siedzenie. Nawet lwy wydają się przestraszone, wpatrując się w mechanicznego potwora z osiemnastoma parami kończyn.

– Pamiętasz, co ci mówiłem, Isao? – beszta go Johnny. – Jeżeli wyjdziesz z ciężarówki, jesteś martwy!

– To z emocji. Zapominam – mruczy pan Matsunaga, przepraszająco pochylając głowę.

– Staram się tylko zapewnić wam bezpieczeństwo. – Johnny oddycha głęboko i dodaje cicho: – Przepraszam, że krzyczałem. Ale w zeszłym roku kolega był na safari z parą klientów. Zanim zdołał ich powstrzymać, oboje wyskoczyli z ciężarówki, żeby zrobić zdjęcia. Lwy dopadły ich w mgnieniu oka.

– Chcesz powiedzieć, że zginęli? – pyta Elliot.

– Lwy są tak zaprogramowane, Elliot. Więc proszę, podziwiajcie widoki, ale z ciężarówki, dobrze? – Johnny śmieje się, by rozładować napięcie, ale my nadal jesteśmy wystraszeni, jak grupa niegrzecznych dzieci, które właśnie dostały naganę. Robimy zdjęcia już bez entuzjazmu, tylko po to, by pokryć zmieszanie. Zaszokowała nas agresywna reakcja Johnny'ego. Wpatruję się w jego plecy, które mam tuż przed oczami. Mięśnie szyi ma nabrzmiałe jak grube pędy winorośli. Uruchamia ponownie silnik. Zostawiamy lwy i jedziemy dalej, do następnego obozowiska.

□ □ □

O zachodzie słońca pojawia się alkohol. Gdy rozbito pięć namiotów i rozpalono ognisko, tropiciel Clarence otwiera aluminiową skrzynkę, która przez cały dzień telepała się z tyłu ciężarówki, i wyjmuje butelki z ginem, whisky, wódką i amarulą. Ten ostatni trunek upodobałam sobie szczególnie: słodki likier wytwarzany z owoców maruli, afrykańskiego drzewa. Smakuje jak tysiąc zakrapianych alkoholem kalorii z kawy i czekolady, jak coś, czego dziecko ma ochotę spróbować ukradkiem, gdy mama nie widzi. Clarence mruga do mnie, wręczając mi szklankę, jakbym była takim właśnie niesfornym dzieckiem, bo wszyscy inni sączą drinki dla dorosłych, ciepły gin z tonikiem albo czystą whisky. O tej porze dnia myślę: Tak, dobrze jest być w Afryce. Kiedy w miejsce wszystkich niewygód, dokuczliwych owadów i napięcia między mną a Richardem pojawia się przyjemne uczucie nieważkości i mogę usadowić się na składanym krześle i obserwować zachód słońca. Gdy Clarence przygotowuje na prosty wieczorny posiłek gulasz, chleb i owoce, Johnny rozciąga wokół obozu drut z zawieszonymi dzwoneczkami, które mają nas ostrzec w przypadku wizyty intruza. Spostrzegam, że sylwetka Johnny'ego nagle nieruchomieje na tle zachodzącego słońca. Unosi głowę, jakby wąchał powietrze, wciągając w nozdrza tysiąc zapachów, których nawet nie wyczuwam. Jest jak istota z buszu, tak oswojona z tą dziczą, że spodziewam się niemal, iż otworzy usta i zaryczy jak lew.

– Od jak dawna pracujesz z Johnnym? – zwracam się do Clarence'a, który miesza bulgoczący w kotle gulasz.

– Z Johnnym? Pierwszy raz.

– Nigdy przedtem nie byłeś jego tropicielem?

Clarence wsypuje energicznie pieprz do gulaszu.

– Mój kuzyn Abraham jest tropicielem Johnny'ego. Ale

w tym tygodniu ma pogrzeb w swojej wiosce. Prosił mnie, żebym go zastąpił.

– A co Abraham mówił o Johnnym?

Clarence szczerzy białe zęby, tak że lśnią w półmroku.

– Och, mój kuzyn opowiada o nim wiele historii. Wiele historii. Uważa, że Johnny powinien się urodzić jako Shangaan, bo jest taki jak my. Tyle że ma białą twarz.

– Shangaan? To wasze plemię?

Kiwa głową.

– Pochodzimy z prowincji Limpopo. W Republice Południowej Afryki.

– Używacie języka, którym rozmawiasz czasem z Johnnym?

Śmieje się jakby w poczuciu winy.

– Kiedy nie chcemy, żebyście wiedzieli, co mówimy.

Wyobrażam sobie, że nie jest to nic pochlebnego. Spoglądam na innych, siedzących wokół ogniska. Pan Matsunaga przegląda skrupulatnie z żoną zdjęcia zrobione tego dnia jego aparatem. Vivian i Sylvia wylegują się w swych wydekoltowanych podkoszulkach, emanując feromonami, z powodu których nieszczęsny, niezdarny Elliot jak zwykle skamle o ich uwagę. „Nie jest wam zimno, dziewczyny?" „Przynieść wam swetry?" „Może jeszcze jeden gin z tonikiem?"

Richard wyłania się z naszego namiotu w świeżej koszuli. Obok mnie czeka na niego puste krzesło, ale mija je i siada przy Vivian, roztaczając dalej swój czar. „Jak ci się podoba nasze safari?" „Bywasz w Londynie?" „Z przyjemnością prześlę tobie i Sylvii egzemplarze *Blackjacka* z autografem, jak tylko ta książka się ukaże".

Oczywiście, wszyscy już wiedzą, kim jest Richard. W ciągu godziny od chwili, gdy się poznali, napomknął subtelnie, że mają do czynienia z autorem thrillerów, Richardem Renwickiem, twórcą bohatera MI5, Jackmana Trippa. Niestety, nikt z nich nie słyszał dotąd o Renwicku ani o jego bohaterze, co zepsuło nieco atmosferę pierwszego dnia safari. Ale teraz Richard jest znów w formie, robiąc to, co potrafi najlepiej: czarując swoją publiczność. Myślę, że trochę przesadza. Nawet bardzo. Ale gdy później zwrócę mu uwagę, wiem dokładnie, co powie. „Pisarze muszą tak postępować, Millie. Musimy być towarzyscy i przyciągać nowych czytelników". Zabawne, że nigdy nie traci czasu na towarzyskie pogawędki ze staruszkami, jedynie z młodymi – najlepiej ładnymi – kobietami. Pamiętam, jak cztery lata temu oczarował mnie, gdy podpisywał egzemplarze książki *Opcja zbrodni* w księgarni, w której pracowałam. Kiedy Richard poluje, trudno mu się oprzeć i widzę teraz, jak spogląda na Vivian wzrokiem, jakim nie patrzył na mnie od lat. Wsuwa w usta gauloise'a i pochyla się, by osłonić dłońmi płomień swej srebrnej zapalniczki, tak jak zrobiłby to jego bohater, Jackman Tripp, z męską nonszalancją.

Puste krzesło obok mnie jest jak czarna dziura, wysysająca z mojej duszy wszelką radość. Jestem gotowa wstać i wrócić do namiotu, gdy nagle Johnny sadowi się przy mnie. Nic nie mówi, po prostu przygląda się wszystkim, jakby nas oceniał. Myślę, że zawsze to robi, i zastanawiam się, jak mnie postrzega. Czy jestem jak inne pogodzone z losem żony i przyjaciółki, zaciągnięte do buszu, aby zaspokoić fantazje swoich mężczyzn?

Drażni mnie jego wzrok i czuję potrzebę przerwania ciszy.

– Czy te dzwoneczki na drucie wokół obozu rzeczywiście działają? – pytam. – Czy są tylko po to, żebyśmy czuli się bezpieczniej?

– Mają nas ostrzec.

– Nie słyszałam ich w nocy, gdy do obozu weszła pantera.

– Ja słyszałem. – Johnny pochyla się i dorzuca drew do ognia. – Dziś w nocy pewnie znów zabrzęczą.

– Myślisz, że czai się tu więcej panter?

– Tym razem chodzi o hieny. – Wskazuje w mrok za kręgiem światła z ogniska. – Kilka z nich właśnie nam się przygląda.

– Co? – Wpatruję się w ciemność. Dopiero teraz zauważam blask ognia odbity w ślepiach.

– Są cierpliwe. Czekają na jakąś padlinę. Wyjdź sama poza obóz, a staniesz się ich posiłkiem. – Wzrusza ramionami. – Po coś w końcu mnie wynajęliście.

– Żebyśmy nie skończyli jako obiad.

– Nie płacono by mi, gdybym tracił zbyt wielu klientów.

– Zbyt wielu... to znaczy ilu?

– Ty byłabyś dopiero trzecia.

– To żart, prawda?

Uśmiecha się. Choć jest mniej więcej w tym samym wieku co Richard, ma zmarszczki wokół oczu od afrykańskiego słońca. Kładzie mi uspokajająco dłoń na ramieniu, co mnie zaskakuje, bo nie należy do ludzi, którzy bez potrzeby kogoś dotykają.

– Tak, to żart. Nigdy nie straciłem klienta.

– Trudno wyczuć, kiedy mówisz poważnie.

– Jak nie będę żartował, zorientujesz się. – Odwraca się do Clarence'a, który powiedział do niego coś właśnie w języku plemienia Shangaan. – Kolacja gotowa.

Spoglądam na Richarda, żeby sprawdzić, czy zauważył, że Johnny ze mną rozmawiał, trzymając mi rękę na ramieniu. Ale jest tak wpatrzony w Vivian, jakbym była niewidzialna.

▫ ▫ ▫

– Pisarze muszą tak postępować – oznajmia Richard, jak było do przewidzenia, gdy leżymy tej nocy w namiocie. – Zdobywam tylko nowych czytelników. – Rozmawiamy szeptem, bo brezent jest cienki, a namioty stoją blisko siebie. – Poza tym czuję się trochę ich opiekunem. Dwie samotne dziewczyny w buszu. Wykazują się sporą odwagą, a mają dopiero dwadzieścia parę lat, nie sądzisz? Należy je za to podziwiać.

– Elliot najwyraźniej to robi – zauważam.

– Elliot podziwiałby wszystko, co ma dwa chromosomy X.

– A więc nie są całkiem samotne. Bierze udział w wycieczce, żeby dotrzymać im towarzystwa.

– Boże, to musi być dla nich męczące. Nie odstępuje ich na krok i robi słodkie oczy.

– Dziewczyny go zaprosiły. Tak twierdzi.

– Zaprosiły go z litości. Przysiadł się do nich w jakimś nocnym klubie i usłyszał, że jadą na safari. Powiedziały zapewne: „Hej, powinieneś też się wybrać do buszu!". Z pewnością nie przypuszczały, że się zdecyduje.

– Dlaczego ciągle się go czepiasz? Jest bardzo miły. I świetnie zna się na ptakach.

Richard prycha pogardliwie.

– To zawsze takie atrakcyjne w mężczyźnie.

– Co się z tobą dzieje? Czemu jesteś taki drażliwy?

– Mógłbym powiedzieć to samo o tobie. Gawędzę sobie tylko z młodą kobietą, a ty nie możesz tego znieść. Te dziewczyny potrafią się przynajmniej dobrze bawić. Umieją korzystać z życia.

– Naprawdę staram się cieszyć tą wyprawą. Ale nie sądziłam, że będzie tu tak prymitywnie. Oczekiwałam...

– Puszystych ręczników i czekoladek na poduszce.

– Doceń to, że tu jestem.

– I cały czas narzekasz. To safari było moim marzeniem, Millie. Nie rujnuj mi go.

Nie mówimy już szeptem i jestem pewna, że jeśli inni jeszcze nie śpią, to nas słyszą. Wiem, że Johnny czuwa, bo pierwszy pełni wartę. Wyobrażam sobie, jak siedzi przy ognisku, słuchając naszych coraz bardziej podniesionych głosów. Z pewnością wyczuwa narastające między nami napięcie. Johnny Posthumus jest typem człowieka, który wszystko zauważa, bo to umożliwia mu przetrwanie w takim miejscu, gdzie umiejętność usłyszenia zawieszonego na drucie dzwonka wyznacza granicę między życiem a śmiercią. Jakimi bezużytecznymi, powierzchownymi ludźmi musimy mu się wydawać! Ile małżeństw rozpadło się na jego oczach, ilu butnych mężczyzn upokorzyła w jego obecności Afryka? Busz to nie jedynie cel wakacyjnej podróży. Człowiek może się tam nauczyć, jak niewiele naprawdę znaczy.

– Wybacz – szepczę, biorąc Richarda za rękę. – Nie chcę psuć ci tej podróży.

Choć wplatam palce w jego dłoń, nie odwzajemnia uścisku. Jego ręka jest jak martwa.

– Już wszystko zepsułaś. Wiem, że to nie są twoje wymarzone wakacje, ale, na litość boską, dość tej ponurej miny! Zobacz, jak Sylvia i Vivian dobrze się bawią! Nawet pani Matsunaga potrafi się dostosować.

– Może to wszystko z powodu tych tabletek przeciwko malarii, które biorę – sugeruję nieśmiało. – Lekarz powiedział, że mogą wywoływać depresję. A u niektórych pacjentów nawet obłęd.

– Cóż, mnie jakoś meflokina nie szkodzi. Dziewczyny też ją biorą i są w dobrych nastrojach.

Znowu dziewczyny. Wciąż porównuje mnie z kobietami, które są dziewięć lat młodsze ode mnie, o dziewięć lat szczuplejsze i atrakcyjniejsze. Jak po czterech latach dzielenia tego samego mieszkania i toalety którakolwiek kobieta może wydawać się nadal atrakcyjna?

– Powinnam przestać brać tabletki – mówię.

– I złapać malarię? No tak, to ma sens.

– Więc co mam zrobić? Richard, powiedz mi, co mam zrobić!

– Nie wiem. – Wzdycha i odwraca się ode mnie. Jego plecy są jak zimny beton, mur, który otacza serce, zagradzając mi do niego dostęp. Po chwili dodaje cicho: – Nie wiem, dokąd zmierzamy, Millie.

Ale ja wiem, dokąd on zmierza. Oddala się ode mnie. Robi to od miesięcy, tak dyskretnie, tak stopniowo, że dotąd tego nie zauważałam. Mogłam to skwitować stwierdzeniem: „Och, jesteśmy ostatnio oboje tacy zajęci”. On pracował intensywnie nad ostatnimi poprawkami do *Blackjacka*. Ja borykałam się z doroczną inwentaryzacją w księgarni. Nasze relacje się poprawią, gdy zwolnimy nieco tempo życia. Wciąż to sobie powtarzałam.

Poza naszym namiotem noc pulsuje odgłosami delty. Obozujemy niedaleko rzeki, gdzie wcześniej widzieliśmy hipopotamy. Wydaje mi się, że słyszę je teraz, razem ze skrzekami, wrzaskami i pomrukami niezliczonych innych stworzeń.

Ale wewnątrz namiotu panuje cisza.

A więc w takim miejscu umiera miłość. W namiocie, w buszu, w Afryce. Gdybyśmy byli w Londynie, wyskoczyłabym z łóżka, ubrała się i poszła do przyjaciółki, by się jej wyżalić i napić się brandy. Ale tutaj jestem uwięziona w brezentowej pułapce, otoczona przez świat, który chce mnie pożreć. Uczucie klaustrofobii sprawia, że pragnę rozpaczliwie rozerwać paznokciami namiot i uciec z krzykiem w mrok. To pewnie te tabletki przeciw malarii mącą mi umysł. Chcę, żeby tak było, bo to by oznaczało, że nie ze swojej winy czuję się tak beznadziejnie. Naprawdę muszę przestać je brać.

Richard zapadł w głęboki sen. Jak może spać tak spokojnie, gdy ja mam wrażenie, że za chwilę eksploduję? Słucham jego odprężonego, miarowego oddechu, który świadczy o tym, że nic go nie obchodzę.

Nadal mocno śpi, kiedy budzę się następnego ranka. Gdy blade światło brzasku przenika przez brezent namiotu, myślę ze strachem o czekającym nas dniu. O uciążliwej jeździe ciężarówką, gdy będziemy siedzieli obok siebie, starając się zachowywać w cywilizowany sposób. O pladze komarów i sikaniu w krzakach. O kolejnym wieczorze, kiedy będę patrzyła, jak Richard flirtuje z dziewczynami, i czuła, że pęka mi serce. Myślę, że te wakacje nie mogą już być gorsze.

I wtedy słyszę przeraźliwy krzyk kobiety.

Rozdział drugi

BOSTON

Zawiadomił ich listonosz. Kwadrans po jedenastej w słuchawce rozległ się drżący głos: „Jestem na Sanborn Avenue, w West Roxbury, zero dwa jeden trzy dwa. Zobaczyłem w oknie psa...". W ten sposób dowiedziała się o sprawie policja w Bostonie. Lawinę wydarzeń wywołał telefon od zaniepokojonego listonosza, jednego z całej armii piechurów pełniących służbę sześć dni w tygodniu we wszystkich zakątkach Ameryki. Są oczami narodu i czasem tylko oni zauważają, która wdowa nie odebrała poczty, który stary kawaler nie otwiera drzwi i na którym ganku leży sterta pożółkłych gazet.

Pierwszym sygnałem, że coś jest nie w porządku w dużym domu przy Sanborn Avenue, z kodem pocztowym 02132, była przepełniona skrzynka. Listonosz amerykańskiej poczty, Luis Muniz, zauważył, że przez dwa dni nikt nie odbierał przesyłek. Nie był to jeszcze powód do niepokoju. Ludzie wyjeżdżają na weekendy. Zapominają zgłosić, żeby nie dostarczano im poczty do domu.

Ale trzeciego dnia Muniz zaczął się niepokoić. Czwartego, gdy otworzył skrzynkę i zobaczył, że jest nadal zapchana katalogami, czasopismami i rachunkami, wiedział, że musi coś zrobić.

– Puka więc do frontowych drzwi – powiedział policjant Gary Root. – Nikt nie odpowiada. Postanawia zapytać sąsiadkę, czy wie, co się dzieje. Spogląda w okno i zauważa psa.

– Tamtego? – spytała detektyw Jane Rizzoli, wskazując na wyglądającego przyjaźnie golden retrievera, przywiązanego do skrzynki na listy.

– Tak, to on. Ma wypisane na obroży imię Bruno. Zabrałem go z tego domu, żeby... – Policjant Root przełknął ślinę – ...nie wyrządził więcej szkód.

– A gdzie jest listonosz?

– Zwolnił się na resztę dnia. Pewnie zamówił sobie drinka w jakimś barze. Mam jego telefon, ale prawdopodobnie nie powie już pani nic więcej. Nie wszedł do tego domu, zadzwonił tylko na dziewięćset jedenaście. Przyjechałem tu pierwszy. Frontowe drzwi nie były zamknięte na klucz. Wszedłem do środka i... – Pokręcił głową. – Żałuję, że to zrobiłem.

– Rozmawiał pan z kimś jeszcze?

– Z uprzejmą sąsiadką. Wyszła, gdy zobaczyła zaparkowane na ulicy radiowozy, i chciała wiedzieć, co się stało. Powiedziałem tylko, że jej sąsiad nie żyje.

Jane odwróciła się i spojrzała na dom, w którym został uwięziony przyjazny retriever Bruno. Był to stary dwukondygnacyjny dom jednorodzinny z gankiem, garażem na dwa samochody i starymi drzewami od frontu. Drzwi garażowe były zamknięte, a czarny ford explorer, zarejestrowany na właściciela domu, stał zaparkowany na podjeździe. Tego ranka nic nie odróżniało owej rezydencji od innych starannie utrzymanych domów przy Sanborn Avenue. Nie było powodu, by policjant zwrócił na nią uwagę i pomyślał: Chwileczkę, coś tu nie gra. Ale przy krawężniku stały teraz dwa radiowozy z błyskającymi światłami i dla każdego, kto tamtędy przechodził, było oczywiste, że owszem, wydarzyło się tam coś bardzo złego. Coś, co Jane i jej partner, Barry Frost, mieli za chwilę zobaczyć. Po drugiej stronie ulicy zbierał się tłum gapiów z sąsiedztwa. Czy ktokolwiek z nich zauważył, że właściciel tego domu nie pojawiał się od kilku dni, nie wyprowadzał psa ani nie odbierał poczty? Teraz mówili pewnie do siebie: „Tak, wiedziałem, że coś jest nie w porządku". Wszyscy są mądrzy po szkodzie.

– Oprowadzi nas pan po tym domu? – spytał Frost funkcjonariusza Roota.

– Wie pan co? – odparł Root. – Wolałbym nie. Już wywietrzał mi z nosa ten zapach i nie chciałbym go poczuć ponownie.

Frost przełknął ślinę.

– Uuu... aż tak źle?

– Byłem tam najwyżej trzydzieści sekund. Mój partner nie wytrzymał nawet tyle. Niczego nie muszę tam panu pokazywać. Sam pan zobaczy. – Spojrzał na golden retrievera, który odpowiedział mu radosnym szczeknięciem. – Biedny szczeniak, był tam zamknięty bez jedzenia. Wiem, że nie miał wyboru, mimo wszystko...

Jane zerknęła na Frosta, który wpatrywał się w dom jak więzień skazany na galery.

– Co jadłeś na lunch? – spytała go.

– Kanapkę z indykiem. I frytki.

– Mam nadzieję, że ci smakowały.

– Nie pomagasz mi, Rizzoli.

Weszli po schodach na ganek i przystanęli, by włożyć rękawiczki i ochraniacze na buty.

– Wiesz, jest taki lek o nazwie compazin – powiedziała Jane.

– Tak?

– Zapobiega porannym mdłościom.

– Świetnie. Jak zajdę w ciążę, to go wypróbuję.

Spojrzeli na siebie i zobaczyła, że Frost bierze głęboki oddech, wciągając ostatni haust czystego powietrza, podobnie jak ona. Już w rękawiczkach, otworzyła drzwi i weszli do środka. Frost uniósł rękę, by zakryć nos i nie czuć zapachu, który dobrze znali. Bez względu na to, czy określało się go jako woń rozkładu, zgnilizny, czy używało jakiejś chemicznej nazwy, był to zawsze odór śmierci. Ale to nie zapach sprawił, że zatrzymali się w progu, lecz to, co zobaczyli na ścianach.

Gdziekolwiek spojrzeli, wpatrywały się w nich ślepia. Cała galeria martwych istot obserwujących intruzów.

– Chryste... – mruknął Frost. – Czy on polował na grubego zwierza?

– To zdecydowanie duże okazy. – Jane patrzyła na łeb nosorożca i zastanawiała się, jakiej trzeba kuli, by zabić takie zwierzę. Albo wiszącego obok bawołu. Szła powoli wzdłuż rzędu trofeów, szeleszcząc ochraniaczami butów na drewnianej podłodze i przyglądając się łbom zwierząt, które wyglądały jak żywe do tego stopnia, że spodziewała się niemal usłyszeć ryk lwa. – Czy to w ogóle legalne? Kto, do cholery, poluje dziś na pantery?

– Zobacz. Biegał tutaj nie tylko pies.

Na drewnianej podłodze widać było czerwonobrązowe ślady łap. Większe pozostawił niewątpliwie Bruno, golden retriever, ale zobaczyli również mniejsze, przecinające pokój. Brązowe plamy na parapecie znaczyły miejsce, gdzie Bruno oparł się przednimi łapami, spoglądając na listonosza. Ale to nie sam widok psa skłonił Luisa Muniza, by zadzwonić na 911, lecz to, co zobaczył w jego pysku.

Ludzki palec.

Jane i Frost podążyli za śladami łap, śledzeni szklanym wzrokiem zebry i lwa, hieny i guźca. Kolekcjoner tych trofeów nie dyskryminował małych zwierząt. Nawet najmniejsze stworzenia znalazły swe haniebne miejsce na ścianie, w tym cztery myszy, usadowione wokół miniaturowego stolika z malutkimi porcelanowymi filiżankami. Groteskowa wersja herbatki u Szalonego Kapelusznika.

Gdy szli przez salon w kierunku korytarza, odór rozkładu przybrał na sile. Jane nie widziała jeszcze jego źródła, ale słyszała już nieomylne złowrogie brzęczenie. Tłusta mucha zatoczyła leniwie kilka okrążeń wokół jej głowy i wyfrunęła przez drzwi.

„Zawsze podążaj za muchami. One wiedzą, gdzie serwowany jest obiad”.

Drzwi były uchylone. Gdy Jane otworzyła je szerzej, coś białego przemknęło jej pod nogami.

– Jasny gwint! – krzyknął Frost.

Serce Jane waliło jak młotem, gdy odwróciła się i zobaczyła parę oczu wpatrujących się w nią spod kanapy w salonie.

– To tylko kot. – Zaśmiała się z ulgą. – To wyjaśnia, skąd wzięły się mniejsze ślady łap.

– Zaczekaj, słyszysz to? – spytał Frost. – Chyba jest tu jeszcze jeden kot.

Zaczerpnęła tchu i weszła do garażu. Szary pręgowany kot przybiegł się z nią przywitać i zaczął się łasić do jej nóg, ale go zignorowała. Skupiła wzrok na tym, co zwisało z sufitu. Much było tyle, że ich brzęczenie wibrowało jej w kościach, gdy zasiadały do soczystej uczty na torsie, który dogodnie dla nich rozpłatano, ukazując mięso, w którym wiły się teraz larwy.

Frost cofnął się raptownie, krztusząc się.

Nagi mężczyzna wisiał głową w dół. Kostki miał związane pomarańczową nylonową żyłką. Zwłoki wyglądały jak tusza świni zawieszona na haku w rzeźni, rozcięto mu brzuch i wyjęto wszystkie narządy. Obie ręce zwisały swobodnie i dłonie dotykałyby niemal podłogi – gdyby były nadal na swoim miejscu. Gdyby głód nie zmusił Bruna, a być może także obu kotów, do posilania się ciałem ich pana.

– Więc teraz wiemy, skąd wziął się ten palec – odezwał się Frost stłumionym głosem, trzymając rękaw przy nosie. – Jezu, to jakiś koszmar. Zostać zjedzonym przez własnego kota...

Dla trzech wygłodniałych zwierząt domowych to, co zwisało teraz z sufitu, stanowiło niewątpliwie ucztę. Obgryzły już ręce i zjadły tyle skóry, mięśni i chrząstek twarzy, że odsłoniły białą kość jednego z oczodołów i zza strzępów ciała wyłaniała się jej perłowa krawędź. Twarzy nie dawało się rozpoznać, ale nabrzmiałe groteskowo genitalia nie pozostawiały wątpliwości, że denat był mężczyzną – w podeszłym wieku, sądząc po siwych włosach łonowych.

– Powieszony i oprawiony jak zwierzę – powiedział ktoś za ich plecami.

Jane odwróciła się zaskoczona i zobaczyła w drzwiach doktor Maurę Isles. Nawet w tak groteskowej scenerii miejsca zbrodni Maura potrafiła wyglądać elegancko. Jej czarne włosy lśniły jak kask, a żakiet i spodnie pasowały idealnie do szczupłej talii i bioder. Jane, z rozwianymi włosami i w podniszczonych butach, czuła się przy niej jak uboga krewna. Maura nie wzdragała się przed zapachem, lecz nie bacząc na muchy, które pikowały nad jej głową, podeszła wprost do zwłok.

– Niepokojący widok – rzuciła.

– Niepokojący? – prychnęła Jane. – Powiedziałabym raczej, że to totalny syf.

Szary kot opuścił Jane i podszedł do Maury; ocierał się o jej nogę i głośno mruczał. Tak wygląda kocia lojalność.

Maura odsunęła go nogą, skupiając uwagę na zwłokach.

– Brakuje narządów z jamy brzusznej i klatki piersiowej. Wykonano bardzo zdecydowane cięcie, od kości łonowej do wyrostka mieczykowatego w mostku. Myśliwy oprawiałby w ten sposób jelenia albo dzika. Powiesiłby go, wypatroszył i pozostawił do dojrzewania. – Spojrzała na sufit. – Właśnie na takim haku. Najwyraźniej ten dom należy do myśliwego.

– Tamte narzędzia także. – Frost wskazał na warsztat w garażu, gdzie do namagnesowanej listwy przytkniętych było kilkanaście śmiercionośnych noży. Wszystkie wydawały się czyste i miały lśniące ostrza. Jane spojrzała na nóż do odkrawania mięsa od kości. Wyobraziła sobie ostrze przecinające ciało jak masło.

– Dziwne – powiedziała Maura, koncentrując uwagę na torsie. – Te rany nie wyglądają na zadane nożem. – Wskazała trzy nacięcia na klatce piersiowej. – Są idealnie równoległe, jakby ostrza były osadzone na wspólnym trzonku.

– Przypominają ślady pazurów – zauważył Frost. – Czy mogły to zrobić zwierzęta?

– Są zbyt głębokie, by zostawił je kot lub pies. Wyglądają na pośmiertne, bo krwawiły minimalnie... – Spojrzała na podłogę. – Jeśli zamordowano go tutaj, krew musiała zostać spłukana. Widzisz tę studzienkę w betonie? Coś takiego zamontowałby myśliwy, gdyby chciał tutaj wieszać i sezonować mięso.

– O co chodzi z tym sezonowaniem? Nigdy nie rozumiałem, po co wiesza się mięso – przyznał Frost.

– Pośmiertne enzymy działają jako naturalny środek zmiękczający, ale dzieje się to zwykle w temperaturach nieco powyżej zera. Tutaj jest około dziesięciu stopni. Wystarczająco ciepło, by doszło do rozkładu mięsa. I żeby pojawiły się robaki. Dobrze, że mamy listopad. W sierpniu cuchnęłoby o wiele gorzej. – Maura chwyciła pęsetą robaka i obserwowała, jak wije się w jej odzianej w rękawiczkę dłoni. – Te larwy są na trzecim etapie rozwoju. To by oznaczało, że śmierć nastąpiła jakieś cztery dni temu.

– Ściany salonu ozdobione są trofeami łowieckimi – oznajmiła Jane. – A on kończy powieszony jak martwe zwierzę. Mamy tu chyba jakiś motyw.

– Czy ofiara była właścicielem domu? Potwierdziliście jej tożsamość?

– Trochę trudno go zidentyfikować, skoro nie ma rąk ani twarzy. Ale wiek się zgadza. Dom należy do Leona Gotta. Wiek sześćdziesiąt cztery lata, rozwiedziony, mieszkał sam.

– Z pewnością nie umarł sam – zauważyła Maura, wpatrując się w ziejącą jamę w pustym torsie. – Gdzie one są? – spytała, odwracając się nagle do Jane. – Zabójca powiesił tutaj ciało. A co zrobił z narządami?

Przez chwilę w garażu słychać było tylko brzęczenie much, gdy Jane przypominała sobie wszystkie zasłyszane opowieści o kradzieżach narządów. Potem spojrzała na stojący w odległym kącie kubeł na śmieci. Gdy do niego podeszła, odór rozkładu stał się jeszcze bardziej intensywny, a w powietrze wzbił się rój żarłocznych much. Z grymasem na twarzy uniosła skraj pokrywy kubła. Zdołała tylko rzucić okiem do środka i natychmiast musiała się cofnąć, zasłaniając usta.

– Zakładam, że je znalazłaś – potwierdziła Maura.

– Tak – mruknęła Jane. – Przynajmniej jelita. Sporządzenie pełnego inwentarza wnętrzności pozostawię tobie.

– Koronkowa robota.

– O tak, to będzie niezła zabawa.

– Nie, mam na myśli sprawcę. Precyzyjne cięcie. Usunięcie trzewi. – Ochraniacze do butów zaszeleściły, gdy Maura podeszła do kubła na śmieci.

Jane i Frost cofnęli się, kiedy otworzyła pokrywę, ale nawet z drugiego końca garażu poczuli obrzydliwy zapach rozkładających się narządów, który najwyraźniej podniecał szarego kota, bo zwierzak ocierał się jeszcze energiczniej o Maurę, miaucząc, by zwrócić jej uwagę.

– Masz nowego przyjaciela – zauważyła Jane.

– To normalne kocie zachowanie. Naznacza mnie jako swoje terytorium – wyjaśniła Maura, wsuwając dłoń w rękawiczce do kubła.

– Wiem, że lubisz być skrupulatna, Mauro – powiedziała Jane. – Ale może byś poszperała w tych trzewiach w prosektorium? W jakimś sterylnym pomieszczeniu?

– Muszę być pewna...

– Czego? Przecież czujesz, co tam jest. – Jane patrzyła z odrazą, jak Maura pochyla się i sięga jeszcze głębiej do kubła pełnego wnętrzności. Widywała w prosektorium, jak Maura rozcina torsy i ściąga skalpy, odkrawa ciało od kości i przepiłowuje czaszki, wykonując wszystkie te zadania z precyzją lasera. Z takim samym skupieniem na twarzy grzebała teraz w masie stężałych trzewi, nie zważając na muchy wpełzające w jej przycięte modnie ciemne włosy. Czy ktokolwiek inny mógłby wyglądać równie elegancko, robiąc coś tak odrażającego?

– Daj spokój, przecież widziałaś już trzewia – rzuciła Jane.

Maura nic nie odpowiedziała, tylko wsunęła ręce jeszcze głębiej.

– W porządku. – Jane westchnęła. – Nie potrzebujesz nas do tego. Frost i ja sprawdzimy resztę...

– Jest ich za dużo – mruknęła Maura.

– Czego?

– Tych trzewi. Zajmują zbyt dużą objętość.

– Sama zawsze mówisz o gazach bakteryjnych, które powodują wzdęcie.

– Wzdęcie nie wyjaśnia tego. – Maura wyprostowała się i Jane poczuła dreszcz, zobaczywszy, co trzyma w dłoni.

– Serce?

– To nie jest normalne serce, Jane. Owszem, ma cztery komory, ale ten łuk aorty nie wygląda tak jak powinien. I wielkie tętnice również.

– Leon Gott miał sześćdziesiąt cztery lata – przypomniał Frost. – Może chorował na serce.

– Właśnie na tym polega problem. To nie jest serce sześćdziesięcioczterolatka. – Maura sięgnęła ponownie do kubła. – Ale to jak najbardziej – dodała, wyciągając w kierunku Frosta drugą rękę.

Jane patrzyła zdezorientowana.

– Chwileczkę. Są tutaj dwa serca?

– I dwa komplety płuc.

Jane i Frost spojrzeli na siebie.

– O cholera – zaklął detektyw.

Rozdział trzeci

Frost przeszukiwał dolną kondygnację domu, a Jane górną. Sprawdzali pokój za pokojem, otwierali szafy i szuflady, zaglądali pod łóżka. Nie znaleźli nigdzie wypatroszonych zwłok ani śladów walki, za to dużo kurzu i kociej sierści. Pan Gott – jeśli to rzeczywiście on wisiał w garażu – nie dbał o porządek. Na komodzie leżały porozrzucane stare kwity ze sklepu żelaznego, baterie z aparatu słuchowego, portfel z trzema kartami kredytowymi i czterdzieści osiem dolarów w gotówce, a także kilka pojedynczych nabojów. Dowodziło to, że dość beztrosko obchodził się z bronią. Jane nie była zdziwiona, kiedy znalazła w szufladzie jego szafki nocnej gotowego do użycia glocka z pełnym magazynkiem i nabojem w komorze. Idealne narzędzie dla owładniętego paranoją właściciela domu.

Szkoda, że broń była na górze, gdy jemu na dole wycinano wnętrzności.

Szafka w łazience zawierała typowy dla sześćdziesięcioczterolatka zestaw leków: aspirynę, ibuprofen, lipitor i lopressor. Na blacie leżał wysokiej klasy aparat słuchowy. Nie założył go, co oznaczało, że mógł nie słyszeć intruza.

Gdy Jane zaczęła schodzić na dół, w salonie zadzwonił telefon. Zanim zdążyła go odebrać, włączyła się automatyczna sekretarka i usłyszała głos rozmówcy, który zostawiał wiadomość.

Cześć, Leon! Nie odpowiedziałeś mi, co z wycieczką do Kolorado. Daj znać, jeśli chcesz do nas dołączyć. Powinna być dobra zabawa.

Zamierzała odtworzyć wiadomość, by zobaczyć numer telefonu rozmówcy, gdy zauważyła, że przycisk PLAY jest zaplamiony czymś, co wyglądało na krew. Migająca dioda sygnalizowała, że zostały nagrane dwie wiadomości, i Jane usłyszała właśnie drugą z nich.

Nie zdejmując rękawiczki, wcisnęła PLAY.

Trzeci listopada, godzina dziewiąta piętnaście rano: ...i jeśli oddzwoni pan natychmiast, możemy obniżyć panu opłaty za używanie karty kredytowej. Proszę nie przeoczyć okazji i skorzystać z tej specjalnej oferty.

Szósty listopada, godzina czternasta: Cześć, Leon! Nie odpowiedziałeś mi, co z wycieczką do Kolorado. Daj znać, jeśli chcesz do nas dołączyć. Powinna być dobra zabawa.

Trzeci listopada był w poniedziałek, dziś mieli czwartek. Pierwsza wiadomość nie została odsłuchana, gdyż w poniedziałek o dziewiątej rano Leon Gott prawdopodobnie już nie żył.

– Jane? – odezwała się Maura. Szary kot podążył za nią na korytarz i plątał jej się między nogami.

– Na automatycznej sekretarce są ślady krwi – oznajmiła

Jane, odwracając się do niej. – Po co sprawca miałby jej dotykać? Po co sprawdzałby wiadomości w telefonie ofiary?

– Zobaczmy, co Frost znalazł na zapleczu.

Jane wyszła za nią przez kuchnię na tyły domu. Na ogrodzonym podwórku, na którym rosły jedynie kępki trawy, stał budynek gospodarczy z metalowym sidingiem. Konstrukcja bez okien, zbyt duża jak na skład narzędziowy, wyglądała na dość pojemną, by ukrywać niezliczone koszmary. Gdy Jane weszła do środka, poczuła ostry zapach alkoholu. Fluorescencyjne lampy oświetlały wnętrze zimnym, klinicznym blaskiem.

Frost stanął obok dużego stołu warsztatowego i patrzył na przymocowane do niego groźnie wyglądające narzędzie.

– Myślałem początkowo, że to piła tarczowa – powiedział. – Ale nigdy nie widziałem takiego ostrza. A tamte szafki? – Wskazał w głąb warsztatu. – Zobaczcie, co w nich jest.

Jane ujrzała za szklanymi drzwiczkami pudła z lateksowymi rękawiczkami i szereg poukładanych na półkach przerażających narzędzi. Skalpele i noże, zgłębniki, szczypce i kleszcze. Narzędzia chirurgiczne. Na ścianach wisiały gumowe fartuchy z plamami krwi. Przeszedł ją dreszcz. Odwróciła się i spojrzała na zrobiony ze sklejki stół z pociętym blatem; zauważyła na nim grudkę stężałego surowego mięsa.

– W porządku – mruknęła. – Teraz już się wkurzyłam.

– To wygląda na warsztat seryjnego zabójcy – orzekł Frost. – Na tym stole ćwiartował ciała.

W kącie stała prawie dwustulitrowa biała beczka z elektrycznym silnikiem.

– Co to jest, do cholery?

Detektyw pokręcił głową.

– Mogłaby pomieścić...

Jane podeszła do beczki. Przystanęła, zauważywszy na podłodze czerwone kropki. Pokrywa na zawiasach również była poplamiona.

– Wszędzie są ślady krwi.

– Co jest w tej beczce? – spytała Maura.

Jane szarpnęła mocno rygiel.

– A w skrytce numer dwa mamy... – Zajrzała do środka. – Trociny.

– Nic więcej?

Sięgnęła do beczki i przez chwilę grzebała w wiórach, wzniecając chmurę pyłu.

– Tylko trociny.

– Więc brakuje nam nadal drugiej ofiary – powiedział Frost.

Maura podeszła do budzącego grozę narzędzia, które uznał wcześniej za piłę tarczową. Gdy oglądała ostrze, kot znów był przy jej obcasach, ocierając się o nogawki spodni i nie chcąc zostawić jej w spokoju.

– Czy dobrze przyjrzałeś się temu urządzeniu, Frost?

– Mniej więcej.

– Zauważyłeś, że to okrągłe ostrze jest wygięte w lewo? Najwyraźniej nie służy do krojenia.

Jane dołączyła do niej przy stole i dotknęła ostrożnie ostrza piły.

– Rozszarpałoby cię na strzępy – rzuciła.

– I prawdopodobnie tak ma działać. Nazywają to chyba

odmięśniarką. Nie jest używana do cięcia mięsa, tylko do usuwania ze skóry jego resztek.

– Produkują takie urządzenia?

Maura podeszła do szafki i otworzyła drzwiczki. Wewnątrz stały rzędem duże puszki, zapewne z farbą. Sięgnęła po jedną z nich i obróciła ją, by odczytać napis na etykiecie.

– Bondo.

– Produkt motoryzacyjny? – spytała Jane, dostrzegając rysunek samochodu.

– Tu jest napisane, że to szpachla do karoserii. Do usuwania zadrapań i rys. – Maura odstawiła puszkę na półkę. Nie mogła pozbyć się szarego kota, który podążył za nią, gdy podeszła do oszklonej gabloty i spojrzała na noże i zgłębniki, ułożone za szybą jak komplet narzędzi chirurgicznych. – Chyba wiem, do czego używano tego pomieszczenia. – Odwróciła się do Jane. – Ten drugi komplet trzewi w kuble na śmieci to nie są ludzkie szczątki.

▫ ▫ ▫

– Leon Gott nie był miłym człowiekiem. I staram się wyrażać oględnie – powiedziała Nora Bazarian, wycierając buzię jednorocznego synka, umazaną tartą marchewką. W spłowiałych dżinsach i obcisłej koszulce, z blond włosami związanymi jak u dziewczynki w koński ogon, wyglądała bardziej na nastolatkę niż trzydziestotrzyletnią matkę dwójki dzieci. Miała niezwykły talent do wykonywania wielu czynności naraz: karmiła łyżeczką malca, wkładała naczynia do zmywarki, sprawdzała ciasto w piekarniku i odpowiadała na pytania Jane. Nic dziwnego, że miała talię jak osa: nie usiadła nawet na pięć sekund.

– Wie pani, co krzyczał do mojego sześcioletniego syna? – spytała. – „Wynoś się z mojego trawnika!" Zawsze myślałam, że jedynie w karykaturach przedstawia się w ten sposób zrzędliwych staruchów, ale on naprawdę tak się wyraził. I to tylko dlatego, że Timmy poszedł pogłaskać jego psa. – Zatrzasnęła zmywarkę. – Bruno ma lepsze maniery od swojego właściciela.

– Jak długo znała pani pana Gotta? – spytała Jane.

– Przeprowadziliśmy się do tego domu sześć lat temu, tuż po narodzinach Timmy'ego. Sądziliśmy, że to idealna okolica dla dzieciaków. Ogródki są w większości zadbane, a przy tej ulicy mieszkają inne młode rodziny z dziećmi w wieku Timmy'ego. – Z wdziękiem baletnicy obróciła się do dzbanka z kawą i ponownie napełniła Jane filiżankę. – Kilka dni po przeprowadzce zaniosłam Leonowi na powitanie talerzyk ciasteczek. Nawet nie podziękował, powiedział tylko, że nie jada słodyczy, i mi je zwrócił. Potem skarżył się, że moje dziecko za dużo płacze i powinnam je w nocy uspokoić. Uwierzy pani? – Usiadła, wsuwając synkowi do ust kolejne porcje marchewki. – Na dodatek te martwe zwierzęta wiszące na ścianach.

– Więc była pani w jego domu.

– Tylko raz. Pochwalił mi się z dumą, że zastrzelił większość z nich osobiście. Co za człowiek zabija zwierzęta, by dekorować nimi ściany? – Otarła dziecku podbródek z marchewki. – Wtedy właśnie postanowiłam, że będziemy trzymali się od niego z daleka. Prawda, Sam? – powiedziała, naśladując gaworzenie dziecka. – Będziemy unikali tego złego człowieka.

– Kiedy widziała pani pana Gotta po raz ostatni?

– Powiedziałam już wszystko funkcjonariuszowi Rootowi. Ostatnio widziałam Leona w weekend.

– Którego dnia?

– W niedzielę rano. Na podjeździe. Wnosił do domu zakupy spożywcze.

– Czy ktoś go tego dnia odwiedzał?

– Prawie całą niedzielę byłam poza domem. Mój mąż jest w tym tygodniu w Kalifornii, więc zabrałam dzieci do mamy w Falmouth. Wróciliśmy dopiero późnym wieczorem.

– O której?

– Około dziewiątej trzydzieści, dziesiątej.

– Czy tamtej nocy słyszała pani w sąsiednim domu jakieś hałasy? Krzyki, podniesione głosy?

Nora odłożyła łyżeczkę i spojrzała na Jane, marszcząc brwi. Dziecko zaprotestowało, dopominając się jedzenia, ale Nora zignorowała je. Skupiała całą uwagę na Jane.

– Pomyślałam... kiedy funkcjonariusz Root powiedział mi, że znaleźli Leona powieszonego w garażu... Zakładałam, że popełnił samobójstwo.

– Obawiam się, że został zamordowany.

– Jest pani pewna? Całkowicie?

– O, tak. Całkowicie. Pani Bazarian, gdyby mogła pani sobie przypomnieć tamtą niedzielną noc...

– Mój mąż wraca dopiero w poniedziałek i jestem tu z dziećmi sama. Czy nic nam nie grozi?

– Proszę mi opowiedzieć o niedzielnej nocy.

– Czy moje dzieci są bezpieczne?

Każda matka zadałaby to pytanie. Jane pomyślała o swojej trzyletniej córeczce, Reginie. O tym, jak czułaby się w sytuacji Nory Bazarian, mieszkającej z dwójką małych dzieci tak blisko miejsca zbrodni. Czy wolałaby usłyszeć słowa otuchy, czy prawdy. A prawda była taka, że Jane nie znała odpowiedzi. Nie mogła obiecać nikomu, że jest bezpieczny.

– Dopóki nie dowiemy się więcej, dobrze byłoby zachować ostrożność – powiedziała.

– A co pani wie?

– Przypuszczamy, że to się zdarzyło w niedzielę w nocy.

– Przez cały czas był martwy – mruknęła Nora. – W sąsiednim domu, a ja nie miałam o tym pojęcia.

– Nie widziała pani ani nie słyszała tamtej nocy niczego niezwykłego?

– Wokół jego podwórka jest wysokie ogrodzenie, więc nigdy nie wiedzieliśmy, co się tam dzieje. Poza tym, że robił w warsztacie potworny hałas.

– Jakiego rodzaju?

– Koszmarny jazgot, jak od piły tarczowej. I pomyśleć, że miał czelność skarżyć się na płacz dziecka!

Jane przypomniała sobie leżący na blacie w łazience aparat słuchowy Gotta. Jeśli w niedzielny wieczór używał tego hałaśliwego sprzętu, z pewnością nie założył aparatu. Także z tego powodu nie usłyszałby intruza.

– Wspomniała pani, że w niedzielę wróciliście późno. Czy u pana Gotta paliły się światła?

Nora nawet nie musiała się zastanawiać.

– Owszem – odparła. – Pamiętam, że byłam zła, bo lampa

na szopie za jego domem świeci wprost do mojej sypialni. Ale kiedy poszłam do łóżka, około wpół do jedenastej, była już wyłączona.

– A co z psem? Szczekał?

– Och, Bruno. Problem polega na tym, że on zawsze szczeka. Pewnie na muchy.

Których jest tam teraz mnóstwo, pomyślała Jane. Właśnie w tym momencie Bruno szczekał. Nie był zaniepokojony, lecz podekscytowany obecnością wielu obcych ludzi przed domem.

Nora spojrzała w tamtym kierunku.

– Co się z nim stanie?

– Nie wiem. Domyślam się, że ktoś będzie musiał go zabrać. I koty także.

– Za kotami nie przepadam, ale psem mogłabym się zaopiekować. Bruno nas zna i był zawsze przyjaźnie nastawiony do moich chłopców. Czułabym się bezpieczniej, mając tu psa.

Może zmieniłaby zdanie, wiedząc, że Bruno trawił jeszcze kęsy ciała swego zmarłego pana.

– Czy pan Gott miał jakichś krewnych? – spytała Jane.

– Syna, który zginął kilka lat temu podczas zagranicznej podróży. Jego była żona również nie żyje i nie widywałam tu nigdy żadnej kobiety. – Nora pokręciła głową. – Strach pomyśleć. Człowiek jest martwy od czterech dni i nikt tego nawet nie zauważa. Tak bardzo odizolował się od świata.

Jane dostrzegła przez okno w kuchni Maurę, która wyłoniła się właśnie z domu Gotta i stała teraz na chodniku, sprawdzając wiadomości w komórce. Podobnie jak Gott,

Maura żyła samotnie i nawet w tym momencie, trzymając się na uboczu, wydawała się wyobcowana. Czy mając taką naturę, mogła pewnego dnia stać się podobna do Leona Gotta?

Przyjechała furgonetka z kostnicy i pierwsze ekipy telewizyjne zaczęły zajmować stanowiska za taśmą policyjną. Dom, który odwiedził zabójca, pozostanie nią ogrodzony także nocą, gdy znikną wszyscy policjanci, technicy kryminalistyki i reporterzy. A tuż obok mieszkała matka z dwójką dzieci.

– To nie było przypadkowe zabójstwo, prawda? – spytała Nora. – On znał mordercę? Kto to był, pani zdaniem?

Potwór, pomyślała Jane, wsunęła do torebki pióro i notes i wstała z miejsca.

– Widzę, że ma pani system alarmowy – powiedziała. – Proszę go włączyć.

Rozdział czwarty

Maura zaniosła kartonowe pudło z samochodu do domu i postawiła je na podłodze w kuchni. Szary kot miauczał żałośnie, domagając się wypuszczenia, ale trzymała go w zamknięciu, próbując znaleźć w spiżarni nadające się dla niego jedzenie. Nie miała szansy zatrzymać się po drodze, by kupić w spożywczym kocią karmę. Spontanicznie zaopiekowała się zwierzakiem, bo nikt inny nie chciał go zabrać, a jedyną alternatywą było schronisko.

A poza tym kot, uczepiwszy się praktycznie jej nogi, najwyraźniej ją zaadoptował.

Znalazła w spiżarni torbę z suchą karmą dla psów, która pozostała po ostatniej wizycie Juliana i jego psa, Niedźwiedzia. Czy kot zje coś takiego? Nie była pewna. Sięgnęła więc po puszkę sardynek.

Miauczenie stało się rozpaczliwe, gdy w powietrzu rozszedł się zapach ryby. Wrzuciła sardynki do miski i otworzyła kartonowe pudło. Kot wystrzelił jak z procy i zaczął pożerać rybę tak żarłocznie, że miska ślizgała się po kuchennych kafelkach.

– Chyba sardynki smakują bardziej niż ludzkie mięso, hm? – Gdy pogłaskała zwierzaka po grzbiecie, uniósł z zadowoleniem ogon. Nigdy nie miała kota. Brakowało jej zawsze czasu i chęci, by adoptować jakieś zwierzę, jeśli nie liczyć krótkiego i tragicznego w swym finale epizodu z hodowanym w akwarium bojownikiem syjamskim. Nie miała wcale pewności, czy chce tego kota, ale już z nią był, mrucząc jak silnik motorówki, gdy wylizywał porcelanową miseczkę – tę samą, z której jadła płatki na śniadanie. Ta myśl ją zaniepokoiła. Kot ludożerca. Krzyżowe zakażenie. Przypomniała sobie wszystkie choroby, które roznoszą koty. Gorączka kociego pazura. *Toxoplasma gondii*. Kocia białaczka. Wścieklizna, nicienie i salmonella. Koty są prawdziwymi wylęgarniami infekcji, a jeden z nich jadł właśnie z jej miski śniadaniowej.

Pochłonąwszy ostatni kawałek sardynki, spojrzał na Maurę krystalicznie zielonymi oczami, wpatrując się w nią tak intensywnie, jakby czytał w jej myślach i rozpoznawał w niej bratnią duszę. Stąd biorą się zwariowane miłośniczki kotów, pomyślała. Patrzą zwierzęciu w oczy i sądzą, że dostrzegają w nich swoje odbicie. A co widział ten kot, spoglądając na nią? Ludzką istotę z otwieraczem do puszek.

– Gdybyś tak potrafił mówić – mruknęła. – Gdybyś mógł nam opowiedzieć, co zobaczyłeś.

Ale ten kot strzegł swoich tajemnic. Pozwolił jej się pogłaskać, po czym przeszedł się spacerkiem do kąta, gdzie zaczął swą toaletę. I tyle było kociej czułości. Nakarm mnie, a potem zostaw w spokoju. Może rzeczywiście był dla niej idealnym zwierzęciem. Oboje byli samotnikami, nieprzystosowanymi do długoterminowych związków.

Ponieważ ją ignorował, odpłaciła mu się tym samym i zajęła swoją kolacją. Wsunęła do piecyka resztki zapiekanki z bakłażana z parmezanem, nalała sobie kieliszek pinot noir i zasiadła do laptopa, by skopiować zdjęcia z miejsca zabójstwa Gotta. Widząc ponownie na ekranie wypatroszone zwłoki, ogryzioną do kości twarz i żerujące na mięsie larwy, przypomniała sobie aż nazbyt wyraziście zapachy tego domu i brzęczenie much. Czekała ją następnego dnia wyjątkowo nieprzyjemna autopsja. Przeglądała powoli fotografie, szukając szczegółów, które mogła przeoczyć na miejscu, gdzie rozpraszała ją obecność policjantów i techników kryminalistyki. Nie dostrzegła niczego, co pozostawałoby w sprzeczności z określonym przez nią szacunkowym czasem zgonu – czterech do pięciu dni. Znaczne uszkodzenia twarzy, szyi i górnych kończyn można było przypisać działaniu padlinożerców. A to oznacza ciebie, pomyślała, zerkając na kota, który delikatnie lizał sobie łapy. Jak on ma na imię? Nie miała pojęcia, ale nie mogła ciągle nazywać go Kotem.

Następne zdjęcie przedstawiało stertę trzewi wewnątrz kubła na śmieci, stężałą masę, którą musiała namoczyć, aby rozdzielić i zbadać jak należy poszczególne narządy. Będzie to najbardziej odrażająca część autopsji, ponieważ właśnie w trzewiach rozpoczynał się proces rozkładu, rozwijały się i mnożyły bakterie. Przejrzawszy kilka kolejnych obrazów, skoncentrowała uwagę na jeszcze jednym widoku wnętrzności w kuble. Zdjęcie, zrobione bez flesza, było inaczej naświetlone i na obrazie dało się dostrzec nowe krzywizny i szczeliny.

Ktoś zadzwonił do drzwi.

Maura nie oczekiwała gości. A już na pewno nie spodziewała się zobaczyć na ganku Jane Rizzoli.

– Pomyślałam, że możesz tego potrzebować – oznajmiła Jane, wręczając jej torbę z zakupami.

– Co to jest?

– Żwirek dla kota i friskies. Frost czuję się winny, że musiałaś się zająć tym zwierzakiem, więc powiedziałam mu, że ci to podrzucę. Podrapał ci już meble?

– Na razie zdemolował tylko puszkę sardynek. Wejdź i zobacz sama, jak się miewa.

– Zapewne o wiele lepiej niż ten drugi.

– Ten biały? Co z nim zrobiliście?

– Nikt nie może go złapać. Nadal ukrywa się gdzieś w domu.

– Mam nadzieję, że daliście mu świeże jedzenie i wodę.

– Frost o to zadbał, oczywiście. Twierdzi, że nie znosi kotów, ale powinnaś zobaczyć, jak chodził na czworakach i błagał: „Kici, kici, wyjdź spod łóżka!". Wróci tam jutro, żeby zmienić żwirek w kuwecie.

– Myślę, że przydałby mu się w domu jakiś zwierzak. Musi być teraz bardzo samotny.

– Czy dlatego ty wzięłaś tego kota?

– Oczywiście, że nie. Zabrałam go, ponieważ... – Maura westchnęła. – Nie mam pojęcia dlaczego. Bo nie odstępował mnie na krok.

– Tak, potrafi rozpoznać kozła ofiarnego – powiedziała

ze śmiechem Jane, idąc za Maurą do kuchni. – Oto pani, która będzie mnie karmiła śmietanką i pasztetem.

W kuchni Maura z przerażeniem zobaczyła, że kot leży na blacie stołu, opierając przednie łapy na klawiaturze jej laptopa.

– Sio! – burknęła. – Zmykaj stąd!

Kot ziewnął i przewrócił się na bok, więc złapała go i postawiła na podłodze.

– Idź sobie!

– Nic nie zrobi twojemu komputerowi – zauważyła Jane.

– Nie chodzi o komputer, tylko o stół. Ja tutaj jem. – Maura chwyciła gąbkę, spryskała ją detergentem i zaczęła wycierać blat.

– Chyba przeoczyłaś tu jakiś zarazek.

– To nie jest zabawne. Pomyśl, gdzie ten kot był. Czego dotykał łapami w ciągu ostatnich czterech dni. Chciałabyś jeść przy tym stole?

– Jest pewnie czyściejszy niż moja trzylatka.

– Z tym się zgodzę. Dzieci są nosicielami zarazków.

– Co?

– Szerzą wokół infekcje. – Maura przetarła raz jeszcze energicznie stół i wyrzuciła gąbkę do kosza.

– Będę o tym pamiętała, jak wrócę do domu. „Chodź do mamusi, mój słodki nosicielu". – Jane otworzyła torbę ze żwirkiem i wsypała go do plastikowej kuwety, którą również przyniosła. – Gdzie chcesz ją postawić?

– Miałam nadzieję, że będę go po prostu wypuszczać, żeby załatwiał się na podwórku.

– Jeśli go wypuścisz, może już nie wrócić. – Jane otrzepała dłonie z pyłu i wyprostowała się. – Chyba że tego chcesz?

– Nie wiem, co myślałam, zabierając go do domu. Po prostu się do mnie przyczepił. Wcale nie chciałam mieć kota.

– Powiedziałaś przed chwilą, że Frostowi przydałby się zwierzak. Może tobie też?

– Frost właśnie się rozwiódł. Nie jest przyzwyczajony do samotności.

– A ty jesteś.

– Od lat. I to się szybko nie zmieni. – Maura zlustrowała spojrzeniem lśniące czystością blaty i zlew. – Chyba że pojawi się nagle jakiś Superman.

– Hej, tak powinnaś go nazwać. – Jane wskazała na kota. – Superman.

– To nie jest odpowiednie dla niego imię. – Słysząc sygnał timera, Maura otworzyła piekarnik, by sprawdzić zapiekankę.

– Ładnie pachnie.

– To bakłażan z parmezanem. Nie przełknęłabym dzisiaj mięsa. Jesteś głodna? Starczy dla nas obu.

– Jadę na kolację do mamy. Gabriel nie wrócił jeszcze z Waszyngtonu, a mama nie może znieść myśli, że ja i Regina jesteśmy same. – Jane zamilkła. – Może dołączysz do nas, dla towarzystwa? – spytała po chwili.

– Dzięki za propozycję, ale już sobie podgrzałam kolację.

– Niekoniecznie dziś wieczorem, ale tak w ogóle. Gdybyś miała ochotę pobyć w rodzinnym gronie.

Maura zmierzyła ją wzrokiem.

– Adoptujesz mnie?

Jane wysunęła krzesło i usiadła przy kuchennym stole.

– Posłuchaj, czuję, że powinnyśmy poprawić trochę nasze relacje. Od sprawy Teddy'ego Clocka niewiele rozmawiałyśmy, a wiem, że przez ostatnich kilka miesięcy było ci ciężko. Już dawno powinnam była zaprosić cię na obiad.

– Ja ciebie także. Obie byłyśmy zajęte, i to wszystko.

– Wiesz, Mauro, naprawdę się zmartwiłam, kiedy powiedziałaś, że myślisz o wyjeździe z Bostonu.

– Dlaczego cię to martwi?

– Jak możesz tak po prostu odejść po tym wszystkim, co razem przeszłyśmy? Łączą nas doświadczenia nie do pojęcia dla innych. Jak choćby to. – Jane wskazała na ekran komputera, na którym nadal było widać zdjęcie trzewi. – Powiedz mi, z kim jeszcze będę mogła porozmawiać o wnętrznościach w kuble na śmieci? Normalni ludzie tego nie robią.

– Co znaczy, że nie jestem normalna.

– Chyba nie myślisz, że ja jestem! – Jane się zaśmiała. – Obie jesteśmy stuknięte. Tylko to wyjaśnia, dlaczego pracujemy w tej branży. I dlaczego tworzymy tak dobry zespół.

Maura nie mogła tego przewidzieć, gdy poznała Jane.

Wiedziała wcześniej, jaką Jane ma reputację; słyszała narzekania policjantów: „suka", „zołza", „zawsze się czepia". Kobieta, która zjawiła się tamtego dnia na miejscu zbrodni, była z pewnością bezpośrednia, zdecydowana i nieustępliwa. Okazała się również jednym z najlepszych detektywów, jakich Maura kiedykolwiek spotkała.

– Powiedziałaś mi kiedyś, że nic nie trzyma cię w Bostonie – dodała Jane. – Przypominam ci, że to nieprawda. Ty i ja mamy wspólną historię.

– Zgadza się – prychnęła Maura. – Potrafimy wpadać w kłopoty.

– I wychodzić z nich razem obronną ręką. Co czeka cię w San Francisco?

– Dostałam propozycję od dawnego znajomego. Mogę wykładać na uniwersytecie.

– A co z Julianem? Jesteś dla niego prawie jak matka. Jeśli wyjedziesz do Kalifornii, uzna, że go porzucasz.

– I tak prawie go nie widuję. Ma siedemnaście lat i wkrótce pójdzie na studia. Kto wie, gdzie wyląduje, a w Kalifornii są dobre szkoły. Nie mogę wiązać życia z chłopcem, który zaczyna być samodzielny.

– A ta praca w San Francisco jest lepiej płatna? Czy o to chodzi?

– Nie, nie o to.

– Chcesz uciec, prawda? Wynieść się stąd w cholerę? – Jane przerwała na chwilę. – Czy on wie, że możesz wyjechać z Bostonu?

On... Maura odwróciła się raptownie i napełniła ponownie kieliszek winem. Sama wzmianka o Danielu Brophym sprawiła, że musiała się napić.

– Nie rozmawiałam z Danielem od miesięcy.

– Ale go widujesz.

– Oczywiście. Kiedy przybywam na miejsce zbrodni, nigdy nie wiem, czy go tam nie zastanę. Pociesza rodzinę, modli się za ofiarę. Poruszamy się w tych samych kręgach, Jane. W świecie umarłych. – Maura pociągnęła duży łyk wina. – Poczułabym ulgę, gdybym od tego uciekła.

– A więc chcesz wyjechać do Kalifornii, żeby uniknąć tych spotkań.

– I pokusy – dodała cicho Maura.

– Powrotu do niego? – Jane pokręciła głową. – Podjęłaś decyzję. Trzymaj się jej i idź do przodu. Ja bym tak zrobiła.

I właśnie to tak bardzo je różniło. Jane działała szybko i zawsze była pewna, jak należy postąpić. Nie spędzały jej snu z powiek wieczne wątpliwości. Maura miewała natomiast bezsenne noce, podczas których rozważała, jakiego dokonać wyboru, i zastanawiała się nad konsekwencjami. Ale życie nie jest matematycznym równaniem z jedną tylko prawidłową odpowiedzią.

Jane wstała.

– Pomyśl o tym, co powiedziałam, dobrze? Wyszkolenie nowego lekarza sądowego kosztowałoby mnie zbyt wiele pracy. Liczę więc, że zostaniesz. – Dotknęła ramienia Maury i dodała cicho: – Proszę cię o to. – Potem, swoim zwyczajem, odwróciła się na pięcie. – Do zobaczenia jutro.

– Autopsja jest rano – przypomniała Maura, odprowadzając ją do frontowych drzwi.

– Chyba ją sobie daruję. Widziałam już dość larw, dzięki.

– Mogą się zdarzyć niespodzianki. Chcesz, żeby cię ominęły?

– Jedyną niespodzianką będzie pojawienie się Frosta – powiedziała Jane, wychodząc za próg.

Maura zamknęła drzwi na klucz i wróciła do kuchni. Zapiekanka z bakłażanów zdążyła już ostygnąć. Wsunęła naczynie żaroodporne z powrotem do piekarnika, by ją podgrzać. Kot wskoczył znowu na blat stołu i ułożył się na klawiaturze laptopa, jakby chciał powiedzieć: „Dziś już żadnej pracy". Chwyciła go i zrzuciła na podłogę. Ktoś musiał rządzić w tym domu i z pewnością nie pozwoli na to kotu. Ekran ponownie się włączył i widać było na nim ostatnie oglądane wcześniej zdjęcie – trzewi, których pofałdowaną powierzchnię uwypuklały cienie rzucane przez padające ukosem światło. Zamierzała już zamknąć laptop, gdy zwróciła uwagę na wątrobę. Unosząc brwi, powiększyła obraz i przyjrzała się zaokrągleniom i szczelinom na jej powierzchni. To nie było złudzenie optyczne ani wydęcie wywołane przez bakterie.

Wątroba miała sześć płatów.

Sięgnęła po telefon.

Rozdział piąty

BOTSWANA

– Gdzie on jest?! – wrzeszczy Sylvia. – Gdzie reszta jego ciała?

Stoi z Vivian kilkadziesiąt metrów dalej, pod drzewami. Wpatrują się w ziemię, w coś, co zasłania mi sięgająca do kolan trawa. Przechodzę nad otaczającym obóz drutem, na którym nadal wiszą dzwonki. Tej nocy nie zadźwięczały ostrzegawczo. Alarm wszczęła Sylvia. Jej krzyki wyciągnęły nas z namiotów, mniej lub bardziej nieubranych. Pan Matsunaga, wychodząc chwiejnym krokiem spod brezentu, zapina jeszcze zamek w spodniach. Elliot, mimo zimnego poranka, jest w samych bokserkach i sandałach. Ja zdołałam chwycić jedną z koszul Richarda i wkładam ją na piżamę, brnąc w trawie w niezawiązanych butach, z kamykiem uwierającym mnie w bosą stopę. Dostrzegam zakrwawiony strzęp bluzy w kolorze khaki, owinięty jak wąż wokół gałęzi krzaka. Podchodzę kilka kroków bliżej i widzę następne poszarpane fragmenty odzieży i coś, co wygląda jak kłąb czarnej wełny. Po paru następnych krokach dostrzegam, na co patrzą dziewczyny. I wiem już, dlaczego Sylvia krzyczy.

Vivian odwraca się i wymiotuje w zarośla.

Jestem zbyt odrętwiała, by się poruszyć. Gdy Sylvia lamentuje i dyszy obok mnie, przyglądam się rozrzuconym w trawie kościom, czując się dziwnie wyobcowana, jakbym zamieszkiwała w cudzym ciele. W ciele naukowca – anatoma, który patrzy na te kości z nieodpartą potrzebą, by je sklasyfikować, by obwieścić: „To jest prawa kość strzałkowa, to łokciowa, a tamta pochodzi z piątego palca u prawej nogi. Tak, zdecydowanie". Chociaż tak naprawdę nie mogę zidentyfikować niemal niczego, bo tak niewiele zostało i wszystko jest w strzępach. Rozpoznaję tylko żebro, bo przypomina te, które jadłam, polane sosem. Ale to nie jest wieprzowe żeberko, o nie. Ta obgryziona i rozłupana kość to szczątki kogoś, kogo znałam, z kim rozmawiałam niecałe dziewięć godzin temu.

– Chryste! – jęczy Elliot. – Co się stało? Co się, kurwa, stało?

Słyszę grzmiący głos Johnny'ego:

– Cofnijcie się! Niech wszyscy się cofną!

Odwracam się i widzę, jak Johnny wpycha się między nas. Jesteśmy już w komplecie: Vivian i Sylvia, Elliot i Richard, państwo Matsunaga. Brakuje tylko jednej osoby, ale niezupełnie, bo żebro i pukiel włosów Clarence'a mamy przed sobą. Powietrze przesyca zapach śmierci, zapach strachu, świeżego mięsa i Afryki.

Johnny przykuca nad kośćmi i przez chwilę milczy. Nikt się nie odzywa. Milkną nawet ptaki, zaniepokojone tym poruszeniem wśród ludzi, i słyszę tylko szelest trawy na wietrze i szum wody w rzece.

– Czy ktoś z was widział coś albo słyszał w nocy? – pyta Johnny.

Podnosi wzrok i widzę, że ma rozpiętą koszulę i jest nieogolony. Patrzy mi w oczy. Mogę tylko pokręcić głową.

– Nikt? – Lustruje nasze twarze.

– Spałem jak kamień – mówi Elliot. – Niczego nie słyszałem...

– My także nie. – Richard odpowiada za nas oboje i drażni mnie tym jak zwykle.

– Kto go znalazł?

– My – niemal szepcze Vivian. – Sylvia i ja. Musiałyśmy pójść za potrzebą. Robiło się już jasno i pomyślałyśmy, że za obozem będzie bezpiecznie. Clarence zwykle o tej porze rozpalał już ognisko i... – Przerywa, bo na dźwięk jego imienia ogarniają ją mdłości.

Johnny podnosi się z ziemi. Stoję najbliżej niego i dostrzegam każdy szczegół, od nieuczesanych włosów po grubą bliznę na brzuchu, którą widzę po raz pierwszy. Nie interesuje się już nami, bo nic mu nie możemy powiedzieć. Skupia uwagę na ziemi, na rozrzuconych szczątkach. Potem spogląda na rozciągnięty wokół obozu drut.

– Dzwonki nie zadźwięczały – mówi. – Słyszałbym je. Clarence także.

– A więc to zwierzę nie weszło do obozu? – pyta Richard.

Johnny go ignoruje. Zaczyna obchodzić teren, zataczając coraz szersze koła, niecierpliwie odpychając na bok każdego, kto staje mu na drodze. Nie ma tam gołej ziemi, tylko trawa, na której nie pozostają odciski stóp ani łap.

– Przejął ode mnie wartę o drugiej w nocy. Poszedłem od razu spać. Ognisko prawie wygasło, więc od kilku godzin nie dokładano do niego drewna. Dlaczego je zostawił? Dlaczego wyszedł poza obręb obozu? – Johnny się rozgląda. – I gdzie jest strzelba?

– Tam – mówi pan Matsunaga, wskazując w kierunku pierścienia kamieni otaczających wygasłe już ognisko. – Widziałem ją. Leży na ziemi.

– Zostawił ją? – dziwi się Richard. – Clarence odchodzi od ogniska i zapuszcza się w ciemność bez broni? Po co miałby to robić?

– Nie zrobił tego – brzmi cicha, mrożąca krew w żyłach odpowiedź Johnny'ego. Znów krąży wokół obozu, przyglądając się trawie. Znajduje skrawki odzieży, but, ale niewiele więcej. Posuwa się dalej, w kierunku rzeki. Nagle opada na kolana i widzę znad trawy tylko czubek jego jasnej czupryny. Wszyscy czujemy niepokój, gdy zastyga w bezruchu. Nikt nie ma ochoty sprawdzać, na co patrzy. Widzieliśmy już wystarczająco dużo. Ale jego milczenie magnetycznie mnie przyciąga.

– Hieny – mówi, podnosząc głowę.

– Skąd wiesz?

Wskazuje na szarawe grudki na ziemi.

– To odchody hieny cętkowanej. Widać w nich zwierzęcą sierść i kawałki kości.

– O Boże! To nie jego szczątki, prawda?

– Nie, te odchody są sprzed paru dni. Ale świadczą, że są

tutaj hieny. – Wskazuje na strzępy zakrwawionej odzieży. – I dopadły go.

– Sądziłam, że hieny są tylko padlinożercami.

– Nie mogę dowieść, że go porwały. Ale nie ma wątpliwości, że stał się ich łupem.

– Tak niewiele z niego zostało – mruczę, patrząc na fragmenty odzieży. – Zupełnie jakby... zniknął.

– Padlinożercy niczego nie marnują, nic nie zostawiają. Prawdopodobnie hieny zaciągnęły resztki jego zwłok do swojej kryjówki. Nie rozumiem, w jaki sposób Clarence zginął, nie wydając nawet okrzyku. Dlaczego nie słyszałem odgłosów walki?

Johnny siedzi w kucki nad szarymi grudkami odchodów, ale lustruje okolicę, dostrzegając rzeczy, których istnienia nawet sobie nie uświadamiam. Jego spokój działa mi na nerwy. Nic przypomina żadnego mężczyzny, którego znałam, pasuje tak idealnie do swego środowiska, że wydaje się jego częścią, jest zakorzeniony w tej ziemi jak drzewa i łagodnie falujące trawy. Różni się tak bardzo od Richarda, wiecznie niezadowolonego z życia i poszukującego stale w internecie lepszego mieszkania, miejsca na wakacje, a może nawet dziewczyny. Richard, w przeciwieństwie do Johnny'ego, nie wie, czego chce i gdzie jest jego miejsce. Johnny milczy przez dłuższą chwilę, a ja mam ochotę wtrącić jakąś niedorzeczną uwagę, jakby moim obowiązkiem było podtrzymywanie rozmowy. Ale tylko ja czuję się niezręcznie, nie on.

– Musimy zebrać wszystko, co znajdziemy – mówi cicho.

– Masz na myśli... szczątki Clarence'a?

– Dla jego rodziny. Będą chcieli urządzić pogrzeb. Potrzebują czegoś namacalnego, co można opłakiwać.

Patrzę z przerażeniem na zakrwawiony strzęp materiału. Nie chcę go dotykać. I z pewnością nie mam ochoty podnosić tych porozrzucanych fragmentów kości i włosów. Ale kiwam głową i proponuję:

– Pomogę ci. Możemy wziąć z ciężarówki jeden z płóciennych worków.

Johnny wstaje i przygląda mi się.

– Nie jesteś taka jak inni.

– Co masz na myśli?

– Nawet nie chciałaś tu przyjechać, prawda? Do buszu.

Krzyżuję ręce na piersiach.

– Nie. To Richard marzył o takich wakacjach.

– A ty co byś wolała?

– Gorący prysznic. Spłukiwane toalety, może nawet masaż. Ale jestem tutaj i godzę się na wszystko.

– Godzisz się na zbyt wiele, Millie. Wiesz o tym, prawda? – Patrzy w dal i dodaje tak cicho, że prawie tego nie słyszę: – Na więcej, niż on zasługuje.

Zastanawiam się, czy chciał, żebym to usłyszała. A może przebywa już w buszu tak długo, że mówi na głos do siebie, bo na ogół nie ma nikogo w pobliżu.

Próbuję odczytać coś z jego twarzy, ale pochyla się, by podnieść jakiś przedmiot. Gdy się wyprostowuje, trzyma w ręce kość.

▫ ▫ ▫

– Rozumiecie, że to koniec wyprawy – mówi Johnny. – Musicie zakasać rękawy, żebyśmy do południa zwinęli obóz i ruszyli w drogę.

– Dokąd? – pyta Richard. – Samolot przyleci dopiero za tydzień.

Johnny zebrał nas wokół wygasłego ogniska, by wyjaśnić, co będzie dalej. Spoglądam na pozostałych uczestników safari, turystów, którzy zapisali się na wycieczkę w busz i zobaczyli więcej, niż się spodziewali. Prawdziwą śmierć. Martwego człowieka. Zamiast przyjemnego dreszczyku emocji, jakiego dostarczają filmy przyrodnicze w telewizji, mamy smętny płócienny worek z żałośnie niewieloma szczątkami kości, odzieży i włosów, które pozostały po naszym tropicielu, Clarensie. Johnny twierdzi, że niczego więcej już nie odzyskamy. Takie jest prawo buszu, gdzie każda żywa istota zostanie w końcu pożarta, przetrawiona i zamieniona w odchody, glebę i trawę. Stanie się paszą i odrodzi jako kolejne zwierzę. Z zasady wydaje się to piękne, ale stając twarzą w twarz z brutalną rzeczywistością – workiem kości Clarence'a – człowiek pojmuje, że cykl życia jest również cyklem śmierci. Istniejemy, by jeść i być zjadanym, i jesteśmy jedynie mięsem. Pozostało nas ośmioro. Składamy się z mięsa i kości, a otaczają nas drapieżcy.

– Jeśli wrócimy teraz na lądowisko, będziemy musieli siedzieć tam i czekać kilka dni na samolot – przekonuje Richard. – Nie lepiej kontynuować wyprawę zgodnie z planem?

– Nie zabiorę was głębiej w busz – oznajmia Johnny.

– A może skorzystamy z radia? – sugeruje Vivian. – Zawiadom pilota, żeby nas zabrał wcześniej.

Johnny kręci głową.

– Jesteśmy poza zasięgiem. Nie możemy się z nim skontaktować, dopóki nie wrócimy na lądowisko, a to oznacza trzy dni jazdy na zachód. Dlatego skierujemy się na wschód. Po dwóch dniach uciążliwej podróży, bez postojów na oglądanie widoków, dotrzemy do jednego z domków myśliwskich. Jest tam telefon i droga. Załatwię, żeby odwieziono was do Maun.

– Dlaczego? – pyta Richard. – Pewnie brzmi to bezdusznie, ale dla Clarence'a nie możemy już nic zrobić. Nie widzę sensu, żeby spieszyć się z powrotem.

– Zwrócimy panu pieniądze, panie Renwick.

– Nie o to chodzi. Millie i ja przylecieliśmy aż z Londynu. Elliot z Bostonu. Nie wspomnę już, jaką odległość musieli pokonać państwo Matsunaga.

– Jezu, Richardzie – wtrąca się Elliot. – Ten człowiek nie żyje!

– Wiem, ale skoro już tu jesteśmy, możemy kontynuować podróż.

– Nie zgadzam się – oświadcza Johnny.

– Dlaczego?

– Nie mogę zagwarantować wam bezpieczeństwa ani tym bardziej wygody. Nie jestem w stanie czuwać przez całą dobę. Potrzeba dwóch ludzi, żeby pełnić wartę w nocy i pilnować ogniska. Żeby rozbijać i zwijać obóz. Clarence nie tylko przygotowywał posiłki. Był również moimi oczami i uszami. Gdy podróżuję z ludźmi, którzy nie odróżniają strzelby od laski, potrzebuję pomocnika.

– Więc przeszkol mnie. Pomogę ci pełnić wartę. – Richard mierzy nas wszystkich wzrokiem, jakby chciał potwierdzić, że tylko on jest wystarczająco męski, by podjąć się tego zadania.

– Potrafię strzelać – odzywa się pan Matsanuga. – Też mogę stać na straży.

Patrzymy wszyscy na japońskiego bankiera, który wykazał się dotychczas umiejętnościami strzeleckimi, jedynie posługując się długim teleobiektywem aparatu, z którego można fotografować obiekty znajdujące się w odległości półtora kilometra.

Richard śmieje się z niedowierzaniem.

– Masz na myśli prawdziwą broń, Isao?

– Należę w Tokio do klubu strzeleckiego – odpowiada pan Matsunaga, niewzruszony drwiącym tonem Richarda. Wskazując na żonę, dodaje, ku naszemu zdziwieniu: – Keiko też należy.

– Cieszę się, że to mnie zwalnia z obowiązku – wtrąca się Elliot. – Bo nie chcę nawet dotykać tego cholerstwa.

– Jak widzisz, mamy dość rąk na pokładzie – mówi do Johnny'ego Richard. – Możemy na zmianę pełnić straż i pilnować ogniska przez całą noc. Na tym polega prawdziwe safari, czyż nie? Umieć sprostać wyzwaniom. Wykazać się hartem ducha.

O, tak. Richard jest ekspertem, który spędza heroicznie cały rok przy komputerze, snując napędzane testosteronem fantazje. Teraz stały się one rzeczywistością i może odgrywać bohatera własnej powieści. Co najważniejsze, ma publiczność, w tym dwie szałowe blondynki, i głównie im chce zaimponować, bo na mnie już nie robi wrażenia, i dobrze o tym wie.

– Piękna mowa, ale niczego nie zmienia. Spakujcie rzeczy, jedziemy na wschód. – Johnny odchodzi, by złożyć swój namiot.

– Dzięki Bogu, że kończy tę wyprawę. – Elliot wzdycha.

– Musi – prycha Richard. – Skoro wszystko schrzanił.

– Nie możesz winić go za to, co stało się z Clarence'em.

– Kto ponosi odpowiedzialność? Wynajął tropiciela, z którym nigdy przedtem nie jeździł. – Richard obraca się do mnie. – Tak ci Clarence powiedział, prawda? Że nie pracował z Johnnym przed tą wyprawą.

– Ale mieli wspólnych znajomych – odpowiadam. – I Clarence pracował już jako tropiciel. Johnny nie zatrudniłby go, gdyby nie miał doświadczenia.

– Może... Ale zobacz, co się stało. Nasz tak zwany doświadczony tropiciel odkłada na bok strzelbę i wchodzi między stado hien. Czy tak postępuje ktoś, kto zna się na swojej robocie?

– Do czego zmierzasz, Richardzie? – pyta ostrożnie Elliot.

– Twierdzę tylko, że nie możemy ufać ocenie Johnny'ego.

– Moim zdaniem, on ma rację. Nie możemy tak po prostu kontynuować podróży, jak to określiłeś. Trup psuje trochę nastrój, prawda? – Elliot odwraca się w kierunku swojego namiotu. – Pora się stąd wynosić i wracać do domu.

Dom... Upychając do marynarskiego worka ubrania i przybory toaletowe, myślę o Londynie, szarym niebie i cappuccino. Za dziesięć dni Afryka będzie mi się wydawała złotym snem, krainą upału i jaskrawych promieni słońca, życia i śmierci, ze wszystkimi jej intensywnymi barwami. Wczoraj pragnęłam jedynie znaleźć się z powrotem w naszym mieszkaniu, w kraju gorących pryszniców. Ale teraz, gdy opuszczamy busz, czuję, jak chce mnie zatrzymać, jak oplata mi lianami kostki, grożąc, że zapuszczę korzenie w tej ziemi. Zapinam na zamek plecak zawierający wszystko to, co uważałam za absolutnie niezbędne, aby przetrwać w dziczy: batoniki, papier toaletowy, nawilżane chusteczki, krem z filtrem, tampony i telefon komórkowy. Jakże inaczej brzmi słowo „niezbędne”, gdy jesteś poza zasięgiem jakiegokolwiek operatora.

Zanim zwinęliśmy z Richardem nasz namiot, Johnny zdążył już załadować do ciężarówki swoje rzeczy, sprzęt do gotowania i składane krzesła. Wszyscy poradziliśmy sobie zaskakująco szybko, nawet Elliot, który miał problemy ze złożeniem namiotu i potrzebował pomocy Vivian i Sylvii. Śmierć Clarence'a wisi nad nami, zniechęcając do pogawędek, sprawiając, że koncentrujemy się na swoich zadaniach. Kiedy ładuję namiot na tył ciężarówki, zauważam leżący obok plecaka Johnny'ego worek ze szczątkami Clarence'a. Drażni mnie, że jest tam upchnięty z resztą naszego dobytku. Namioty? Są. Kuchenka? Jest. Trup? Jest.

Wspinam się na ciężarówkę i siadam obok Richarda. Puste miejsce Clarence'a przypomina brutalnie, że nie żyje, że jego kości zostały rozrzucone, a ciało pożarte. Johnny wsiada ostatni i gdy zatrzaskuje drzwi, rozglądam się po uprzątniętym już obozowisku i myślę: Wkrótce nie zostanie tu po nas żaden ślad. Nasza podróż trwa, ale Clarence już nie weźmie w niej udziału.

Nagle Johnny klnie i wysiada zza kierownicy. Coś jest nie w porządku.

Podchodzi do ciężarówki od przodu i podnosi maskę, by zajrzeć do silnika. Mijają sekundy. Ukrywa głowę pod maską, więc nie widzimy jego twarzy, ale milczenie Johnny'ego mnie niepokoi. Nie mówi nic pocieszającego w rodzaju: „To tylko brak styku" albo „Tak, wiem, co się dzieje".

– Co teraz? – mruczy Richard. On także wychodzi z ciężarówki, chociaż nie wiem, jakiej rady mógłby udzielić. Na samochodach zna się tyle, że potrafi odczytywać wskaźnik paliwa. Słyszę, jak sugeruje, co mogło nawalić. Akumulator? Świece? Brak styku? Johnny odpowiada mu ledwo słyszalnymi monosylabami, co wzbudza we mnie jeszcze większy niepokój, bo przekonałam się, że im poważniejsza sytuacja, tym Johnny jest bardziej małomówny.

W otwartej ciężarówce panuje upał. Jest prawie południe i słońce praży z góry. Pozostali schodzą na ziemię i kryją się w cieniu drzew. Widzę, jak Johnny wychyla głowę i rozkazuje:

– Nie odchodźcie za daleko!

Nikt nie ma zamiaru tego robić. Widzieliśmy, czym to się może skończyć. Pan Matsunaga i Elliot dołączają do Richarda przy ciężarówce, aby coś doradzić, bo oczywiście wszyscy mężczyźni, nawet ci, którzy nigdy nie zabrudzili sobie rąk smarem, znają się na mechanice. Albo tak im się wydaje.

My, kobiety, czekamy w cieniu, odganiając owady i czujnie wypatrując jakiegoś ruchu w trawie, który może stanowić jedyne ostrzeżenie, że zbliża się drapieżnik. Nawet w cieniu jest upalnie, przysiadam więc na ziemi. Przez gałęzie widzę krążące w górze i obserwujące nas sępy. Są dziwnie piękne; ich czarne skrzydła zataczają na niebie leniwe kręgi, gdy wyczekują uczty. Jakiej?

Richard podchodzi do nas, mrucząc pod nosem:

– No, pięknie. Ten cholerny silnik nie działa. Nie chce nawet zaskoczyć.

Siadam wyprostowana.

– Wczoraj był w porządku.

– Wczoraj wszystko wyglądało inaczej. – Richard głośno sapie. – Utknęliśmy tutaj.

Obie blondynki wpadają w panikę.

– No nie! – protestuje Sylvia. – W czwartek muszę być w pracy!

– Ja też! – woła Vivian.

Pani Matsunaga kręci głową z niedowierzaniem.

– Co się dzieje? To niemożliwe!

Gdy rozbrzmiewa chór podenerwowanych głosów, widzę, że krążące w górze sępy zataczają coraz mniejsze kręgi, jakby zwabione naszym wzburzeniem.

– Posłuchajcie. Posłuchajcie wszyscy – rozkazuje Johnny.

Patrzymy na niego.

– Nie pora na panikę – mówi. – Nie ma po temu żadnych powodów. Jesteśmy blisko rzeki, więc wody nam nie zabraknie. Schronimy się w namiotach. Mamy amunicję, więc zdobędziemy pożywienie.

Elliot wybucha śmiechem, w którym wyczuwa się strach.

– Więc... co? Mamy tu zostać i żyć jak w epoce kamienia?

– Samolot ma po was przylecieć za tydzień. Jeśli nie pojawimy się w umówionym miejscu, zaczną nas szukać.

I szybko znajdą. Tego wszyscy oczekiwaliście, prawda? Autentycznej przygody w buszu? – Przygląda się po kolei każdemu z nas, oceniając, czy sprostamy wyzwaniu. Sprawdzając, kto się załamie, a na kogo może liczyć. – Spróbuję naprawić ciężarówkę. Może mi się uda, a może nie.

– Wiesz przynajmniej, co tam szwankuje? – pyta Elliot.

Johnny przygważdża go spojrzeniem.

– Nigdy przedtem się nie psuła. Nie potrafię tego wyjaśnić. – Mierzy nas wzrokiem, jakby szukając odpowiedzi w naszych twarzach. – Na razie musimy rozbić znowu obóz. Wyciągnijcie namioty. Zostajemy tutaj.

Rozdział szósty

BOSTON

Postawę pacjenta, który nie zjawia się na czas, bo tak naprawdę nie chce zmierzyć się ze swoimi problemami, psycholodzy nazywają oporem. Wyjaśniało to, dlaczego Jane tego ranka wyszła późno z mieszkania. Nie miała ochoty oglądać sekcji zwłok Leona Gotta. Bez pośpiechu ubrała córkę w ten sam T-shirt z napisem „Red Sox" i te same zaplamione trawą ogrodniczki, z którymi Regina nie chciała się rozstać od pięciu dni. Guzdrały się ze śniadaniem złożonym z płatków owsianych i tostów, przez co spóźniły się z wyjściem dwadzieścia minut. Jeśli dodać do tego korek na drodze do Revere, gdzie mieszkała Angela, matka Jane, zanim do niej dotarły, było już pół godziny po czasie.

Dom matki z każdym rokiem wydawał się Jane coraz mniejszy, jakby kurczył się z wiekiem. Gdy trzymając Reginę za rączkę, podchodziła do drzwi, zauważyła, że ganek wymaga pomalowania, rynny są zapchane jesiennymi liśćmi, a rośliny przed domem należy przyciąć przed zimą.

Powinna zadzwonić do braci i ściągnąć ich na weekend, bo matka najwyraźniej potrzebowała pomocy.

Powinna się też dobrze wyspać, pomyślała, gdy Angela otworzyła przed nią drzwi. W spłowiałej bluzce i wypchanych dżinsach wyglądała na bardzo zmęczoną i zaniedbaną. Gdy pochyliła się, by wziąć na ręce Reginę, Jane dostrzegła we włosach matki siwe odrosty, co mocno ją zaskoczyło, bo Angela zawsze pamiętała o wizytach u fryzjerki. Czy to była ta sama kobieta, która zeszłego lata zjawiła się w restauracji z czerwoną szminką na ustach i w butach na wysokich obcasach?

– Jest mój koteczek! – powiedziała czule Angela, wnosząc wnuczkę do domu. – Babcia tak się cieszy, że przyjechałaś. Może pójdziemy dzisiaj na zakupy? Nie masz już dość tych brudnych ogrodniczek? Kupimy ci coś nowego i ładnego.

– Nie lubię ładnego!

– A co powiesz na sukienkę? Wytworną jak dla księżniczki.

– Nie lubię księżniczki!

– Ale każda dziewczynka chce być księżniczką!

– Ona wolałaby być żabą – rzuciła Jane.

– Och, na litość boską, jest taka jak ty. – Angela westchnęła z rezygnacją. – Też nie chciałaś nosić sukienek.

– Nie każda z nas jest księżniczką, mamo.

– I spotyka księcia z bajki – mruknęła Angela, odchodząc z wnuczką na rękach.

Jane poszła za nią do kuchni.

– Co się dzieje? – spytała.

– Zrobię jeszcze kawy. Napijesz się?

– Mamo, widzę przecież, że coś jest nie w porządku.

– Musisz jechać do pracy. – Angela posadziła Reginę na jej stołku. – Złap paru bandziorów.

– Czy zajmowanie się dzieckiem za bardzo cię męczy? Wiesz, że nie musisz tego robić. Jest już dość duża, żeby pójść do przedszkola.

– Moja wnuczka w przedszkolu? Nie ma mowy!

– Rozmawiałam o tym z Gabrielem. Tyle już dla nas zrobiłaś, że zasługujesz na odpoczynek. Korzystaj z życia.

– Tylko ona sprawia mi radość – odparła Angela, wskazując na wnuczkę. – Pozwala mi zapomnieć...

– O tacie?

Angela odwróciła się i zaczęła wlewać wodę do pojemnika ekspresu do kawy.

– Odkąd wrócił, nie byłaś szczęśliwa – powiedziała Jane. – Nawet przez jeden dzień.

– Wszystko bardzo się skomplikowało, gdy musiałam dokonać wyboru. Jestem między młotem a kowadłem. Chciałabym, żeby ktoś mi wskazał, co mam robić. Nie potrafię się zdecydować.

– Sama musisz wybrać, którego z nich wolisz. Tatę czy Korsaka. Moim zdaniem, powinnaś być z mężczyzną, który daje ci szczęście.

Angela spojrzała na nią zrozpaczona.

– Jak mogę być szczęśliwa, skoro spędzę resztę życia z poczuciem winy? A twoi bracia będą powtarzali, że rozbiłam rodzinę?

– To nie ty odeszłaś, tylko tata.

– Ale teraz wrócił i chce, żebyśmy znów byli razem.

– Masz prawo do własnego życia.

– Tylko że obaj moi synowie nalegają, żebym dała twojemu ojcu jeszcze jedną szansę. Ksiądz Donnelly twierdzi, że dobra żona powinna tak postąpić.

Wspaniale, pomyślała Jane. Wiara katolicka daje najsilniejsze poczucie winy.

Usłyszała swoją komórkę. Spojrzawszy na ekran, zobaczyła, że dzwoni Maura, i przełączyła ją na pocztę głosową.

– Biedny Vince – ciągnęła Angela. – Wobec niego też czuję się winna. Zaplanował już ślub.

– Może jeszcze się odbędzie.

– Nie widzę teraz szansy. – Angela oparła się zrezygnowana o blat kuchenny. Ekspres do kawy bulgotał i syczał za jej plecami. – Wczoraj wieczorem w końcu mu powiedziałam. Jane, nigdy w życiu nie przeżyłam równie ciężkich chwil. – Widać to było po jej twarzy. Podkrążone oczy, obwisłe usta... Czy tak miała wyglądać nowa i przyszła Angela Rizzoli, świątobliwa żona i matka?

Na świecie jest już zbyt wielu męczenników, pomyślała Jane. Świadomość, że matka chce dobrowolnie do nich dołączyć, budziła w niej gniew.

– Mamo, jeśli ta decyzja doprowadza cię do rozpaczy, pamiętaj, że sama ją podjęłaś. Jesteś nieszczęśliwa z własnego wyboru. Nikt cię do tego nie zmuszał.

– Jak możesz tak mówić?

– Bo to prawda. Sprawujesz kontrolę nad swoim życiem i musisz przejąć ster. – Na ekranie komórki wyświetliła się wiadomość od Maury: ZACZYNAMY SEKCJĘ. PRZYJEDZIESZ?

– No już, jedź do pracy. – Angela odprawiła ją gestem ręki. – Nie musisz się mną przejmować.

– Chcę, żebyś była szczęśliwa, mamo. – Jane odwróciła się do wyjścia, po czym spojrzała znów na matkę. – Ale ty też musisz tego chcieć.

Poczuła ulgę, gdy wyszła na zewnątrz, odetchnęła chłodnym, świeżym powietrzem i oczyściła płuca z dusznej atmosfery tego domu. Nie mogła jednak otrząsnąć się z gniewu na ojca, braci, księdza Donnelly'ego i wszystkich mężczyzn, którzy ośmielali się dyktować kobiecie, co należy do jej obowiązków.

Gdy telefon zadzwonił ponownie, z irytacją rzuciła do słuchawki:

– Rizzoli!

– Uu, to ja – odezwał się Frost.

– Tak, jadę już do kostnicy. Będę za dwadzieścia minut.

– Jeszcze nie dotarłaś?

– Utknęłam u mamy. A czemu ciebie tam nie ma?

– Pomyślałem, że lepiej wykorzystam czas, zajmując się... kilkoma innymi sprawami.

– Zamiast rzygać całe rano do zlewu? Słuszny wybór.

– Czekam wciąż na billing rozmów z telefonu Gotta. A tymczasem znalazłem coś ciekawego w Google. W maju pisano o Gotcie w „Hub Magazine". Artykuł nosił tytuł: *Mistrz trofeów. Wywiad z bostońskim taksydermistą.*

– Tak, widziałam oprawioną kopię tego tekstu na ścianie

w jego domu. Opowiadał o swoich polowaniach. O strzelaniu do słoni w Afryce i do łosi w Montanie.

– Powinnaś przeczytać komentarze do tego artykułu w sieci. Są umieszczone na stronie internetowej czasopisma. Gott najwyraźniej wkurzył zjadaczy sałaty... bo tak nazywał przeciwników polowań. Anonimowy internauta napisał: *Leona Gotta należy powiesić i wypatroszyć, bo jest bydlakiem.*

– Powiesić i wypatroszyć? To brzmi jak groźba – zauważyła Jane.

– Owszem. I może ktoś ją spełnił.

□ □ □

Gdy Jane zobaczyła, co leży na stole do sekcji zwłok, miała ochotę zawrócić i wyjść. Nawet ostry zapach formaliny nie mógł stłumić odoru rozłożonych na stalowym blacie wnętrzności. Maura nie założyła kaptura z aparatem oddechowym, tylko zwykłą maskę i plastikową osłonę na twarz. Była tak skoncentrowana na intelektualnej łamigłówce, jaką stanowiły dla niej te trzewia, że wydawała się całkowicie odporna na odrażający smród. Obok niej stał wysoki mężczyzna ze srebrzystymi brwiami, którego Jane nie rozpoznawała, i podobnie jak Maura z zainteresowaniem badał całą kolekcję wnętrzności.

– Zacznijmy od tego tutaj jelita grubego – powiedział, przesuwając po nim dłońmi w rękawiczkach. – Widzimy jelito ślepe, okrężnicę wstępującą, poprzeczną i zstępującą...

– Ale nie ma okrężnicy esowatej – zauważyła Maura.

– Racja. Jest odbytnica, lecz brak esicy. To nasz pierwszy trop.

– A w przypadku tego drugiego okazu mamy okrężnicę esowatą.

Mężczyzna zachichotał z zadowoleniem.

– Bardzo się cieszę, że zadzwoniła pani do mnie, żebym to zobaczył. Nieczęsto widuję coś równie fascynującego. Mógłbym miesiącami opowiadać o tym przy stole.

– Nie chciałabym uczestniczyć w takiej rozmowie przy obiedzie – wtrąciła się Jane. – To chyba coś w rodzaju wróżenia z wnętrzności zwierząt.

Maura odwróciła się.

– Jane, porównujemy właśnie dwa komplety trzewi. To profesor Guy Gibbeson. A to detektyw Rizzoli, z wydziału zabójstw.

Profesor Gibbeson skinął głową, nie okazując Jane szczególnego zainteresowania, i znów skupił wzrok na wnętrznościach, które najwyraźniej uważał za dużo bardziej fascynujące.

– W czym się pan specjalizuje? – spytała Jane, nadal trzymając się z dala od stołu. Od upiornego zapachu.

– W anatomii porównawczej. Na Harvardzie – odparł, nie patrząc na nią i koncentrując całą uwagę na jelicie. – Zakładam, że drugi komplet trzewi, ten z esicą, pochodzi z ciała ofiary? – spytał Maurę.

– Na to wygląda. Rozcięte brzegi pasują do siebie, ale będziemy potrzebowali badania DNA, by to potwierdzić.

– Skupmy się teraz na płucach. Widzę tu dość wyraźne wskazówki.

– Co z nich wynika? – spytała Jane.

– Skąd pochodzi ta pierwsza para płuc. – Wziął ją do rąk

i trzymał przez chwilę, po czym odłożył i podniósł drugą. – Są podobnych rozmiarów, więc domyślam się, że wycięto je z organizmów o zbliżonej masie ciała.

– Według danych z prawa jazdy Gotta, miał on metr siedemdziesiąt wzrostu i ważył siedemdziesiąt kilogramów.

– Cóż, więc to jego płuca – stwierdził Gibbeson, patrząc na płaty, które trzymał w ręku. Odłożywszy je, podniósł drugą parę. – Ale naprawdę interesują mnie te.

– Co w nich jest takiego ciekawego? – spytała Jane.

– Proszę spojrzeć, pani detektyw. Och, będzie pani musiała podejść tutaj, żeby to zobaczyć.

Tłumiąc kaszel, Jane zbliżyła się do rozłożonych na stole wnętrzności, przypominających rzeźnickie podroby. Wszystkie trzewia wyjęte z ciał wydawały jej się podobne i składały się z takich samych wymiennych elementów, które i ona posiadała. Przypomniała sobie plakat *Anatomia kobiety*, który wisiał w gabinecie przyrodniczym w liceum i przedstawiał usytuowanie poszczególnych narządów. Każda kobieta, brzydka czy piękna, jest jedynie zbiorem organów, w opakowaniu z ciała i kości.

– Widzi pani różnicę? – spytał Gibbeson, wskazując pierwszą parę płuc. – To lewe ma górny i dolny płat. Prawe ma również górny i dolny, ale także środkowy. Ile jest więc razem płatów?

– Pięć – odparła Jane.

– To normalna anatomia człowieka. Dwa płuca, pięć płatów. A teraz proszę spojrzeć na tę drugą parę płuc, znalezioną w tym samym kuble na śmieci. Są podobnej wielkości i wagi, ale jest między nimi istotna różnica. Widzi ją pani?

Jane zmarszczyła czoło.

– Mają więcej płatów.

– Mówiąc dokładniej, dwa dodatkowe. Prawe płuco ma cztery, a lewe trzy. To nie jest anatomiczna anomalia. – Przerwał na chwilę. – Co oznacza, że to nie ludzkie płuco.

– Dlatego zadzwoniłam do profesora Gibbesona – wyjaśniła Maura. – Żeby pomógł mi określić, z jakim gatunkiem mamy do czynienia.

– To był duży okaz – rzekł Gibbeson. – Powiedziałbym, że sądząc po rozmiarach serca i płuc, wielkości człowieka. Zobaczmy teraz, co nam powie wątroba. – Przeszedł do drugiego końca stołu, gdzie leżały obok siebie dwie wątroby. – Eksponat numer jeden ma lewy i prawy płat, a także czworoboczny i ogoniasty...

– To ludzka wątroba – rzuciła Maura.

– Ale ta druga... – Gibbeson wziął ją do ręki i odwrócił, by obejrzeć ją z drugiej strony. – Ma sześć płatów.

Maura spojrzała na Jane.

– A więc jest zwierzęca.

– Mamy zatem dwa komplety trzewi – odezwała się Jane. – Zakładamy, że jeden pochodzi z ciała ofiary. A drugi... Skąd? Z wypatroszonego jelenia? Świni?

– Nie – zaprzeczył Gibbeson. – Zważywszy na brak esicy, siedem płatów płuc i sześć płatów wątroby, uważam, że te wnętrzności pochodzą od osobnika z rodziny *Felidae*.

– To znaczy?

– Z rodziny kotowatych.

Jane spojrzała na wątrobę.

– Cholernie duży kotek.

– To rozległa rodzina, pani detektyw. Obejmuje lwy, tygrysy, pumy, pantery i gepardy.

– Ale nie znaleźliśmy na miejscu zbrodni żadnego martwego zwierzęcia.

– Sprawdzaliście w zamrażarce? – spytał Gibbeson. – Nie było tam żadnego mięsa niewiadomego pochodzenia?

Jane zaśmiała się sarkastycznie.

– Nie natrafiliśmy na steki z tygrysa. Kto zresztą chciałby je jeść?

– Istnieje spory popyt na egzotyczne mięso. Im bardziej niezwykłe, tym lepiej. Ludzie płacą za możliwość skosztowania niemal wszystkiego, od grzechotnika po niedźwiedzia. Pytanie, skąd pochodziło to zwierzę? Czy upolowano je nielegalnie? I jakim cudem zostało wypatroszone w domu w Bostonie?

– Ten człowiek był taksydermistą – oznajmiła Jane, odwracając się, by spojrzeć na zwłoki Leona Gotta, leżące na sąsiednim stole. Maura użyła już swego skalpela i piły do kości, bo mózg Gotta zanurzony był w formalinie w stojącym nieopodal wiadrze. – Wypatroszył prawdopodobnie setki, może nawet tysiące zwierząt. Zapewne nigdy sobie nie wyobrażał, że skończy tak jak one.

– Taksydermiści oprawiają zwierzęta w zupełnie inny sposób – powiedziała Maura. – Wczoraj wieczorem poczytałam trochę na ten temat i dowiedziałam się, że w przypadku dużych okazów wolą nie usuwać wnętrzności przed zdarciem skóry, bo płyny organiczne mogą ją zniszczyć. Robią najpierw nacięcie wzdłuż kręgosłupa i ściągają skórę w całości. Patroszą zwierzę dopiero potem.

– Fascynujące – rzekł z podziwem Gibbeson. – Nie wiedziałem o tym.

– To cała doktor Isles. Zna mnóstwo zabawnych faktów – włączyła się Jane. Ruchem głowy wskazała na zwłoki Gotta. – Skoro mowa o faktach, czy ustaliłaś przyczynę śmierci ofiary?

– Myślę, że tak. – Maura zdjęła zaplamione krwią rękawiczki. – Spowodowane przez zwierzęta rozległe uszkodzenia twarzy i szyi zamazały obraz ran zadanych mu przed śmiercią. Ale rentgen co nieco nam wyjaśnił. – Podeszła do ekranu komputera i wyświetliła serię zdjęć. – Nie zauważyłam żadnych obcych ciał, niczego, co by wskazywało na użycie broni palnej. Ale znalazłam to. – Wskazała na zdjęcie czaszki. – Drobne uszkodzenie, dlatego nie wyczułam go palcami. Liniowe pęknięcie kości ciemieniowej z prawej strony. Skóra głowy i włosy mogły zamortyzować cios, stąd nie widać żadnego wgłębienia, ale samo pęknięcie świadczy, że ofiarę uderzono z dużą siłą.

– A więc to nie był upadek.

– Pęknięcie z boku czaszki nie powstaje raczej z takiego powodu. Padając na ziemię, instynktownie podpieramy się ramieniem albo próbujemy się czegoś złapać. Nie, jestem skłonna sądzić, że dostał cios w głowę. Wystarczająco mocny, by go ogłuszył i pozbawił przytomności.

– I zabił?

– Nie. W czaszce jest co prawda niewielki krwiak, ale nie spowodowałby zgonu. Stanowi on również dowód, że kiedy zadano cios, serce tego człowieka nadal biło. Żył jeszcze co najmniej przez kilka minut.

Jane spojrzała na zwłoki będące teraz tylko pustym kadłubem, pozbawionym wewnętrznej maszynerii.

– Chryste. Nie mów mi, że był żywy, gdy zabójca zaczął go patroszyć.

– Nie sądzę, żeby zginął z tego powodu. – Maura przesunęła zdjęcia czaszki i na monitorze pojawiły się dwa nowe obrazy. – Przyczynę śmierci mamy tutaj.

Na ekranie zajaśniały widoczne z przodu i z boku kręgi szyi Gotta.

– Widać pęknięcia i przemieszczenia górnych rogów chrząstki tarczowatej, a także kości gnykowej. Nastąpiły rozległe uszkodzenia krtani. – Maura zamilkła. – Zmiażdżono mu gardło, prawdopodobnie gdy leżał na wznak. Być może chrząstka tarczowata została przygnieciona butem. Spowodowało to pęknięcie krtani i nagłośni oraz rozdarcie tętnic. Wszystko stało się jasne, gdy zrobiłam sekcję szyi. Pan Gott zmarł z powodu uduszenia, dławiąc się własną krwią. Brak śladów krwi tętniczej na ścianach wskazuje, że narządy wycięto mu po śmierci.

Jane milczała, wpatrując się w ekran. O ile łatwiej było przyglądać się niebudzącym emocji zdjęciom rentgenowskim niż temu, co leżało na stole. Rentgen ogałacał dogodnie postać człowieka ze skóry i ciała, pozostawiając tylko pozbawioną krwi strukturę, słupy i dźwigary ludzkiego organizmu. Zastanawiała się, kim trzeba być, by przygnieść obcasem ludzką szyję. I co czuł zabójca, gdy miażdżył butem gardło Gotta i patrzył, jak w jego oczach gaśnie świadomość? Gniew? Siłę? Satysfakcję?

– Jest coś jeszcze – dodała Maura, pokazując kolejne

zdjęcie rentgenowskie, tym razem klatki piersiowej. Zważywszy na pozostałe uszkodzenia ciała struktura szkieletu wyglądała zaskakująco normalnie, żebra i mostek znajdowały się dokładnie tam, gdzie powinny. Ale jama klatki piersiowej wydawała się dziwnie pusta, brakowało w niej widocznych zwykle mglistych zarysów serca i płuc. – Zobacz – powiedziała.

Jane przysunęła się bliżej.

– Chodzi o te drobne zadrapania na żebrach? – spytała.

– Tak. Zauważyłam je wczoraj na zwłokach. Trzy równoległe cięcia. Tak głębokie, że sięgnęły aż do kości. A teraz spójrz na to. – Maura kliknęła na kolejne zdjęcie i na ekranie pojawiły się kości twarzy, zapadnięte oczodoły i zamglone zatoki.

Jane uniosła brwi.

– Znów trzy zadrapania – zauważyła.

– Po obu stronach twarzy, sięgające do kości. Trzy równoległe draśnięcia. Zobaczyłam je dopiero na zdjęciach rentgenowskich, bo zwierzęta właściciela zniszczyły tkanki miękkie.

– Jakie narzędzie mogło zostawić takie ślady?

– Nie mam pojęcia. Nie widziałam niczego takiego w jego warsztacie.

– Powiedziałaś wczoraj, że to zapewne pośmiertne rany.

– Owszem.

– W jakim celu ktoś by je zadawał, jeśli nie po to, by zabić ofiarę lub sprawić jej ból?

Maura zastanawiała się przez chwilę.

– Może to jakiś rytuał – odparła w końcu.

Przez chwilę w prosektorium panowała cisza. Jane przypomniała sobie inne miejsca zbrodni, inne rytuały. Pomyślała o bliznach, które już zawsze będzie miała na rękach, pamiątkach po zabójcy pielęgnującym własne rytuały, i poczuła znów ból.

Podskoczyła niemal, gdy rozbrzmiał brzęczyk interkomu.

– Doktor Isles? – rozległ się głos sekretarki Maury. – Dzwoni doktor Mikovitz. Podobno zostawiła pani rano wiadomość jego koledze.

– Tak, oczywiście. – Maura podniosła słuchawkę. – Mówi doktor Isles.

Jane spojrzała ponownie na zdjęcie rentgenowskie z trzema równoległymi zadrapaniami na kościach policzkowych. Próbowała sobie wyobrazić, co mogło zostawić taki ślad. Jakieś narzędzie, którego ani ona, ani Maura dotąd nie spotkały.

Maura skończyła rozmowę i zwróciła się do doktora Gibbesona:

– Miał pan całkowitą rację – powiedziała. – Dzwonili z zoo w Suffolku. Leon Gott dostał w niedzielę zwłoki Kovo.

– Chwileczkę – wtrąciła się Jane. – O czym ty mówisz, do cholery?

Maura wskazała leżące na stole w prosektorium niezidentyfikowane wnętrzności.

– To są szczątki Kovo, pantery śnieżnej.

Rozdział siódmy

– Kovo był jednym z naszych najpopularniejszych okazów. Spędził z nami prawie osiemnaście lat, więc byliśmy wszyscy zrozpaczeni, kiedy musieliśmy go uśpić. – Doktor Mikovitz mówił przyciszonym głosem, jak pogrążony w żałobie krewny, i sądząc po wielu fotografiach wiszących na ścianach jego gabinetu, zwierzęta ogrodu zoologicznego w Suffolku były dla niego jak rodzina. Z kręconymi rudymi włosami i kozią bródką wyglądał sam jak mieszkaniec zoo; przypominał egzotyczny gatunek małpy o mądrych ciemnych oczach, którymi wpatrywał się teraz zza biurka w Jane i Frosta. – Nie powiadomiliśmy jeszcze o tym prasy, dlatego byłem zaskoczony, gdy doktor Isles zapytała, czy straciliśmy ostatnio któregoś z wielkich kotów. Skąd się, u licha, dowiedziała?

– Doktor Isles ma nosa do wykrywania różnych tajemnic – odparła Jane.

– No cóż, z pewnością nas zaskoczyła. To trochę... delikatna sprawa.

– Śmierć zwierzęcia w zoo? Dlaczego?

– Ponieważ trzeba było je uśpić. To zawsze wzbudza negatywne reakcje. A Kovo był bardzo rzadkim okazem.

– Kiedy to zrobiono?

– W niedzielę rano. Nasz weterynarz, doktor Oberlin, przyszedł wstrzyknąć mu truciznę. Od pewnego czasu nerki Kovo nie pracowały i stracił bardzo na wadze. Miesiąc temu doktor Rhodes postanowił nie pokazywać go publiczności, żeby się nie stresował. Mieliśmy nadzieję wyciągnąć Kovo z choroby, ale doktor Oberlin i doktor Rhodes uznali w końcu, że pora go uśpić. Ku rozpaczy ich obu.

– Doktor Rhodes jest także weterynarzem?

– Nie, Alan to nasz ekspert od wielkich kotów. Znał Kovo lepiej niż ktokolwiek. To on zawiózł jego zwłoki do taksydermisty. – Słysząc pukanie do drzwi, doktor Mikovitz podniósł wzrok. – O, to właśnie Alan.

Miano „eksperta od wielkich kotów" budziło skojarzenia z ogorzałym twardzielem w stroju safari. Mężczyzna, który zjawił się w gabinecie, miał na sobie uniform w kolorze khaki, z zakurzonymi spodniami i rzepami przyczepionymi do polaru, jakby właśnie wyszedł z lasu, ale jego szczera twarz nie wyglądała na szczególnie surową. Był człowiekiem przed czterdziestką, o skręconych spiralnie ciemnych włosach i kanciastej głowie potwora Frankensteina, ukazanego w przyjaznej wersji.

– Przepraszam za spóźnienie – powiedział Alan Rhodes, otrzepując kurz z nogawek spodni. – Mieliśmy drobny incydent na wybiegu lwa.

– Nic poważnego, mam nadzieję? – zaniepokoił się doktor Mikovitz.

– Nie zawiniły koty, tylko przeklęte dzieciaki. Jakiś nastolatek chciał udowodnić, że jest mężczyzną. Wspiął się na ogrodzenie i wpadł do fosy. Musiałem tam po niego wejść.

– O Boże! Pociągną nas do odpowiedzialności?

– Wątpię. Nie groziło mu żadne niebezpieczeństwo i czuł się chyba tak upokorzony, że nie piśnie nikomu słowa. – Rhodes uśmiechnął się boleśnie do Jane i Frosta. – Kolejny dzień użerania się z idiotami. Moje lwy mają przynajmniej trochę zdrowego rozsądku.

– To detektywi Rizzoli i Frost – przedstawił ich Mikovitz.

Mężczyzna wyciągnął do nich chropowatą dłoń.

– Jestem doktor Alan Rhodes. Specjalizuję się w badaniu zachowań kotów. Wszystkich, dużych i małych. – Spojrzał na Mikovitza. – Znaleźli Kovo?

– Nie wiem, Alan. Państwo dopiero przyjechali i nie doszliśmy jeszcze do tego tematu.

– Musimy to wiedzieć. – Rhodes odwrócił się do detektywów: – Po śmierci zwierzęcia skóra szybko niszczeje. Jeśli nie zostanie natychmiast zdjęta i poddana obróbce, traci swoją wartość.

– Jak cenna jest skóra pantery śnieżnej? – spytał Frost.

– Zważywszy na to, ile osobników tego gatunku żyje jeszcze na świecie? – Rhodes pokręcił głową. – Powiedziałbym, że jest bezcenna.

– I dlatego chcieliście wypchać to zwierzę.

– „Wypchać" to mało eleganckie określenie – rzekł Mikovitz. – Chcieliśmy zachować Kovo w całym jego pięknie.

– W tym celu zawieźliście go do Leona Gotta.

– Miał spreparować skórę. Pan Gott jest... był... jednym z najlepszych taksydermistów w kraju.

– Znał go pan osobiście? – spytała Jane.

– Tylko ze słyszenia.

Jane spojrzała na eksperta od wielkich kotów.

– A pan, doktorze Rhodes?

– Spotkałem go po raz pierwszy, gdy razem z Debrą dostarczyliśmy Kovo do jego domu – odparł Rhodes. – Byłem w szoku, gdy dowiedziałem się rano, że został zamordowany. Przecież w niedzielę jeszcze żył.

– Proszę mi zrelacjonować tamten dzień. Co pan widział i słyszał w jego domu.

Rhodes zerknął na Mikovitza, jakby chciał się upewnić, czy powinien odpowiadać na te pytania.

– Mów, Alan – rzucił Mikovitz. – To w końcu dochodzenie w sprawie zabójstwa.

– W porządku. – Rhodes odetchnął głęboko. – W niedzielę rano Greg, doktor Oberlin, nasz weterynarz, uśmiercił Kovo. Zgodnie z umową, mieliśmy natychmiast przewieźć jego zwłoki do taksydermisty. Kovo ważył ponad pięćdziesiąt kilo, więc pomagała mi jedna z naszych opiekunek zwierząt, Debra Lopez. To była smutna podróż. Pracowałem z tym kotem przez dwanaście lat i łączyła nas silna więź. Brzmi to idiotycznie, bo nie można naprawdę ufać panterze. Nawet gdy jest z pozoru oswojona, może człowieka zabić, a Kovo był wystarczająco duży, by powalić mężczyznę. Ale nigdy nie czułem się przez niego zagrożony. Nie wyczuwałem w nim żadnej agresji. Jakby rozumiał, że jestem jego przyjacielem.

– O której dotarł pan w niedzielę do domu Gotta?

– Chyba około dziesiątej rano. Debra i ja zawieźliśmy Kovo wprost do niego, bo skórę trzeba zedrzeć jak najszybciej.

– Długo z nim rozmawialiście?

– Zostaliśmy chwilę. Był bardzo podekscytowany, że będzie preparował panterę śnieżną. To taki rzadki gatunek i nigdy nie miał z nim do czynienia.

– Czy wydawał się czymś zmartwiony?

– Nie. Był w euforii, że trafia mu się taka okazja. Zanieśliśmy Kovo do jego garażu, a on zaprosił nas potem do domu, by pokazać zwierzęta, które wcześniej oprawiał. – Rhodes pokręcił głową. – Wiem, że był dumny ze swojej pracy, ale czułem przygnębienie. Tyle pięknych zwierząt zabitych tylko po to, by stały się trofeami. Ale cóż... jestem biologiem.

– Ja nie jestem – rzekł Frost. – A też ogarnął mnie smutek.

– Ludzie jego pokroju należą do innej kultury. Taksydermiści są na ogół również myśliwymi i nie rozumieją, dlaczego ktoś może przeciw temu protestować. Debra i ja staraliśmy się być uprzejmi. Wyszliśmy od niego około jedenastej. I to wszystko. Nie wiem, co jeszcze mógłbym państwu powiedzieć. – Zmierzył wzrokiem detektywów. – A co ze skórą? Chciałbym wiedzieć, czy ją znaleźliście, bo jest cholernie dużo warta dla...

– Alan – przerwał mu Mikovitz.

Obaj mężczyźni spojrzeli na siebie i zamilkli. Przez kilka minut panowało milczenie tak wymowne, jakby zapaliła się czerwona lampka z napisem: „Uwaga! Oni próbują coś ukryć!".

– Dla kogo ta skóra jest cholernie dużo warta? – spytała Jane.

– Dla wszystkich – odparł Mikovitz, zbyt gładko. – Te zwierzęta są wyjątkowo rzadkie.

– Jak rzadkie, mówiąc ściślej?

– Kovo był panterą śnieżną – odparł Rhodes. – *Panthera uncia*, z górzystych regionów środkowej Azji. Mają grubsze i jaśniejsze futro niż pantery afrykańskie i żyje ich na świecie mniej niż pięć tysięcy. Są jak duchy, samotne i trudne do zauważenia, i z każdym dniem to coraz rzadszy gatunek. Nie wolno importować skór tych zwierząt ani nawet ich sprzedawać, nowych czy starych, za granicę. Nie można nimi handlować na wolnym rynku. Dlatego chcemy wiedzieć, czy znaleźliście Kovo?

Zamiast odpowiedzieć na jego pytanie, Jane zadała następne:

– Wspomniał pan, doktorze Rhodes, o jakiejś umowie?

– Co?

– Powiedział pan, że dostarczyliście Kovo do taksydermisty w ramach umowy. Co pan miał na myśli?

Rhodes i Mikovitz unikali jej spojrzenia.

– Panowie, chodzi o zabójstwo – przypomniała. – I tak się wszystkiego dowiemy, a naprawdę nie powinniście ze mną zadzierać.

– Powiedz im – odezwał się Rhodes. – Powinni wiedzieć.

– Alan, jeśli to wyjdzie na jaw, rozgłos nas zabije.

– Powiedz im.

– Okay, okay. – Mikovitz obdarzył Jane niechętnym spojrzeniem. – W zeszłym miesiącu otrzymaliśmy ofertę nie do odrzucenia od potencjalnego sponsora. Wiedział, że Kovo jest chory i zostanie prawdopodobnie uśpiony. W zamian za jego świeże, nietknięte zwłoki proponował przekazać zoo w Suffolku znaczną sumę pieniędzy.

– Jak dużą?

– Pięć milionów dolarów.

Jane wpatrywała się w niego.

– Czy pantera śnieżna jest rzeczywiście tyle warta?

– Dla tego konkretnego ofiarodawcy, tak. Oferta była korzystna dla obu stron. Kovo tak czy inaczej czekała śmierć. My dostawaliśmy potężny zastrzyk gotówki, by przetrwać, a nasz sponsor rzadkie trofeum do swojej kolekcji. Postawił tylko warunek, by zachować dyskrecję. I zażyczył sobie, żeby skórę spreparował Leon Gott, bo jest jednym z najlepszych taksydermistów. Zresztą obaj panowie już się chyba znali. – Mikovitz westchnął. – Nie chciałem wspominać o tej sprawie, bo jest delikatnej natury. Gdyby wyszła na jaw, mogłoby to zaszkodzić naszej firmie.

– Bo sprzedajecie rzadkie zwierzęta temu, kto zaproponuje najwięcej?

– Od początku byłem przeciwny tej transakcji – zwrócił się Rhodes do Mikovitza. – Mówiłem ci, że odbije się nam czkawką. Teraz będzie o tym głośno jak cholera.

– Posłuchaj, jeśli sprawa nie nabierze rozgłosu, możemy wyjść z tego obronną ręką. Muszę tylko wiedzieć, że skóra jest bezpieczna. Że ktoś należycie się nią zajmuje.

– Przykro mi, doktorze Mikovitz, ale nie znaleźliśmy żadnej skóry – oznajmił Frost.

– Co?

– W domu Gotta nie było skóry pantery.

– To znaczy, że... została skradziona?

– Tego nie wiemy. Po prostu jej tam nie ma.

Zdumiony Mikovitz osunął się w fotelu.

– O Boże. Wszystko się posypało. Będziemy musieli teraz zwrócić mu pieniądze.

– Kim jest wasz sponsor? – spytała Jane.

– Ta informacja nie może zostać ujawniona opinii publicznej.

– Kto to jest?

Odpowiedział jej Rhodes, z wyraźnym przekąsem w głosie.

– Jerry O'Brien.

Detektywi popatrzyli na siebie zdziwieni.

– Ten Jerry O'Brien? Facet z radia? – spytał Frost.

– Bostoński krzykacz. Jak poczują się nasi miłośnicy zwierząt, gdy usłyszą, że zawarliśmy umowę z aroganckim prezenterem? Z facetem, który chełpi się wyprawami na polowania w Afryce i rozwalaniem na kawałki słoni? On gloryfikuje przemoc – prychnął z odrazą Rhodes. – Gdyby te biedne zwierzęta potrafiły strzelać.

– Czasem, Alanie, musimy zawierać pakt z diabłem – rzekł Mikovitz.

– Już wygasł, skoro nie mamy mu nic do zaoferowania.

Mikovitz jęknął.

– To katastrofa.

– Czy tego nie przewidziałem?

– Łatwo ci być ponad to wszystko! Martwisz się tylko o swoje cholerne koty! A ja odpowiadam za przetrwanie tej firmy!

– Tak, to zaleta pracy z kotami. Wiem, że nie mogę im ufać. I nie próbują mnie przekonywać, że jest inaczej. – Rhodes spojrzał na dzwoniącą komórkę.

Niemal równocześnie otworzyły się nagle drzwi i do gabinetu wpadła z impetem sekretarka.

– Doktorze Rhodes! Jest pan natychmiast potrzebny!

– O co chodzi?

– Zdarzył się wypadek na wybiegu pantery. Jeden z opiekunów... potrzebują karabinu!

– Nie. Nie! – Rhodes zerwał się z krzesła i wybiegł z gabinetu.

Jane wahała się tylko chwilę. Błyskawicznie popędziła za nim. Gdy pokonała schody i znalazła się na zewnątrz, Rhodes był już daleko przed nią; biegnąc, mijał zaskoczonych bywalców zoo. Jane musiała przyspieszyć, by go dogonić. Minąwszy zakręt na ścieżce, zobaczyła tłum ludzi stojących przed wybiegiem pantery.

– O mój Boże! – zawołał ktoś z przejęciem. – Czy ona nie żyje?

Jane przepchnęła się przez tłum do barierki. Początkowo widziała przez kraty klatki tylko zarośla i głazy, imitujące naturalne środowisko. Potem wśród gałęzi coś się poruszyło. Był to ogon drgający na krawędzi skalnej półki.

Jane przesunęła się na bok, chcąc przyjrzeć się dokładniej zwierzęciu. Dopiero gdy dotarła na skraj wybiegu, zobaczyła krew: jasną i lśniącą strużkę, spływającą po kamieniu. Ze skalnej półki u góry zwisała ludzka ręka. Ręka kobiety. Pantera, przycupnięta nad swą zdobyczą, patrzyła Jane wyzywająco w oczy, jakby ostrzegając, by nie próbowała ukraść jej łupu.

Jane uniosła broń i znieruchomiała, trzymając palec na spuście. Czy ofiara była na linii strzału? Widziała tylko krawędź półki, nie mogła nawet stwierdzić, czy kobieta jeszcze żyje.

– Proszę nie strzelać! – usłyszała z głębi klatki krzyk doktora Rhodesa. – Zwabię ją do środka!

– Nie ma czasu, panie Rhodes. Musimy wynieść tę kobietę.

– Nie chcę, żeby pantera zginęła.

– A co z nią?

Rhodes uderzył pięścią o kratę.

– Rafiki, mięso! No już, właź do środka!

Pieprzyć to, pomyślała Jane i znów uniosła broń. Pantera była dobrze widoczna, Jane mierzyła jej prosto w łeb. Istniała możliwość, że pocisk trafi również kobietę, ale jeśli jej szybko stamtąd nie wyciągną, i tak zginie. Trzymając broń oburącz, Jane nacisnęła powoli spust. Zanim zdążyła strzelić, zaskoczył ją huk karabinu.

Pantera upadła i zsunęła się z półki w zarośla.

Kilka sekund później blondyn w mundurze pracownika zoo przebiegł przez klatkę w kierunku głazów.

– Debbie?! – zawołał. – Debbie!

Jane rozejrzała się za wejściem do klatki i dostrzegła boczną ścieżkę z napisem TYLKO DLA PERSONELU. Podążyła nią na tył wybiegu, gdzie stały otworem metalowe drzwi.

Weszła do środka i zobaczyła zastygniętą czerwoną kałużę obok wiadra i leżących na ziemi grabi. Na betonowej ścieżce widniały złowrogie ślady rozmazanej krwi i odciski łap.

Tropy prowadziły w kierunku sztucznych głazów w głębi klatki.

U ich podstawy Rhodes i jasnowłosy mężczyzna klęczeli nad ciałem kobiety, którą ściągnęli ze skalnej półki.

– Oddychaj, Debbie – błagał blondyn. – Proszę, oddychaj.

– Nie wyczuwam tętna – oznajmił Rhodes.

– Gdzie jest karetka? – Blondyn rozglądał się w panice. – Potrzebujemy karetki!

– Już jedzie. Ale Greg, obawiam się, że nic...

Blondyn położył obie dłonie na piersi kobiety i zaczął uciskać ją szybkimi, rozpaczliwymi ruchami, by wznowić akcję serca.

– Pomóż mi, Alan. Zrób oddychanie usta-usta. Musimy działać razem.

– Myślę, że już za późno – powiedział Rhodes, kładąc dłoń na ramieniu blondyna. – Greg...

– Pieprz się, Alan! Poradzę sobie sam! – Blondyn przyłożył usta do bladych warg kobiety i zaczął wdmuchiwać między nie powietrze, a potem znów uciskać dłońmi jej klatkę piersiową. Oczy Debbie zachodziły już mgłą.

Rhodes spojrzał na Jane i pokręcił głową.

Rozdział ósmy

Maura była ostatnio w ogrodzie zoologicznym w Suffolku w ciepły letni weekend, gdy na ścieżkach roiło się od dzieci z kapiącymi lodami i młodych rodziców pchających wózki z niemowlętami. Ale w ten zimny listopadowy dzień zoo było dziwnie opustoszałe. Flamingi na wybiegu spokojnie muskały pióra. Pawie spacerowały po ścieżce, nienękane przez ścigające je aparaty fotograficzne i dzieciarnię. Jak miło byłoby przechadzać się samotnie w tym miejscu i przyglądać bez pośpiechu każdemu zwierzęciu, ale wezwała ją tam śmierć i nie miała czasu cieszyć się tą wizytą. Pracownica zoo poprowadziła ją szybkim krokiem obok klatek z małpami człekokształtnymi w kierunku wybiegów dla dzikich psów. Na terytorium mięsożerców. Była to młoda kobieta o imieniu Jen, w uniformie koloru khaki, z jasnym kucykiem i zdrową opalenizną. Pasowałaby idealnie do filmu przyrodniczego National Geographic.

– Zamknęliśmy zoo zaraz po tym incydencie – wyjaśniła Jen. – Wyprowadzenie wszystkich zwiedzających zajęło nam około godziny. Nadal nie mogę uwierzyć, że to się zdarzyło. Nigdy przedtem nie mieliśmy z czymś takim do czynienia.

– Jak długo pani tu pracuje? – spytała Maura.

– Prawie cztery lata. Już w dzieciństwie marzyłam o pracy w zoo. Próbowałam dostać się na weterynarię, lecz miałam za słabe oceny. Ale i tak robię to, co lubię. Trzeba kochać tę pracę, bo dużo się tu nie zarabia.

– Znała pani ofiarę?

– Tak, wszyscy się tu znamy. – Jen pokręciła głową. – Nie rozumiem tylko, jak Debbie mogła popełnić taki błąd. Doktor Rhodes zawsze ostrzegał nas przed Rafiki. Powtarzał wciąż: „Nigdy nie odwracajcie się do niego plecami. Nigdy nie ufajcie panterze". Wydawało mi się, że przesadza.

– Nie boi się pani tak bliskiego kontaktu z dużymi drapieżnikami?

– Dotychczas się nie bałam. Ale teraz wszystko się zmieniło. – Minęli zakręt i Jen oznajmiła: – To stało się na tym wybiegu.

Nie musiała wskazywać palcem. Ponure twarze ludzi stojących przed klatką oznaczały, że Maura dotarła do celu. Znajdująca się wśród nich Jane podeszła się z nią przywitać.

– To przypadek, z jakim nie spotkasz się pewnie nigdy więcej – powiedziała.

– Prowadzisz dochodzenie w tej sprawie?

– Nie, właśnie miałam wyjść. Na ile się orientuję, to był wypadek.

– Co się dokładnie stało?

– Wygląda na to, że ofiara czyściła wybieg, gdy kot ją zaatakował. Musiała zapomnieć zamknąć wewnętrzną klatkę i zwierzę się z niej wydostało. Zanim tu dotarłam, było już dawno po wszystkim. – Jane pokręciła głową. – Człowiek przypomina sobie, jaką pozycję zajmujemy w łańcuchu pokarmowym.

– Jaki to był gatunek kota?

– Pantera afrykańska. Duży samiec.

– Został obezwładniony?

– Nie żyje. Doktor Oberlin, ten blondyn, który tam stoi, próbował trafić go pociskiem usypiającym, ale chybił dwa razy. W końcu musiał go zastrzelić.

– Więc można już bezpiecznie wejść do środka.

– Tak, ale jest tam cholerny bałagan. Całe wiadra krwi. – Jane spojrzała na swoje zaplamione obuwie i pokręciła głową. – Lubiłam te buty. No cóż. Zadzwonię do ciebie później.

– Kto mnie oprowadzi?

– Może Alan Rhodes.

– Kto to jest?

– Ich ekspert od wielkich kotów. – Jane zawołała w kierunku grupy mężczyzn zebranych w pobliżu klatki: – Doktorze Rhodes?! Przyjechała doktor Isles z biura koronera. Musi zobaczyć ciało.

Ciemnowłosy mężczyzna, który do nich podszedł, wydawał się nadal wstrząśnięty tragedią. Spodnie służbowego uniformu miał zaplamione krwią i choć próbował się uśmiechnąć, jego twarz wyrażała napięcie. Odruchowo wyciągnął rękę na powitanie, ale cofnął ją, kiedy zdał sobie sprawę, że jest na niej zakrzepła krew.

– Przykro mi, że musi pani to oglądać – powiedział. –

Wiem, że widziała pani już zapewne różne koszmary, ale widok jest straszny.

– Nigdy dotąd nie miałam do czynienia z ofiarą ataku wielkiego kota – przyznała Maura.

– Ja również. I nie chciałbym tego więcej przeżywać. – Wyciągnął pierścień z kluczami. – Zabiorę panią na zaplecze dla personelu. Tam jest furtka.

Maura machnęła ręką na pożegnanie Jane i podążyła za nim po biegnącej wzdłuż szpaleru krzewów ścieżce z napisem TYLKO DLA PERSONELU. Wiodła ona między klatkami na niewidoczny dla zwiedzających tył wybiegu.

Rhodes otworzył kluczem furtkę.

– Wejdziemy tędy przez klatkę zabiegową. Po obu jej stronach są wewnętrzne bramki. Jedna prowadzi na wybieg, a druga do pomieszczenia, w którym zwierzę nocuje.

– Dlaczego nazywa się ją klatką zabiegową?

– Ma ruchomą ścianę, przydatną do zabiegów weterynaryjnych. Kiedy kot przechodzi przez tę klatkę, zamykamy go w wąskiej przestrzeni między kratami. Wtedy łatwo go zaszczepić albo wstrzyknąć mu leki. Minimalny stres dla zwierzęcia i maksymalne bezpieczeństwo dla personelu.

– Czy ofiara weszła tędy?

– Nazywała się Debra Lopez.

– Przepraszam. Czy pani Lopez weszła tędy?

– To jedno z wejść. Są również osobne drzwi do pomieszczenia, w którym zwierzę przebywa nocą. – Weszli do klatki i Rhodes zatrzasnął bramkę, zamykając ich w klaustrofobicznie wąskim korytarzu. – Jak pani widzi, z obu stron są furtki. Przed wejściem do klatki sprawdza się, czy zwierzę jest zamknięte w jej drugiej części. To pierwsza zasada regulaminu bezpieczeństwa zoo: zawsze należy wiedzieć, gdzie przebywa kot. Zwłaszcza Rafiki.

– Czy był wyjątkowo niebezpieczny?

– Każda pantera jest potencjalnie niebezpieczna, szczególnie *Panthera pardus*, czyli afrykańska. Są mniejsze niż lwy czy tygrysy, ale ciche, nieprzewidywalne i silne. Pantera potrafi wciągnąć na drzewo zdobycz, która waży o wiele więcej niż ona. Rafiki był w pełni sił i zachowywał się wyjątkowo agresywnie. Trzymaliśmy go w osobnej klatce, bo zaatakował samicę, którą próbowaliśmy umieścić razem z nim. Debbie wiedziała, jak bardzo jest niebezpieczny. Wszyscy to wiedzieliśmy.

– Więc jak mogła popełnić taki błąd? Była tu nowa?

– Pracowała u nas co najmniej od siedmiu lat, więc nie chodziło z pewnością o brak doświadczenia. Ale nawet opiekunowie zwierząt z długoletnim stażem są czasem nieostrożni. Nie sprawdzają, gdzie jest zwierzę, albo zapominają zamknąć wejście. Greg powiedział mi, że kiedy tu dotarł, drzwiczki do nocnej klatki pantery były otwarte na oścież.

– Greg?

– Doktor Greg Oberlin, nasz weterynarz.

Maura skupiła wzrok na bramce do nocnej klatki.

– Czy rygiel nie jest uszkodzony?

– Sprawdziłem go. I detektyw Rizzoli także. Działa jak należy.

– Doktorze Rhodes, trudno mi zrozumieć, jak doświadczona pracownica zoo może zostawić szeroko otwarte drzwi do klatki pantery.

– Wiem, że niełatwo w to uwierzyć. Ale mogę pani pokazać całą listę podobnych wypadków z udziałem wielkich kotów. Zdarzały się w ogrodach zoologicznych na całym świecie. Od tysiąc dziewięćset dziewięćdziesiątego roku w samych Stanach Zjednoczonych odnotowano ponad siedemset takich incydentów, w których zginęło dwudziestu dwóch ludzi. Tylko w zeszłym roku w Niemczech i Wielkiej Brytanii tygrysy zabiły doświadczonych pracowników zoo. W obu przypadkach zapomnieli po prostu zamknąć drzwi. Ludzie bywają rozkojarzeni albo nieostrożni. Albo zaczynają wierzyć, że koty są przyjaźnie nastawione i nigdy ich nie skrzywdzą. Powtarzam ciągle naszemu personelowi: nigdy nie ufajcie dużym kotom. Nie odwracajcie się do nich plecami. To nie są kotki domowe.

Maura pomyślała o szarym kocie, którego właśnie adoptowała i którego względy próbowała zdobyć kosztownymi sardynkami i miseczkami mleka. Był jeszcze jednym przebiegłym drapieżnikiem, który uczynił z niej osobistą służącą. Gdyby ważył pięćdziesiąt kilogramów więcej, bez wątpienia nie widziałby w niej przyjaciółki, lecz smakowity kawałek mięsa. Czy naprawdę można zaufać kotu?

Rhodes otworzył kluczem wewnętrzną bramkę, która prowadziła na wybieg.

– Debbie weszła zapewne tędy – powiedział. – Znaleźliśmy dużo krwi obok wiadra i szczotki, więc została prawdopodobnie zaatakowana, gdy robiła poranne porządki.

– O której to mogło być?

– Między ósmą a dziewiątą. Zoo jest otwarte dla zwiedzających od dziewiątej. Rafiki był karmiony w nocnej klatce, zanim wypuszczano go na wybieg.

– Czy są tam jakieś kamery?

– Niestety, nie, nie mamy więc nagrania tego wypadku ani poprzedzających go wydarzeń.

– A co ze stanem psychicznym ofiary... Debbie? Była w depresji? Miała jakieś problemy?

– Detektyw Rizzoli pytała o to samo. Czy dała się zaatakować panterze, by popełnić samobójstwo? – Rhodes pokręcił głową. – Była zawsze pogodna i pełna optymizmu. Nie wyobrażam sobie, by chciała się zabić, bez względu na to, co przydarzyło jej się w życiu.

– A coś się przydarzyło?

Zamilkł, nadal trzymając rękę na bramce.

– Każdy ma jakieś problemy. Wiem, że zerwała niedawno z Gregiem.

– Chodzi o doktora Oberlina, weterynarza?

Skinął głową.

– Rozmawiałem o tym z Debbie w niedzielę, gdy wieźliśmy zwłoki Kovo do taksydermisty. Nie wydawała się szczególnie przygnębiona. Raczej... odczuwała ulgę. Chyba Greg przeżywał to o wiele bardziej. Nie było mu łatwo, bo oboje tutaj pracowali i widywali się co najmniej raz w tygodniu.

– Ale jakoś sobie radzili?

– Tak mi się wydaje. Detektyw Rizzoli rozmawiała z Gregiem. Jest załamany. Zanim zada pani oczywiste pytanie: powiedział, że nie było go w pobliżu klatki, gdy to się stało. Przybiegł, kiedy usłyszał krzyki.

– Czyje? Debbie?

Rhodes miał zbolały wyraz twarzy.

– Wątpię, czy żyła dostatecznie długo, by krzyknąć. Nie, to była jakaś kobieta. Zobaczyła krew i zaczęła wzywać pomocy. – Otworzył na oścież bramkę na wybieg. – Ciało leży z tyłu, w pobliżu głazów.

Przeszedłszy trzy kroki, Maura przystanęła, poruszona widokiem masakry. Jak powiedziała Jane, były tam „całe wiadra krwi", rozpryskanej po zaroślach i zastygniętej w kałużach na betonowej ścieżce. Gdy serce ofiary wykonywało ostatnie, rozpaczliwe skurcze, krew tętnicza tryskała w różnych kierunkach.

Rhodes spojrzał na przewrócone wiadro i grabie.

– Prawdopodobnie nawet nie zauważyła, jak nadchodził.

Ludzkie ciało zawiera pięć litrów krwi i Debbie Lopez straciła prawie całą w tym miejscu. Było jeszcze wilgotne, gdy zjawili się na wybiegu ludzie. Maura widziała na betonie liczne odciski stóp i ślady rozmazanej krwi.

– Jeśli zaatakował tutaj, dlaczego zaciągnął ją w głąb klatki? – zastanawiała się. – Czemu nie pożarł jej tam, gdzie upadła?

– Instynkt nakazuje panterze strzec zdobyczy. W dziczy mogłaby paść łupem padlinożerców. Lwów i hien. Więc pantery ją ukrywają.

Ślady krwi wskazywały, dokąd zwierzę ciągnęło ofiarę po betonowej ścieżce. Wyraźny odcisk łapy świadczył dobitnie o jego rozmiarach i sile. Tropy prowadziły na tył wybiegu. U podstawy potężnego sztucznego głazu Maura zobaczyła zwłoki, przykryte oliwkowym pledem. Martwa pantera leżała rozciągnięta obok, z rozwartymi szczękami.

– Zabrał ciało Debbie na skalną półkę – wyjaśnił Rhodes. – Ściągnęliśmy ją, żeby zrobić masaż serca.

Maura spojrzała w górę na głaz i zobaczyła spływającą ze skały strużkę zakrzepłej krwi.

– Zaniósł ją aż tam?

Rhodes skinął głową.

– Pantery są naprawdę silne. Potrafią wciągnąć na drzewo ciężkie kudu. Instynkt każe im wspiąć się jak najwyżej i zawiesić zdobycz na gałęzi, gdzie mogą spokojnie się posilać. To właśnie Rafiki miał zamiar robić, gdy Greg go zastrzelił. Debbie już wtedy nie żyła.

Maura włożyła rękawiczki i przykucnęła, by odsunąć pled. Wystarczył jej rzut oka na gardło ofiary, by wiedzieć, że nie mogła przeżyć tego ataku. Milcząc, wpatrywała się ze zgrozą w zmiażdżoną krtań i odsłoniętą tchawicę, w szyję rozciętą tak głęboko, że odchylona do tyłu głowa nie trzymała się niemal torsu.

– Tak właśnie polują koty – powiedział Rhodes niepewnym głosem, odwracając wzrok. – Natura uczyniła z nich perfekcyjne maszyny do zabijania. Rzucają się wprost do gardła. Miażdżą kręgi, rozrywają żyłę szyjną i arterie. Dbają przynajmniej o to, by uśmiercić zdobycz, zanim zaczną się pożywiać. Podobno zgon następuje szybko. Z powodu wykrwawienia.

Niewystarczająco szybko. Maura wyobraziła sobie chwile agonii Debbie Lopez, gdy krew tryskała jak fontanna z jej uszkodzonych arterii. Musiała również spływać do rozdartej tchawicy, zalewając płuca. Szybka śmierć, owszem, ale tej ofierze ostatnie sekundy życia, kiedy dusiła się przerażona, wydawały się zapewne wiecznością.

Zakryła z powrotem pledem twarz zmarłej kobiety i skupiła uwagę na panterze. Było to wspaniałe zwierzę, o potężnej klatce piersiowej i lśniącej w słońcu sierści. Patrzyła na ostre jak brzytwa zęby, wyobrażając sobie, jak łatwo mogły zmiażdżyć i rozerwać gardło człowieka. Przeszedł ją dreszcz. Podniósłszy się z ziemi, zobaczyła przez pręty ogrodzenia, że przybyła ekipa z kostnicy.

– Ona uwielbiała tego kota – powiedział Rhodes, przyglądając się panterze. – Gdy się urodził, karmiła go butelką jak niemowlę. Chyba nigdy nie przypuszczała, że Rafiki zrobi coś takiego. I dlatego zginęła. Zapomniała, że to drapieżnik, a my jesteśmy jego łupem.

Maura ściągnęła rękawiczki.

– Czy powiadomiono rodzinę?

– Jej matka mieszka w St. Louis. Nasz dyrektor, doktor Mikovitz, już do niej dzwonił.

– Biuro koronera będzie potrzebowało jej numeru kontaktowego. Żeby po sekcji zorganizować pogrzeb.

– Czy sekcja jest naprawdę konieczna?

– Przyczyna śmierci wydaje się oczywista, ale zawsze trzeba znaleźć odpowiedzi na parę pytań. Dlaczego popełniła tak karygodny błąd? Czy nie była pod wpływem narkotyków, alkoholu albo leków?

Skinął głową.

– Oczywiście. O tym nawet nie pomyślałem. Ale byłbym zaszokowany, gdybyście znaleźli w jej organizmie ślady narkotyków. To do niej niepodobne.

Może tylko tak się panu wydaje, pomyślała Maura, wychodząc z klatki. Każdy człowiek ma jakieś sekrety. Przypomniała sobie swoje własne, których tak pilnie strzegła. Jakże zaskoczeni byliby jej koledzy, gdyby się o nich dowiedzieli. Nawet Jane, która znała ją najlepiej.

Gdy ekipa z kostnicy, pchając nosze na kółkach, wchodziła na wybieg, Maura stała na ścieżce dla zwiedzających i patrzyła przez ogrodzenie. Miejsce, w którym pantera zaatakowała, było ukryte za murem i zarośla nie pozwalały zobaczyć, jak ciągnęła ciało. Ale skalna półka, na której położyła zdobycz, była wyraźnie widoczna i znaczyły ją teraz przerażające ślady krwi, która skapywała z głazu.

Nic dziwnego, że ludzie krzyczeli.

Maura poczuła ciarki na skórze, jakby zmroził ją oddech drapieżnika. Odwróciła się i rozejrzała. Zobaczyła, że doktor Rhodes wdał się w rozmowę z zatroskanymi pracownikami dyrekcji zoo. Ujrzała parę pocieszających się wzajemnie opiekunów zwierząt. Nikt na nią nie patrzył. Nikt nie dostrzegał nawet jej obecności. Ale nie mogła pozbyć się wrażenia, że ktoś ją obserwuje.

I nagle zauważyła go za prętami pobliskiego wybiegu. Jego płowe futro było niemal niewidoczne na tle piaskowego koloru głazu, przy którym przycupnął. Potężne mięśnie były napięte do skoku. Koncentrował w milczeniu wzrok na zdobyczy. Wyłącznie na niej.

Spojrzała na tabliczkę przyczepioną do barierki. PUMA CONCOLOR. Puma.

A potem pomyślała: też bym nie zauważyła, jak się zbliża.

Rozdział dziewiąty

– Jerry O'Brien jest anarchistą albo przynajmniej udaje takiego w radiu – powiedział Frost, gdy jechali na północny zachód do hrabstwa Middlesex. Jane siedziała za kierownicą. – W zeszłym tygodniu nawymyślał na antenie obrońcom praw zwierząt. Porównał ich do trawożernych gryzoni i zastanawiał się, jak tępe króliczki mogą być tak złośliwe. – Zaśmiał się, szukając nagrania na swoim laptopie. – Musisz posłuchać tego fragmentu o polowaniu.

– Myślisz, że on naprawdę wierzy w te brednie, które wygaduje? – spytała.

– Kto wie? W każdym razie zdobywa słuchaczy, bo o jego programach jest głośno. – Frost postukał w klawiaturę. – Okay, to audycja z zeszłego tygodnia. Posłuchaj.

Może jadacie kurczaki albo lubicie czasem zjeść stek. Kupujecie go w sklepie spożywczym, w pięk-

nym foliowym opakowaniu. Dlaczego uważacie, że daje to wam moralną przewagę nad myśliwym, który zwleka się z łóżka o czwartej rano i borykając się z zimnem i zmęczeniem, chodzi po lesie z ciężką strzelbą? Kto czai się cierpliwie w zaroślach, czasem przez wiele godzin? Kto przez całe życie doskonali umiejętność strzelania? A wierzcie mi, ludzie, trzeba mieć talent, by trafić w cel. Kto na tej stworzonej przez Boga zielonej Ziemi może pozbawiać myśliwego prawa oddawania się pradawnemu, czcigodnemu zajęciu, które od zarania dziejów ludzkości pozwalało wyżywić rodziny? Te metroseksualne snoby, które bez skrupułów pochłaniają wysmażone steki w wykwintnej francuskiej restauracji, mają czelność mówić nam, prawdziwym łowcom, że zabijając jelenia, jesteśmy okrutni. A skąd, ich zdaniem, bierze się mięso?

I nie każcie mi już mówić o nawiedzonych wegetarianach! Hej, miłośnicy zwierząt! Macie kota albo psa, prawda? Czym karmicie swoich ulubieńców? MIĘSEM!!! Równie dobrze możecie więc na nich wyładować swój gniew!

Frost zatrzymał nagranie.

– Skoro o tym mowa, wpadłem dziś rano do domu Gotta. Nie widziałem białego kota, ale jedzenie, które zostawiłem mu wczoraj wieczorem, zniknęło. Napełniłem ponownie miskę i wyczyściłem kuwetę.

– Detektyw Frost dostanie medal za opiekę nad zwierzętami.

– Co z nim zrobimy? Myślisz, że doktor Isles zechce mieć drugiego kota?

– Chyba już żałuje, że wzięła jednego. Czemu ty go nie adoptujesz?

– Jestem facetem.

– I co z tego?

– Czułbym się dziwnie, mając kota.

– Czy to uchybia męskości?

– Chodzi o wizerunek. Jeśli przyprowadzę do domu dziewczynę, to co sobie pomyśli, widząc, że mam puszystego białego kociaka?

– Rzeczywiście, twoja złota rybka robi o wiele lepsze wrażenie. – Ruchem głowy wskazała jego laptop. – Co jeszcze O'Brien ma do powiedzenia?

– Posłuchaj tego fragmentu. – Włączył ponownie odtwarzanie.

> *...ale nie, te trawożerne gryzonie, złośliwe króliczki, które żywią się codziennie sałatą, są bardziej krwiożercze niż którykolwiek drapieżca. Uwierzcie mi, przyjaciele, że często się do mnie odzywają. Grożą, że mnie zwiążą i wypatroszą jak jelenia. Że mnie spalą, poćwiartują, uduszą, zmiażdżą. Dacie wiarę, że takie słowa padają z ust wegetarian? Przyjaciele, strzeżcie się zjadaczy sałaty. Nie ma na świecie nikogo bardziej niebezpiecznego niż tak zwani miłośnicy zwierząt.*

Jane spojrzała na Frosta.

– Może są nawet bardziej niebezpieczni, niż przypuszcza – stwierdziła.

□ □ □

Ze swym cotygodniowym programem, przesyłanym do sześciuset stacji radiowych i docierającym do ponad dwudziestu milionów słuchaczy, Jerry „Krzykacz" O'Brien mógł sobie pozwolić na wszelkie luksusy, co stało się jasne w chwili, gdy Jane i Frost wjechali przez strzeżoną bramę na teren jego posiadłości. Rozległe łąki z pasącymi się końmi pasowały bardziej do pejzażu farmy w Wirginii albo Kentucky. Godzinę jazdy od Bostonu był to niespodziewanie sielski widok. Minąwszy staw, dojechali po trawiastym zboczu z pasącymi się tu i ówdzie białymi owcami do ogromnej budowli z bali na szczycie wzgórza. Z szerokimi gankami i masywnymi drewnianymi słupami, przypominała domek myśliwski.

Zaledwie stanęli obok niej, usłyszeli pierwsze strzały.

– Co, do cholery? – odezwał się Frost, gdy oboje rozpięli kabury.

Rozbrzmiały kolejne strzały, jeden po drugim, po czym zaległa cisza. Zbyt długa.

Jane i Frost wyskoczyli z samochodu i wbiegali już z wyciągniętą bronią po schodach na ganek, kiedy otworzyły się frontowe drzwi.

Przywitał ich pucołowaty mężczyzna z przyklejonym do twarzy uśmiechem, tak szerokim, że musiał być nieprawdziwy. Widząc dwa glocki wymierzone w jego pierś, powiedział ze śmiechem:

– Ojej, to niepotrzebne! Detektywi Rizzoli i Frost, jak się domyślam?

Jane nie opuściła broni.

– Słyszeliśmy strzały.

– To tylko ćwiczenia. Jerry ma na dole piękną strzelnicę. Jestem jego asystentem. Rick Dolan. Proszę wejść.

Rozległa się kolejna salwa. Jane i Frost spojrzeli po sobie, po czym równocześnie wsunęli pistolety do kabur.

– Brzmi jak broń dużego kalibru – zauważyła Jane.

– Możecie tam zajrzeć. Jerry uwielbia chwalić się swoim arsenałem.

Weszli do wysokiego holu, w którym wisiały na ścianach z sosnowego drewna dywany amerykańskich Indian. Dolan sięgnął do gabloty i wręczył gościom ochraniacze na uszy.

– Jerry tego wymaga – oznajmił, zakładając sobie jeden z nich na głowę. – Jako dziecko chodził trochę zbyt często na koncerty rocka i lubi powtarzać, że głuchota pozostaje na zawsze.

Otworzył na oścież dźwiękoszczelne drzwi. Jane i Frost wahali się przez chwilę, słysząc z piwnicy huk wystrzałów.

– Jest tam całkowicie bezpiecznie – uspokoił ich Dolan. – Jerry nie żałował pieniędzy na projekt tej strzelnicy. Ściany zrobiono z bloków wypełnionych piaskiem, a sufit ze strunobetonu wzmocnionego dziesięcioma centymetrami stali. Tarcze strzelnicze mają pełną obudowę, a podziemny system wentylacyjny usuwa na zewnątrz dym i osady. Mówię wam, że to majstersztyk. Musicie tam zajrzeć.

Jane i Frost założyli ochraniacze na uszy i podążyli za nim po schodach.

Jerry O'Brien stał w jaskrawym świetle lamp fluorescencyjnych, odwrócony do nich plecami. Był w dżinsach i ekstrawaganckiej kwiecistej koszuli, która okrywała luźno jego wydatny tors. Nie od razu zwrócił uwagę na gości; koncentrował się na widocznej na tarczy sylwetce, do której kilkakrotnie strzelił. Dopiero gdy opróżnił magazynek, odwrócił się do Jane i Frosta.

– Ach, przybyła bostońska policja. – Zdjął z uszu ochraniacze. – Witam w moim zakątku raju.

Frost obejrzał asortyment leżących na stole pistoletów i karabinów.

– Wow! Ma pan tu ładną kolekcję.

– Proszę mi wierzyć, wszystko jest legalne. W żadnym magazynku nie ma więcej niż dziesięć pocisków. Trzymam całą broń w zamkniętej szafce i mam zezwolenie klasy A. Możecie spytać szefa lokalnej policji. – Wziął do ręki kolejny pistolet i podał go Frostowi. – To moja ulubiona broń. Chce pan ją wypróbować?

– Uu... nie, dziękuję.

– Nie kusi pana? Raczej nie będzie pan miał szybko następnej okazji, żeby z czegoś takiego postrzelać.

– Przyjechaliśmy zapytać pana o Leona Gotta – powiedziała Jane.

O'Brien spojrzał na nią.

– Detektyw Rizzoli, tak? Interesuje się pani bronią?

– Kiedy jest mi potrzebna.

– Poluje pani?

– Nie, proszę pana.

– A polowała pani kiedykolwiek?

– Tylko na ludzi. To bardziej ekscytujące, bo strzelają w odpowiedzi.

Dziennikarz zaśmiał się.

– Taka kobieta mi pasuje. Nie jak moje pieprzone byłe żony. – Wyjął magazynek i sprawdził, czy w komorze nie został pocisk. – Opowiem pani o Leonie. Nie poddałby się bez walki. Wiem, że gdyby miał choć cień szansy, rozwaliłby temu skurwielowi łeb. – Popatrzył Jane w oczy. – Czy zatem miał szansę?

– Na ile był głuchy?

– A jakie to ma znaczenie?

– Nie założył aparatu słuchowego.

– No cóż, to zmienia postać rzeczy. Bez aparatu nie usłyszałby nawet człapiącego po schodach łosia.

– Chyba nieźle go pan znał.

– Wystarczająco dobrze, by ufać mu jako myśliwemu. Dwa razy zabierałem go do Kenii. W zeszłym roku powalił jednym strzałem pięknego bawołu. Bez wahania, bez mrugnięcia okiem. Kiedy się z kimś poluje, można się o nim wiele dowiedzieć. Przekonać się, czy ten ktoś tylko dużo gada. Czy można mu ufać na tyle, by odwrócić się do niego plecami. Czy ma odwagę stawić czoło szarżującemu słoniowi. Leon się sprawdził i szanowałem go. O niewielu ludziach mogę to powiedzieć. – O'Brien odłożył broń na stół i ponownie zwrócił się do Jane. – Może porozmawiamy na górze? Zawsze mam gorącą kawę, jeśli ma pani ochotę. – Rzucił klucz asystentowi. – Rick, zamknij broń w szafce. Będziemy w jaskini.

Ruszył przodem, idąc powoli i ociężale, gdy szedł po

schodach w tej swej obszernej pstrokatej koszuli. Kiedy dotarli na korytarz, ciężko dyszał. Powiedział, że idą do jaskini, ale pomieszczenie, do którego ich zaprowadził, nie było zwykłym siedliskiem neandertalczyka, lecz dwukondygnacyjną pieczarą z potężnym dębowym stropem i kamiennym kominkiem. Gdziekolwiek Jane spojrzała, widziała wypchane trofea, dowód na to, że O'Brien był wytrawnym myśliwym. Kolekcja Leona Gotta zrobiła na niej wrażenie, ale tu opadła jej szczęka.

– Zastrzelił pan te wszystkie zwierzęta sam? – spytał Frost.

– Prawie wszystkie – odparł O'Brien. – Część z nich należy do zagrożonych gatunków, na które nie wolno polować, więc musiałem je zdobyć tradycyjnym sposobem. Otwierając portfel. Tę panterę amurską, na przykład. – Wskazał na wiszącą na ścianie głowę z poszarpanym uchem. – Już nie występuje w naturze. Ten marny okaz ma chyba ze czterdzieści lat. Zapłaciłem za niego kolekcjonerowi okrągłą sumkę.

– Właściwie po co? – spytała Jane.

– Jak to? Nigdy w dzieciństwie nie miała pani wypchanych zwierząt? Nawet pluszowego misia?

– Nie musiałam go zastrzelić.

– Cóż, ta pantera amurska jest moim pluszakiem. Chciałem ją mieć, bo to niezwykły drapieżnik. Piękny. Śmiertelnie niebezpieczny. Zaprojektowany przez naturę jako maszyna do zabijania. – Wskazał na zawieszone na ścianie trofea, galerię z lśniącymi zębami i kłami. – Nadal poluję czasem na jelenie, bo nie ma nic lepszego niż polędwica z tych zwierząt. Ale naprawdę cenię okazy, które mnie przerażają. Chciałbym dopaść tygrysa bengalskiego. Tę panterę śnieżną też bardzo chciałem mieć. Cholernie szkoda, że skóra zaginęła. Była dla mnie dużo warta i zapewne także dla tego dupka, który zabił Leona.

– Myśli pan, że to był motyw zabójstwa? – spytał Frost.

– Jasne. Musicie obserwować czarny rynek i jak pojawi się oferta sprzedaży tej skóry, będziecie mieli sprawcę. Chętnie wam pomogę. To mój obywatelski obowiązek i jestem to winien Leonowi.

– Kto wiedział, że preparuje panterę śnieżną?

– Wielu ludzi. Mało który taksydermista dostaje do wypchania tak rzadki okaz, więc chwalił się tym na forach internetowych. Wszystkich nas fascynują wielkie koty. Zwierzęta, które mogą nas zabić. Podziwiam je. – Spojrzał na swoje trofea. – I w ten sposób składam im hołd.

– Wieszając na ścianach ich głowy?

– Gdyby miały okazję, postąpiłyby ze mną nie lepiej. Tak wygląda życie w dżungli, pani detektyw. Psy zjadają psy. Przeżywa najsilniejszy. – Rozejrzał się jak król mierzący wzrokiem uległych poddanych. – Zabijanie tkwi w naszej naturze. Ludzie nie chcą się do tego przyznać. Mogę się założyć, że gdybym próbował strzelić z procy do wiewiórki, moi stuknięci sąsiedzi zaraz podnieśliby raban. Mieszkająca obok wariatka wrzeszczała na mnie, żebym się pakował i wynosił do Wyomingu.

– Mógłby pan – zauważył Frost.

O’Brien zaśmiał się.

– Nie, raczej tu zostanę i będę im cierniem w boku.

Zresztą, dlaczego miałbym się wyprowadzać? Wychowałem się w Lowell, niedaleko stąd. W gównianej okolicy w pobliżu młyna. Mieszkam tutaj, bo to mi przypomina, jak daleko zaszedłem. – Stanął przy szafce z alkoholami i odkorkował butelkę whisky. – Napijecie się?

– Nie, proszę pana – podziękował Frost.

– Tak, rozumiem. Służba i tak dalej. – O'Brien nalał sobie do szklanki trunku. – Mam własną firmę, więc sam ustalam zasady. U mnie pora drinków zaczyna się o trzeciej.

Frost podszedł bliżej do ekspozycji drapieżników i przyjrzał się wypchanej panterze. Była umieszczona na gałęzi drzewa, jakby gotowa do skoku.

– Czy to pantera afrykańska?

Gospodarz odwrócił się ze szklanką w ręce.

– Tak. Upolowałem ją kilka lat temu w Zimbabwe. Pantery są nieprzewidywalne. Tajemnicze i samotne. Kiedy czają się w gałęziach, potrafią zaatakować znienacka. Jak na dzikie koty, nie są wcale takie duże, ale wystarczająco silne, by zaciągnąć zdobycz na drzewo. – Wypił łyk whisky, patrząc z podziwem na panterę. – Spreparował mi ją Leon. Widać tu jakość jego pracy. Wypchał też tamtego lwa i niedźwiedzia grizzly. Był dobry, ale nie tani. – Podszedł do pumy. – To było pierwsze zlecenie, które dla mnie wykonał, jakieś piętnaście lat temu. Ten eksponat wygląda tak realistycznie, że nadal mnie przeraża, gdy widzę go w ciemności.

– A więc Gott był pana kumplem na polowaniach i pańskim taksydermistą – odezwała się Jane.

– Nie byle jakim. Cieszył się legendarną sławą.

– Widzieliśmy artykuł o nim w „Hub Magazine". *Mistrz trofeów*.

O'Brien zaśmiał się.

– Bardzo mu się spodobał. Oprawił go w ramkę i powiesił na ścianie.

– Po tym artykule pojawiło się sporo komentarzy. W tym kilka dość nieprzyjemnych na temat polowania.

O'Brien wzruszył ramionami.

– Ryzyko zawodowe. Ja też dostaję pogróżki. Ludzie dzwonią do radia i chcą nadziać mnie na rożen jak wieprza.

– Tak, słyszałem te rozmowy – rzucił Frost.

O'Brien zadarł głowę, jak buldog na dźwięk gwizdka tresera.

– Słucha pan moich audycji?

Chciał, by Frost powiedział: „Ależ oczywiście! Uwielbiam pana program i jestem pana największym fanem!". Człowiek żyjący w takim przepychu i rozkoszujący się pokazywaniem środkowego palca wszystkim, którzy nim pogardzali, był spragniony uznania.

– Proszę nam opowiedzieć o ludziach, którzy panu grozili – rzekła Jane.

O'Brien znów się zaśmiał.

– Mój program dociera do wielu osób i niektórym nie podoba się to, co mówię.

– Czy przejął się pan jakimiś pogróżkami? Na przykład, ze strony przeciwników polowań?

– Widziała pani mój arsenał. Niech spróbują mnie zabić.

– Leon Gott też miał arsenał.

Zamilkł ze szklanką whisky przy ustach. Opuścił rękę i zmarszczył czoło.

– Myśli pani, że zrobił to jakiś stuknięty obrońca zwierząt?

– Sprawdzamy wszelkie możliwości. Dlatego chcemy usłyszeć o pogróżkach, jakie pan dostaje.

– O których? Za każdym razem, gdy otwieram usta, wkurzam część słuchaczy.

– Czy są tacy, co mówią, że chcieliby pana powiesić i wypatroszyć?

– Tak, to dość oryginalne. Mogłaby już wymyślić coś nowego.

– Kto?

– Taka jedna kretynka, Suzy jakaś tam. Dzwoni bez przerwy. „Zwierzęta mają dusze! Prawdziwymi dzikusami są ludzie!" Ble, ble, ble.

– Ktoś jeszcze groził panu w ten sposób? Wspominał o powieszeniu i wypatroszeniu?

– Tak. I prawie zawsze są to kobiety. Lubują się w krwawych szczegółach. – Zamilkł, zdając sobie nagle sprawę z sensu pytania Jane. – Nie chce pani chyba powiedzieć, że to się przydarzyło Leonowi? Czy ktoś go wypatroszył?

– Może zacząłby pan prowadzić rejestr tych telefonów? Gdy następnym razem dostanie pan taką pogróżkę, proszę zanotować numer.

O'Brien spojrzał na asystenta, który wszedł właśnie do pokoju.

– Rick, mógłbyś się tym zająć? Zapisywać nazwiska i numery?

– Jasne, Jerry.

– Nie wierzę, żeby ci dziwacy spełniali swoje groźby – powiedział O'Brien. – Są tylko mocni w gębie.

– Potraktowałabym je poważnie – poradziła mu Jane.

– Podejdę do nich śmiertelnie poważnie. – Podciągnął skraj obszernej kwiecistej koszuli, odsłaniając glocka ukrytego w kaburze pod pachą. – Po co mi pozwolenie na broń, skoro nie nosiłbym jej przy sobie, prawda?

– Czy Leon wspominał, że dostawał jakieś pogróżki? – spytał Frost.

– Nic takiego, czym by się przejmował.

– Miał jakichś wrogów? Znajomych czy krewnych, którzy skorzystaliby na jego śmierci?

O'Brien zamilkł, zaciskając wargi jak ropucha. Znów wziął do ręki szklankę whisky i wpatrywał się w nią przez chwilę.

– Jedynym krewnym, o którym kiedykolwiek wspominał, był jego syn.

– Ten, który zmarł.

– Tak. Mówił o nim często podczas naszej ostatniej wyprawy do Kenii. Kiedy siedzi się przy ognisku z butelką whisky, rozmawia się o wielu sprawach. Upolować dzikiego zwierza, upiec mięso na ogniu i pogadać pod gwiazdami. Mężczyznom o to właśnie chodzi. – Spojrzał na asystenta. – Prawda, Rick?

– Tak jest, Jerry. – Dolan zręcznie dolał szefowi whisky.

– Czy kobiety nie uczestniczą w tych wyprawach? – spytała Jane.

O'Brien obdarzył ją spojrzeniem zarezerwowanym zwykle dla szaleńców.

– Po co miałbym psuć sobie przyjemność? Kobiety potrafią wszystko spieprzyć. – Skinął głową. – Z wyjątkiem tu obecnej. Miałem cztery żony, które nadal wysysają ze mnie krew. Leonowi też trafił się parszywy związek. Żona odeszła od niego z ich jedynym synem, nastawiała chłopaka przeciw niemu. Złamała Leonowi serce. Nawet gdy ta suka umarła, syn robił wszystko, żeby go wkurzyć. Cieszę się, że nigdy nie miałem dzieci. – Łyknął whisky i pokręcił głową. – Cholera, będzie mi go brakowało. Jak mogę wam pomóc w złapaniu łajdaka, który to zrobił?

– Proszę tylko odpowiadać na nasze pytania.

– Nie podejrzewacie mnie chyba?

– A powinniśmy?

– Żadnych gierek, dobrze? Pytajcie.

– Dowiedzieliśmy się w zoo w Suffolku, że zgodził się pan ofiarować im pięć milionów dolarów za panterę śnieżną.

– To prawda. Powiedziałem im, że pozwolę ją spreparować tylko jednemu taksydermiście, Leonowi.

– Kiedy rozmawiał pan po raz ostatni z panem Gottem?

– Telefonował w niedzielę, żeby nam powiedzieć, że zdjął już skórę i wypatroszył panterę. Pytał, czy chcemy tuszę.

– O której godzinie dzwonił?

– Około południa. – O'Brien zamilkł. – Musicie już przecież mieć billingi rozmów. Wiecie o tym telefonie.

Jane i Frost wymienili poirytowane spojrzenia. Nie dostali dotąd od operatora wykazu rozmów telefonicznych Gotta. Spółka otrzymywała codziennie niemal tysiąc zapytań z policji w całym kraju i na odpowiedź trzeba było czekać wiele dni, a nawet tygodni.

– A więc dzwonił w sprawie tuszy – powiedział Frost. – Co było potem?

– Pojechałem po nią – odezwał się asystent O'Briena. – Dotarłem do domu Leona około czternastej, załadowałem tuszę na ciężarówkę i przywiozłem tutaj.

– Po co? Chyba nie chcieliście jeść mięsa pantery?

– Próbuję co najmniej raz każdego mięsa – odparł O'Brien. – Do diabła, gdyby mi zaproponowano, pożarłbym nawet soczystą pieczeń z ludzkiego pośladka! Ale nie, nie jadłbym zwierzęcia, które uśmiercono lekami. Chodziło mi o szkielet tej pantery. Kiedy Rick przywiózł tuszę, zakopaliśmy ją w ziemi. W ciągu kilku miesięcy matka natura i robaki wykonają swoją pracę i będę miał mój eksponat.

Dlatego znaleźli tylko wnętrzności pantery, pomyślała Jane. Tusza była już na terenie posiadłości O'Briena i rozkładała się w ziemi.

– Czy rozmawiał pan z Gottem, gdy był pan u niego w niedzielę? – zwróciła się Jane do Dolana.

– Prawie wcale. Był zajęty rozmową przez telefon. Czekałem przez kilka minut, ale dał mi znak ręką, żebym jechał. Więc zabrałem tuszę i wyszedłem.

– Z kim rozmawiał?

– Nie wiem. Mówił, że potrzebuje więcej zdjęć Elliota z Afryki. Powiedział: „Wszystkie, jakie masz".

– Elliota? – Jane spojrzała pytająco na O'Briena.

– To imię jego zmarłego syna – wyjaśnił. – Jak wspomniałem, dużo o nim ostatnio mówił. To stało się sześć lat temu, ale chyba zaczął mieć w końcu poczucie winy.

– Z jakiego powodu?

– Ponieważ po rozwodzie prawie nic ich nie łączyło. Chłopca wychowywała jego była żona i, zdaniem Leona, zrobiła z niego mięczaka. Chodził z jakąś stukniętą obrończynią zwierząt, pewnie tylko po to, żeby wkurzyć starego. Leon próbował nawiązać z nim kontakt, ale Elliot najwyraźniej go unikał. Więc gdy chłopak umarł, Leon bardzo to przeżył. Została mu tylko fotografia syna. Wisiała w jego domu. Było to jedno z ostatnich zdjęć, jakie mu zrobiono.

– Jak zmarł? Mówił pan, że to się zdarzyło sześć lat temu?

– Tak, dzieciak wpadł na głupi pomysł, żeby pojechać do Afryki. Chciał zobaczyć zwierzęta, zanim powystrzelają je tacy myśliwi jak ja. Interpol twierdzi, że spotkał w Kapsztadzie dwie dziewczyny i wszyscy troje polecieli do Botswany na safari.

– I co się stało?

O'Brien dopił whisky do dna i spojrzał na Jane.

– Nigdy więcej ich nie widziano.

Rozdział dziesiąty

BOTSWANA

Johnny przyciska ostrze noża do brzucha impali i przecina skórę i tłuszcz, odsłaniając błonę, która otacza wewnętrzne narządy. Zaledwie chwilę wcześniej powalił zwierzę pojedynczym strzałem i gdy je patroszy, widzę, jak oko impali zachodzi mgłą, jakby zmroził je lodowaty oddech śmierci. Johnny oprawia zdobycz ze zręcznością myśliwego, który robił to już wiele razy. Jedną ręką rozcina brzuch, drugą odsuwa wnętrzności od ostrza noża, by uniknąć przekłucia narządów i zanieczyszczenia mięsa. To makabryczne zajęcie wymaga delikatności. Pani Matsunaga odwraca się z odrazą, ale pozostali z nas przyglądają się uważnie. To chcieliśmy zobaczyć w Afryce: życie i śmierć w buszu. Tej nocy będziemy jeść impalę upieczoną na ogniu, kosztem śmierci tego zwierzęcia, patroszonego teraz i krojonego. Ciepłe mięso emanuje zapachem krwi tak intensywnym, że otaczający nas padlinożercy niecierpliwią się. Mam wrażenie, że podchodzą bliżej, szeleszcząc w trawie.

Nad nami krążą zawsze obecne sępy.

– W trzewiach jest pełno bakterii, więc muszę je usunąć, żeby nie zepsuć mięsa – wyjaśnia Johnny. – Dzięki temu tusza też mniej waży i łatwiej ją nieść. Nic się nie zmarnuje, wszystko zostaje zjedzone. Padlinożercy pochłoną to, co zostawimy. Lepiej wypatroszyć łup tutaj, żeby nie przyciągać ich do obozu. – Sięga do klatki piersiowej, by wydobyć serce i płuca zwierzęcia. Gdy kilkoma ruchami noża przecina tchawicę i arterie, zakrwawione narządy wyślizgują się jak noworodek z macicy.

– O Boże! – jęczy Vivian.

Johnny spogląda na nią.

– Jadasz mięso, prawda?

– Po zobaczeniu tego? Nie wiem, czy jeszcze potrafię.

– Myślę, że wszyscy musimy to zobaczyć – wtrąca się Richard. – Powinniśmy mieć świadomość, skąd pochodzi nasze pożywienie.

Johnny kiwa głową.

– Słusznie. Jako mięsożercy mamy obowiązek wiedzieć, co się dzieje, zanim stek trafi na nasz talerz. Zwierzę trzeba wytropić, zabić, wypatroszyć i poćwiartować. Ludzie są myśliwymi. Polujemy od zarania dziejów. – Sięga do kości miednicznej, by wyciąć pęcherz i macicę, po czym wyrzuca w trawę całą garść jelit. – Współcześni ludzie nie wiedzą już, czym jest walka o przetrwanie. Idą do supermarketu i otwierają portfel, by zapłacić za mięso. Nie wiedzą, jak się je naprawdę zdobywa. – Johnny wstaje z zakrwawionymi po łokcie rękami i spogląda z góry na wypatroszoną impalę. – Właśnie tak.

Otaczamy kręgiem martwe zwierzę. Z jego pustego korpusu spływają resztki krwi. Wycięte narządy wysychają już w słońcu, a w górze krąży coraz więcej sępów, gotowych rzucić się na padlinę.

– Jak naprawdę zdobywa się mięso... – powtarza Elliot. – Nigdy nie myślałem o tym w ten sposób.

– W buszu człowiek widzi, jakie miejsce zajmuje w przyrodzie – mówi Johnny. – Przypominamy sobie tutaj, czym tak naprawdę jesteśmy.

– Zwierzętami – mruczy Elliot.

Johnny przytakuje.

– Właśnie. Zwierzętami.

▫ ▫ ▫

I to właśnie widzę, gdy rozglądam się tego wieczoru po obozie. Krąg zaspokajających głód zwierząt, wbijających zęby w kawałki pieczeni z impali. Zaledwie dzień po tym, jak utknęliśmy w buszu, staliśmy się dzikusami. Jemy gołymi rękami, sok z mięsa spływa nam po brodach, twarze mamy umazane sadzą. Ale przynajmniej nie musimy się martwić, że będziemy głodować, bo busz obfituje w kopytne i skrzydlate źródła pokarmu. Ze swoją strzelbą i nożem myśliwskim Johnny zapewni nam dobre wyżywienie.

Siedzi w cieniu poza naszym kręgiem, patrząc, jak się obżeramy. Żałuję, że nie potrafię wyczytać niczego z jego twarzy, ale tego wieczoru jest dla mnie nieprzenikniona. Czy patrzy na nas z pogardą, jak na nieudaczników, bezradne pisklęta, którym musi wkładać jedzenie do dziobów? Czy wini nas za śmierć Clarence'a? Podnosi pustą butelkę po whisky, którą Sylvia rzuciła na bok, i wkłada ją do worka ze śmieciami, by zabrać je ze sobą. Powtarza, że nie możemy zostawiać żadnych śladów. Z szacunku dla środowiska. Worek jest już pełen butelek, ale nie ma obawy, że zabraknie nam szybko alkoholu. Pani Matsunaga ma na niego alergię, Elliot pije tylko sporadycznie, a Johnny wydaje się zdeterminowany, by zachować absolutną trzeźwość, dopóki nie zostaniemy uratowani.

Wraca do ogniska i – ku mojemu zaskoczeniu – siada obok mnie.

Patrzę na niego, ale on nie odrywa wzroku od płomieni.

– Dobrze to wszystko znosisz – mówi cicho.

– Naprawdę? Wcale tak nie uważam. Nieszczególnie.

– Bardzo mi dziś pomogłaś. Przy oprawianiu impali, krojeniu mięsa. Jakby busz był twoim światem.

Rozbawia mnie to.

– Wcale nie chciałam się tu znaleźć. Wolę mieć do dyspozycji gorący prysznic i przyzwoitą toaletę. Po prostu zgodziłam się na tę wyprawę.

– Żeby zadowolić Richarda.

– A kogóż by innego?

– Mam nadzieję, że jest pod wrażeniem.

Zerkam na Richarda, ale on na mnie nie patrzy, zbyt zajęty pogawędką z Vivian, której obcisły podkoszulek nie pozostawia wątpliwości, że jest bez stanika. Ponownie koncentruję wzrok na ognisku.

– Godzenie się na wszystko prowadzi w ślepy zaułek – mówię.

– Richard powiedział mi, że sprzedajesz książki.

– Tak, prowadzę księgarnię w Londynie. W prawdziwym świecie.

– Ten nie jest prawdziwy?

Spoglądam w mrok otaczający nasz obóz.

– To jest fantazja, Johnny. Coś z powieści Hemingwaya. Gwarantuję ci, że pojawi się pewnego dnia w którymś z thrillerów Richarda. – Śmieję się. – Nie zdziw się, jeśli zrobi z ciebie negatywnego bohatera.

– Jaką rolę ty odgrywasz w jego powieściach?

Wpatruję się w ogień. I mówię smętnie:

– Pojawiałam się kiedyś w wątku romansowym.

– Już nie?

– Wszystko się zmienia, prawda? – Nie, teraz jestem kamieniem u nogi. Niewygodną partnerką, którą jakiś bandzior będzie musiał zlikwidować, aby bohater mógł się wdać w nowy romans. Och, dobrze wiem, jak to funkcjonuje w męskich thrillerach, bo sprzedaję je masowo bladym mięczakom, z których każdy jest w swoim mniemaniu Jamesem Bondem.

Richard potrafi manipulować ich fantazjami, bo je z nimi dzieli. Nawet teraz, zapalając panu Matsunadze papierosa swą srebrną zapalniczką, zgrywa bohatera. James Bond nigdy nie użyłby zwykłych zapałek.

Johnny podnosi z ziemi patyk i podsyca ogień, wpychając kłodę w głąb płomieni.

– To, co dla Richarda jest tylko wytworem wyobraźni, tym razem ma prawdziwe zęby – mówi.

– Tak, oczywiście masz rację. To nie urojenie, tylko cholerny koszmar.

– Więc rozumiesz sytuację – mruczy pod nosem.

– Rozumiem, że wszystko się zmieniło. To już nie są wakacje – przyznaję i dodaję cicho: – A ja jestem przerażona.

– Niepotrzebnie, Millie. Zachowaj czujność, ale nie bój się. Takie miasto jak Johannesburg jest naprawdę przerażające. Ale to miejsce? – Kręci głową i uśmiecha się. – Tutaj każda istota stara się po prostu przeżyć. Zrozum to, a tobie też się uda.

– Łatwo ci mówić. Wyrosłeś w tym świecie.

Przytakuje.

– Moi rodzice mieli farmę w prowincji Limpopo. Codziennie, gdy wychodziłem w pole, mijałem usadowione na drzewach pantery, które mi się przyglądały. Znałem je wszystkie, a one mnie.

– Nigdy nie atakowały?

– Chętnie myślę, że istniała między nami umowa. Oparta na wzajemnym szacunku drapieżników. Co wcale nie znaczyło, że kiedykolwiek sobie ufaliśmy.

– Bałabym się wyjść z domu. Śmierć czyha tu na każdym kroku. Lwy. Pantery. Węże.

– Mam dla nich wszystkich stosowny respekt, bo wiem, do czego są zdolne. – Uśmiecha się do ognia. – Gdy miałem czternaście lat, ukąsił mnie jadowity wąż.

Przyglądam mu się.

– I mówisz o tym z uśmiechem?

– Sam byłem sobie winien. Jako dziecko kolekcjonowałem węże. Chwytałem je i trzymałem w pojemnikach w sypialni. Pewnego dnia za bardzo zgrywałem bohatera i wąż mnie ukąsił.

– Dobry Boże! I co?

– Na szczęście to było suche ukąszenie, bez jadu. Ale dostałem nauczkę, że za nieostrożność trzeba płacić. – Kiwa głową z żalem. – Najgorsze, że matka kazała mi zrezygnować z węży.

– Nie mogę uwierzyć, że pozwalała ci je w ogóle trzymać. Albo wychodzić z domu, gdy wokół były pantery.

– Ale tak żyli nasi przodkowie, Millie. Od nich się wszyscy wywodzimy. Jakaś część ciebie, jakieś dawne wspomnienie ukryte głęboko w twym umyśle, rozpoznaje w tym kontynencie rodzinny dom. Większość ludzi straciła kontakt ze swą przeszłością, ale instynkty nadal w nas pozostają. – Wyciąga ostrożnie rękę i dotyka mojego czoła. – Dzięki temu można tu przeżyć, sięgając głęboko do pierwotnych wspomnień. Pomogę ci je odnaleźć.

Czuję nagle, że Richard się nam przygląda. Johnny również to wyczuwa i natychmiast uśmiecha się szeroko, jakby za pstryknięciem przełącznika.

– Dziczyzna pieczona nad ogniskiem. Nie ma nic lepszego, prawda?! – woła do wszystkich.

– O wiele delikatniejsza, niż się spodziewałem – przyznaje Elliot, oblizując palce. – Odkrywam w sobie duszę jaskiniowca!

– Kiedy upoluję następnego zwierza, może oprawisz go z Richardem?

Elliot wydaje się przestraszony.

– Hm... ja?

– Widzieliście, jak to się robi. – Johnny spogląda na Richarda. – Dalibyście radę?

– Oczywiście, że tak – odpowiada Richard, patrząc mu prosto w oczy. Siedzę pomiędzy nimi i choć Richard przez większość wieczoru ignorował moją obecność, obejmuje mnie teraz ramieniem, jakby chciał zaznaczyć, że do niego należę. Jakby uważał Johnny'ego za rywala, który może mnie wykraść.

Na myśl o tym robię się czerwona na twarzy.

– Wszyscy jesteśmy gotowi pomóc – dodaje. – Możemy zacząć już tej nocy od pełnienia warty. – Wyciąga ręce po strzelbę, którą Johnny ma zawsze przy sobie. – Nie możesz czuwać całą noc.

– Ale nigdy nie strzelałeś z takiej strzelby – wtrącam się.

– Nauczę się.

– Nie sądzisz, że to Johnny powinien decydować?

– Nie, Millie. Moim zdaniem, nie może być jedyną osobą, która ma dostęp do broni.

– Co ty wyprawiasz, Richard? – mówię szeptem.

– O to samo mógłbym spytać ciebie. – Przenika mnie wzrokiem. Wszyscy siedzący wokół ogniska milkną i w ciszy słyszymy odległe pomruki hien pożerających smakowite wnętrzności, które im zostawiliśmy.

– Poprosiłem już Isao, żeby pełnił dziś drugą wartę – oznajmia spokojnie Johnny.

Richard patrzy zaskoczony na pana Matsunagę.

– Dlaczego on?

– Potrafi obchodzić się ze strzelbą. Sprawdziłem to.

– Jestem najlepszym snajperem w klubie strzeleckim w Tokio – wyjaśnia pan Matsunaga, uśmiechając się z dumą. – O której mam zacząć wartę?

– Obudzę cię o drugiej, Isao – mówi Johnny. – Lepiej połóż się wcześnie spać.

□ □ □

Wściekłość wypełniająca nasz namiot jest jak żywa istota, potwór o płonących ślepiach, który czai się do ataku. Wbija we mnie wzrok i chce zatopić szpony w moim ciele. Nie podnoszę głosu, mając nadzieję, że jego pazury mnie ominą, a ogień w oczach wygaśnie. Ale Richard nie daje za wygraną.

– Co on ci opowiadał? O czym tak czule rozmawialiście? – dopytuje się.

– A jak myślisz? O tym, jak zdołamy przeżyć ten tydzień.

– Więc to była rozmowa o przetrwaniu, tak?

– Tak.

– A Johnny jest w tym tak cholernie dobry, że tu utknęliśmy.

– Jego za to winisz?

– Pokazał, że nie można mu ufać. Ale ty, oczywiście, tego nie dostrzegasz. – Śmieje się. – Jest na to określenie. Gorączka khaki.

– Co?

– Przewodnicy z buszu budzą pożądanie u kobiet. Gdy tylko któraś z nich zobaczy mężczyznę ubranego w khaki, zaraz rozkłada nogi.

To najbardziej ordynarna obelga, jaką mógł we mnie cisnąć, ale udaje mi się zachować spokój, bo jego słowa nie mogą mnie już zranić. Przestałam się nimi przejmować. Reaguję śmiechem.

– Wiesz, właśnie coś sobie uświadomiłam. Ty naprawdę jesteś łajdakiem.

– Ale to nie ja chcę się pieprzyć z przewodnikiem.

– A może już to zrobiłam?

Odwraca się do mnie plecami. Wiem, że chciałby uciec z namiotu tak samo jak ja, ale to niebezpieczne. Zresztą nie mamy dokąd pójść. Mogę tylko odsunąć się jak najdalej od niego i milczeć. Nie wiem już, kim jest ten człowiek. Coś się w nim zmieniło, przeszedł jakąś transformację, gdy na niego nie patrzyłam. Winien jest temu busz. I Afryka. Richard jest teraz obcym człowiekiem, a może zawsze nim był. Czy można kogoś naprawdę poznać? Czytałam kiedyś o kobiecie, która dopiero po dziesięciu latach małżeństwa odkryła, że jej mąż jest seryjnym zabójcą. Jak mogła o tym nie wiedzieć? – zastanawiałam się po lekturze tego artykułu.

Ale teraz rozumiem, jak to się może stać. Leżę w namiocie z mężczyzną, którego znam od czterech lat, którego kiedyś kochałam, i czuję się jak żona tego seryjnego zabójcy, odkrywająca nagle całą prawdę o mężu.

Na zewnątrz słychać trzask gałęzi i płomień staje się jaśniejszy. Johnny dołożył właśnie drewna do ognia, żeby odstraszyć zwierzęta. Czy słyszał naszą rozmowę? Czy wie, że sprzeczaliśmy się z jego powodu? Może zdarzało się to już wiele razy podczas innych safari? Skłócone pary, wzajemne oskarżenia. Gorączka khaki. Zjawisko tak częste, że ma już swoją nazwę.

Przymykam powieki i widzę oczami wyobraźni Johnny'ego. Stoi o świcie w wysokiej trawie, a jego sylwetka rysuje się na tle wschodzącego słońca. Czyżby i mnie dopadła ta gorączka? On jest tym, który nas chroni i utrzymuje przy życiu. W chwili gdy zauważył impalę, stałam tuż obok niego, tak blisko, że widziałam, jak napina mięśnie, unosząc strzelbę. Huk wystrzału przeniknął mnie dreszczem, jakbym to ja pociągnęła za spust i upolowała zdobycz. Jakby wspólny łup połączył nas więzami krwi.

O tak, Afryka zmieniła także mnie.

Wstrzymuję oddech, widząc sylwetkę Johnny'ego, który zatrzymuje się na chwilę przy naszym namiocie. Potem idzie dalej i jego cień znika w mroku. Gdy zasypiam, nie śni mi się Richard, tylko Johnny, który stoi wyprostowany w trawie. Johnny, dzięki któremu czuję się bezpieczna.

Aż do następnego ranka, gdy budzi mnie wiadomość, że Isao Matsunaga zniknął.

Rozdział jedenasty

Keiko klęczy w trawie, szlochając cicho i kiwając się w przód i w tył, jak metronom wyznaczający rytm rozpaczy. Natrafiliśmy na strzelbę leżącą tuż za drucianym ogrodzeniem z dzwoneczkami, ale nie odnaleźliśmy jeszcze jej męża. Ona wie, co to oznacza. Wszyscy to wiemy.

Stoję nad Keiko, gładząc ją niepotrzebnie po ramieniu, bo nie wiem, co mam robić. Nigdy nie umiałam pocieszać ludzi. Gdy umarł mój ojciec i matka siedziała, szlochając, w szpitalnej sali, pocierałam bez przerwy jej ramię, aż w końcu krzyknęła: „Przestań, Millie! To takie denerwujące!". Keiko jest chyba zbyt zrozpaczona, by zauważyć, że jej dotykam. Patrząc na jej pochyloną głowę, widzę w czarnych włosach siwe odrosty. Z bladą, gładką cerą wydawała się o wiele młodsza od męża, ale teraz zdaję sobie sprawę, że wcale nie jest młoda. Po kilku spędzonych tu miesiącach nie potrafiłaby już ukryć swego prawdziwego wieku, gdy posiwiałyby jej czarne włosy, a skóra ogorzała i zmarszczyła się od słońca. Już mam wrażenie, że kurczy się na moich oczach.

– Poszukam nad rzeką – mówi Johnny i podnosi strzelbę. – Zostańcie wszyscy tutaj. Albo lepiej zaczekajcie w ciężarówce.

– W ciężarówce? – protestuje Richard. – Masz na myśli ten kawał złomu, którego nie potrafisz uruchomić?

– Jeśli zostaniecie w ciężarówce, nic wam nie grozi. Nie mogę szukać Isao i równocześnie was chronić.

– Chwileczkę, Johnny – mówię głośno. – Czy powinieneś iść sam?

– On ma tę pieprzoną strzelbę, Millie – odzywa się Richard. – My nie mamy nic.

– Kiedy będzie tropił ślady, ktoś powinien go ubezpieczać – odpowiadam.

Johnny kiwa głową.

– Okay, jesteś moim tropicielem, Millie. Trzymaj się blisko mnie.

Gdy przechodzę nad drutem okalającym obóz, zahaczam o niego nogą. Rozlega się przyjemne dźwięczenie, jakby chińskich dzwoneczków na wietrze, ale tutaj oznacza ono, że pojawił się wróg, więc serce bije mi gwałtownie. Wciągam głęboko powietrze i idę za Johnnym po trawie.

Miałam rację, że z nim poszłam. Koncentruje uwagę na ziemi, szukając tropów, i mógłby nie dostrzec w zaroślach ruchu lwiego ogona. W miarę jak posuwamy się do przodu, bez przerwy się rozglądam. Trawa jest wysoka, sięga do bioder. Przychodzi mi do głowy, że mogę nadepnąć na węża, nie zdając sobie z tego sprawy, dopóki nie zatopi zębów w mojej nodze.

– Tutaj – mówi cicho Johnny.

Widzę pognieconą trawę i skrawek gołej ziemi, po której coś ciągnięto. Johnny znów idzie naprzód, podążając wydeptaną ścieżką.

– Czy porwały go hieny?

– Nie. Tym razem to nie one.

– Skąd wiesz?

Nie odpowiada, tylko idzie dalej w kierunku kępy drzew, w których rozpoznaję sykomory i hebany. Chociaż nie widzę rzeki, słyszę gdzieś w pobliżu jej szmer i myślę o krokodylach. Gdziekolwiek spojrzeć – na drzewach, w rzece, w trawie – czają się zęby, gotowe gryźć, a Johnny ufa mi, że je zauważę. Strach wyostrza moje zmysły i zdaję sobie sprawę ze szczegółów, których nigdy nie dostrzegałam. Czuję na policzku chłodny powiew wiatru od rzeki. Świeżo udeptana trawa pachnie jak cebula. Patrzę, słucham, wącham. Johnny i ja stanowimy zespół i nie zawiodę go.

Nagle wyczuwam w nim jakąś zmianę. Wciąga ostrożnie powietrze i nieruchomieje. Nie patrzy już w ziemię. Wyprostował się i wypiął klatkę piersiową.

Początkowo jej nie widzę. Potem podążam za jego spojrzeniem w kierunku drzewa, które majaczy przed nami. To potężna sykomora, majestatyczny okaz z szeroko rozpostartymi gałęziami i gęstym listowiem, drzewo, na którym można by zbudować dom dla rodziny Robinsonów.

– Oto i ona – szepcze Johnny. – Piękna dziewczynka.

Dopiero wtedy ją dostrzegam. Panterę leżącą wysoko na gałęzi. Jest niemal niewidoczna w cieniu liści. Obserwowała nas przez cały czas, czekając cierpliwie, aż podejdziemy bliżej, a teraz przygląda się nam czujnie, rozważając swoje następne posunięcie, podobnie jak Johnny. Macha leniwie ogonem, podczas gdy on trwa w całkowitym bezruchu. Robi dokładnie to, co nam doradzał. „Niech kot widzi twoją twarz. Pokaż mu, że masz oczy z przodu, że też jesteś drapieżnikiem".

Nigdy nie czułam się tak przerażona ani tak pełna życia jak w tym momencie. Każde uderzenie serca pompuje gwałtownie krew do mojej głowy, powodując świst w uszach. Pantera wpatruje się w Johnny'ego, który ściska przed sobą strzelbę. Dlaczego nie przykłada jej do ramienia? Dlaczego nie strzela?

– Cofnij się – szepcze. – Dla Isao nic już nie możemy zrobić.

– Myślisz, że to pantera go zabiła?

– Wiem to. – Unosi głowę tak nieznacznie, że niemal tego nie zauważam. – Górna gałąź. Po lewej.

Dopiero teraz spostrzegam to, czego wcześniej nie widziałam. Podobnie jak pantery. Z gałęzi zwisa bezwładnie ręka przypominająca dziwaczny owoc drzewa kiełbasianego. Dłoń jest już tylko kikutem z obgryzionymi palcami. Listowie maskuje resztę ciała Isao, ale rozpoznaję zarys jego torsu, wciśniętego między pień i konar jak połamana lalka, która spadła z nieba i wylądowała na tym drzewie.

– O mój Boże! – szepczę. – Jak my go...

– Nic nie mów. Cofaj się.

Pantera przysiadła na zadzie, sprężona do skoku. Wpatruje się teraz we mnie. Patrzy mi prosto w oczy. Johnny unosi natychmiast strzelbę, gotowy do strzału, ale nie naciska na spust.

– Na co czekasz? – pytam szeptem.

– Wycofujemy się. Razem.

Robimy krok w tył. I następny. Pantera kładzie się znów na gałęzi, machając ogonem.

– Strzeże tylko swojego łupu – mówi Johnny. – Pantery tak robią. Ukrywają zdobycz na drzewie, gdzie nie mogą jej dopaść padlinożercy. Spójrz na mięśnie jej grzbietu. I szyi. Jest naprawdę silna. Wystarczająco, by zaciągnąć wysoko na drzewo martwe zwierzę, które waży więcej niż ona.

– Na litość boską, Johnny. Musimy go stamtąd zabrać.

– On już nie żyje.

– Nie możemy go tam zostawić.

– Jeśli podejdziemy bliżej, pantera skoczy na nas. A nie zabiję jej tylko po to, by odzyskać zwłoki.

Przypominam sobie, co nam kiedyś powiedział: że nigdy nie zabiłby wielkiego kota. Że uważa je za święte zwierzęta, zbyt rzadkie, by miał do nich strzelać z jakiegokolwiek powodu, nawet dla ratowania własnego życia. Teraz trzyma się swoich zasad, choć zwłoki Isao wiszą na drzewie, a pantera strzeże łupu. Johnny wydaje mi się nagle równie dziwną istotą jak inne, które napotkałam w tej dziczy. Jego szacunek dla tej ziemi ma tak głębokie korzenie jak drzewa. Myślę o Richardzie, z jego metalicznym niebieskim bmw, czarną skórzaną kurtką i lotniczymi goglami, dzięki którym wydał mi się taki męski, gdy się poznaliśmy. Ale to były jedynie gadżety zdobiące manekin. To słowo oznacza model ludzkiego ciała, a nie prawdziwego człowieka. Dotąd spotykałam chyba tylko plastikowe manekiny, wyglądające jak mężczyźni i udające mężczyzn. Nigdy nie znajdę już kogoś takiego jak Johnny, ani w Londynie, ani gdzie indziej, i ta świadomość łamie mi serce. Będę szukała przez resztę życia i wracała zawsze do tego momentu, gdy wiedziałam dokładnie, jakiego mężczyzny pragnę.

I nigdy nie będę w stanie go zdobyć.

Wyciągam do niego rękę i szepczę:

– Johnny...

Huk wystrzału jest tak szokujący, że zataczam się do tyłu, jakbym została uderzona. Johnny stoi nieruchomo jak snajper na pomniku, ze strzelbą wymierzoną wciąż w cel. Opuszcza broń z głębokim westchnieniem. Pochyla głowę, jakby modlił się o przebaczenie w świątyni buszu, gdzie życie i śmierć są dwiema połówkami tego samego dzieła stworzenia.

– O mój Boże – mruczę, patrząc na panterę, która leży martwa zaledwie dwa kroki ode mnie. Była już w trakcie skoku i brakowało ułamka sekundy, by pazury jej przednich łap zatopiły się w moim ciele. Nie widzę dziury po kuli. Widzę tylko jej krew spływającą strużką w trawę i wsiąkającą w rozgrzaną ziemię. Jej futro lśni wytworną elegancją, tak pożądaną przez luksusowe dziwki potentatów z Knightsbridge. Mam ochotę je pogładzić, ale wydaje mi się to niestosowne, skoro śmierć uczyniła z tej pantery nieszkodliwego kotka. Przed chwilą omal mnie nie zabiła i zasługuje na mój szacunek.

– Zostawimy ją tutaj – mówi cicho Johnny.

– Dopadną ją hieny.

– Taka jest kolej rzeczy. – Wciąga głęboko powietrze i patrzy na sykomorę, ale sięga spojrzeniem gdzieś dalej, poza to drzewo, nawet poza dzisiejszy dzień. – Teraz mogę go ściągnąć.

– Powiedziałeś mi, że nigdy nie zabijesz pantery. Nawet żeby ocalić własne życie.

– To prawda.

– Ale tę zabiłeś.

– Nie chodziło o moje życie. – Spogląda na mnie. – Tylko o twoje.

▫ ▫ ▫

Tej nocy śpię w namiocie pani Matsunagi, żeby nie była sama. Przez cały dzień zachowywała się niemal jak katatoniczka; obejmowała się ramionami i zawodziła po japońsku. Blondynki próbowały nakłonić ją do jedzenia, ale Keiko wypiła tylko kilka filiżanek herbaty. Teraz ukryła się w jakiejś niedostępnej jaskini w głębi swego umysłu i chwilowo wszystkim nam ulżyło, że jest spokojna i daje się kontrolować. Nie pozwoliliśmy jej zobaczyć ciała Isao, które Johnny zdjął z sykomory i szybko pochował.

Ale ja je widziałam. Wiem, jak zginął.

– Wielki kot zabija, miażdżąc ofierze gardło – powiedział mi Johnny, kopiąc grób. Wbijał rytmicznie łopatę w spękaną od słońca ziemię. Choć dokuczały mu owady, nie odpędzał ich, skoncentrowany całkowicie na kopaniu mogiły dla Isao. – Kot atakuje szyję. Zaciska szczęki na tchawicy, rozrywając arterie i żyły. Śmierć następuje przez uduszenie. Ofiara dławi się własną krwią.

To właśnie zobaczyłam, patrząc na Isao. Choć pantera zaczęła już ucztować, rozszarpując mu brzuch i klatkę piersiową, to właśnie zmiażdżona szyja świadczyła o tym, jak wyglądały jego ostatnie chwile, gdy nie mógł złapać tchu, mając płuca zalane krwią.

Keiko nie zna tych szczegółów. Wie jedynie, że jej mąż nie żyje i że go pochowaliśmy.

Słyszę, jak pojękuje z rozpaczy przez sen i znów się uspokaja. Leży niemal w bezruchu na plecach, jak mumia owinięta w białe prześcieradła. Namiot państwa Matsunaga pachnie inaczej niż mój. Ma przyjemnie egzotyczny zapach, jakby ich odzież była nasączona aromatem jakichś azjatyckich ziół, jest schludny i uporządkowany. Koszule Isao, których już nigdy nie włoży, są starannie ułożone w walizce wraz ze złotym zegarkiem, który zdjęliśmy mu z ręki. Wszystko jest na swoim miejscu, wszędzie panuje harmonia. W przeciwieństwie do naszego namiotu.

Czuję ulgę, będąc z dala od niego, dlatego tak skwapliwie zaproponowałam, że dotrzymam towarzystwa Keiko. Za nic nie chcę spać z Richardem tej nocy w namiocie, gdzie wrogość przesyca powietrze jak opary siarki. Przez cały dzień prawie się do mnie nie odzywał. Spędzał czas z Elliotem i blondynkami. Ich czwórka tworzy teraz zespół, jakbyśmy brali udział w teleturnieju *Przetrwać w Botswanie* i ich plemię rywalizowało z moim.

Tyle że do mojego plemienia nikt więcej nie należy, jeśli nie liczyć biednej załamanej Keiko – i Johnny'ego. Ale Johnny nie wchodzi tak naprawdę w skład żadnego zespołu. To samotnik. Zabił dziś panterę i jest przygnębiony i zamyślony. Prawie ze mną nie rozmawia.

I oto ja, kobieta, do której nikt się nie odzywa, leżę

w namiocie obok innej – milczącej – kobiety. Jesteśmy pogrążone w ciszy, ale na zewnątrz zaczęła się już nocna symfonia brzęczących jak fleciki pikolo owadów i grzmiących niczym waltornie hipopotamów. Pokochałam te dźwięki i z pewnością będą mi się śniły, kiedy wrócę do domu.

Rano budzi mnie śpiew ptaków. Tym razem nie słychać krzyków ani podniesionych głosów, tylko słodką muzykę świtu. Na zewnątrz czterej członkowie „grupy Richarda" zgromadzili się przy ognisku i popijają kawę. Johnny siedzi samotnie pod drzewem. Ramiona opadły mu z wyczerpania, a głowę opiera na piersi, gdy próbuje zwalczyć senność. Chcę do niego podejść, zrelaksować go masażem, ale patrzą na mnie pozostali. Dołączam więc do nich.

– Jak się czuje Keiko? – pyta mnie Elliot.

– Jeszcze śpi. Była spokojna przez całą noc. – Nalewam sobie kawy. – Cieszę się, że wszyscy przeżyliśmy do rana. – Mój żart jest w złym guście i natychmiast żałuję swoich słów.

– Ciekawe, czy on też się cieszy – mruczy Richard, zerkając na Johnny'ego.

– Co chcesz przez to powiedzieć?

– Wydaje mi się dziwne, że mamy takiego pecha. Najpierw ginie Clarence. Potem Isao. I ta ciężarówka... Czemu, do cholery, nagle się psuje?

– Obwiniasz Johnny'ego?

Patrzy na pozostałą trójkę i w tym momencie uświadamiam sobie, że nie tylko on oskarża naszego przewodnika. Czy dlatego trzymają się razem? Spekulując i podsycając swoje obsesje?

Kręcę głową.

– To idiotyczne.

– Oczywiście, że ona tak uważa – mruczy pod nosem Vivian. – Przecież wam mówiłam.

– Co masz na myśli?

– Wszyscy widzą, że Johnny cię faworyzuje. Wiedziałam, że będziesz go broniła.

– Nie potrzebuje obrony. To on utrzymuje nas przy życiu.

– Czyżby? – Vivian patrzy nieufnie w kierunku Johnny'ego. Jest zbyt daleko, by nas słyszeć, dziewczyna mimo to zniża głos. – Jesteś tego pewna?

To absurdalne. Przyglądam się ich twarzom, zastanawiając się, kto rozpoczął tę szeptaną kampanię.

– Chcecie mi wmówić, że Johnny zabił Isao i zaciągnął jego zwłoki na drzewo? A może podrzucił je panterze?

– Co my naprawdę o nim wiemy, Millie? – pyta Elliot.

– O Boże. Ty także?

– Muszę ci powiedzieć, że to, co o nim opowiadają... – Elliot ogląda się przez ramię i choć mówi szeptem, słyszę w jego głosie panikę – ...przeraża mnie.

– Zastanów się – wtrąca Richard. – Jak skończy się dla nas wszystkich to safari?

– Jestem tu wyłącznie przez ciebie – mówię, wpatrując się w niego. – To ty chciałeś przeżyć afrykańską przygodę, więc ją masz. Nie spełnia twoich oczekiwań? Czy nawet dla ciebie stała się już zbyt ryzykowna?

– Znalazłyśmy go w internecie – odzywa się Sylvia, która dotąd milczała. Widzę, że drżą jej dłonie, w których ściska kubek. Musi go odstawić, by nie rozlać kawy. – Vivian i ja chciałyśmy pojechać na wyprawę do buszu, ale miałyśmy mało pieniędzy. Natrafiłyśmy na jego stronę, *Zagubieni w Botswanie*. – Śmieje się niemal histerycznie. – No i wszystko się zgadza.

– Zabrałem się z nimi – oznajmia Elliot. – Sylvia, Viv i ja siedzieliśmy razem w barze w Kapsztadzie. I opowiedziały mi o tym fantastycznym safari, na które się wybierają.

– Tak mi przykro, Elliot – rzuca Sylvia. – Żałuję, że spotkałeś nas w tym barze. Że namówiłyśmy cię na tę wyprawę. – Ma urywany oddech i łamie jej się głos. – Boże, chcę wracać do domu.

– Państwo Matsunaga również znaleźli tę ofertę w internecie – dodaje Vivian. – Isao powiedział mi, że szukał prawdziwej afrykańskiej przygody. Nie jakiegoś turystycznego kurortu, ale możliwości zapuszczenia się w głąb buszu.

– My też tak tutaj trafiliśmy – mówi Richard. – Z tej samej pieprzonej strony w sieci. *Zagubieni w Botswanie*.

Pamiętam wieczór, gdy Richard pokazał mi tę ofertę na swoim komputerze. Od wielu dni surfował po internecie, śliniąc się na widok zdjęć domków myśliwskich, obozowisk z namiotami i uczt przy stołach ze świecami. Nie przypominam sobie, dlaczego wybrał w końcu stronę *Zagubieni w Botswanie*. Może dlatego, że obiecywała autentyczne przeżycia. Wyprawę do prawdziwego buszu, coś w stylu Hemingwaya, choć był on prawdopodobnie tylko przekonującym blagierem. Nie brałam udziału w planowaniu tych wakacji. To był wybór Richarda i jego marzenie. Marzenie, które zmieniło się w koszmar.

– Twierdzicie wszyscy, że ta strona to oszustwo? – pytam. – Że wykorzystał ją, by nas tu zwabić? Czy zdajecie sobie sprawę, co mówicie?

– Ludzie przyjeżdżają tu z całego świata, by polować na grubego zwierza – odzywa się Richard. – A może tym razem to my jesteśmy zwierzyną?

Jeśli liczy na reakcję słuchaczy, nie spotyka go zawód. Elliot sprawia wrażenie, że za chwilę zwymiotuje. Sylvia przykłada dłoń do ust, jakby powstrzymywała szloch.

Ale ja odpowiadam drwiącym prychnięciem.

– Sądzisz, że Johnny Posthumus poluje na nas? Boże, Richardzie, nie zamieniaj tej wyprawy w swój thriller.

– Johnny ma broń – kontynuuje Richard. – Posiada całą władzę. Jeśli nie będziemy trzymali się razem, wszyscy, grozi nam śmierć.

Mówi serio. Słyszę to w gorzkim tonie jego głosu. Widzę ich nieufne spojrzenia. Traktują mnie jak judasza, który pobiegnie zaraz do Johnny'ego i wszystko mu wypapla. Wydaje mi się to tak idiotyczne, że powinnam się śmiać, ale jestem zbyt wkurwiona. Gdy wstaję, z trudem opanowuję głos.

– Kiedy to wszystko się skończy, kiedy w przyszłym tygodniu będziemy wracali samolotem do Maun, przypomnę wam o tym. Poczujecie się wtedy jak idioci.

– Mam nadzieję, że się nie mylisz – szepcze Vivian. – Obyśmy wyszli na idiotów. Obyśmy wsiedli do tego samolotu, a nie byli już tylko stertą krwawych szczątków w... – Milknie, gdy nagle majaczy nad nią jakiś cień.

Johnny zbliżył się tak bezszelestnie, że go nie usłyszeli, i stoi teraz za plecami Vivian, przyglądając się nam.

– Potrzebujemy wody i drewna – mówi. – Richardzie, Elliocie, chodźcie ze mną nad rzekę.

Gdy obaj mężczyźni wstają, widzę strach w oczach Elliota. Taki sam jak u blondynek. Johnny spokojnie przewiesza strzelbę przez ramię, jak snajper, gdy nie korzysta z broni, ale sam fakt, że jest uzbrojony, daje mu przewagę.

– A co... z dziewczynami? – pyta Elliot, zerkając nerwowo na blondynki. – Czy nie powinienem... zostać i mieć je na oku?

– Mogą zaczekać w ciężarówce. Potrzebuję teraz rąk do pracy.

– Jeśli dasz mi broń, Elliot i ja możemy przynieść drewno i wodę – proponuje Richard.

– Nikt nie opuści obozu beze mnie. I nie wyjdę poza ogrodzony teren bez broni. – Johnny ma posępny wyraz twarzy. – Jeśli chcecie przeżyć, musicie mi zaufać.

Rozdział dwunasty

BOSTON

Stek Gabriela był idealnie półkrwisty. Zawsze takie zamawiał, gdy jadali w restauracji U Mattea. Ale tego wieczoru, siedząc z nim przy ich ulubionym stoliku, Jane nie mogła znieść widoku krwi sączącej się z mięsa na talerzu męża. Przypominała jej kapiącą ze skały krew Debry Gomez. I zwłoki Gotta, powieszone jak wołowa tusza. I krowa, i człowiek, to takie samo świeże mięso.

Gabriel zauważył, że nie tknęła prawie kotleta wieprzowego, i spojrzał na nią pytająco.

– Nadal o tym myślisz, prawda?

– Nic na to nie poradzę. Czy tobie się to nie zdarza? Że nie możesz pozbyć się natrętnych myśli, choćbyś nie wiem jak się starał?

– Postaraj się bardziej, Jane. – Wyciągnął rękę i uścisnął jej dłoń. – Już zdecydowanie za długo nie wychodziliśmy razem na kolację.

– Staram się, ale ta sprawa... – Spojrzała na jego stek i wzdrygnęła się. – Może zmienić mnie w wegetariankę.

– Aż tak źle?

– Oboje widywaliśmy koszmarne rzeczy. Spędziliśmy zbyt wiele czasu w prosektoriach. Ale ta sprawa poruszyła mnie do głębi. Człowiek zostaje wypatroszony i powieszony. Zjadają go jego własne cholerne zwierzaki.

– Dlatego nie powinniśmy kupować sobie szczeniaka.

– Gabrielu, to nie jest zabawne.

Sięgnął po kieliszek wina.

– Próbuję tylko rozluźnić trochę atmosferę naszej randki. Nie mamy ich za wiele, a ta zamienia się w kolejną rozmowę o trudnym przypadku. Jak zwykle.

– Oboje zajmujemy się tą pracą. O czym mielibyśmy rozmawiać?

– Może o naszej córce? Albo o planach na wakacje? – Odstawił kieliszek i spojrzał na nią. – Życie nie składa się z samych zabójstw.

– Połączyła nas właśnie praca.

– Ale nie tylko.

Nie, pomyślała, gdy mąż znów chwycił nóż i posługiwał się nim z chłodną zręcznością chirurga. W dniu, kiedy się poznali, na miejscu zbrodni w rezerwacie Stony Brook, onieśmielał ją jego niewzruszony spokój. W chaosie, jaki panował tam owego popołudnia, gdy policjanci i technicy kryminalistyki tłoczyli się wokół rozkładających się zwłok, Gabriel był milczącym przywódcą, powściągliwym obserwatorem, który nad wszystkim panował. Nie była zaskoczona, gdy się dowiedziała, że jest z FBI. Wiedziała od razu, że przysłano go, by kwestionował jej autorytet. To, co początkowo było powodem wzajemnej niechęci, później ich połączyło. Przyciąganie się przeciwieństw. Nawet teraz, przyglądając się wkurzająco niewzruszonemu mężowi, wiedziała dokładnie, dlaczego się w nim zakochała.

Spojrzał na nią i westchnął z rezygnacją.

– Okay, chociaż wcale mi się to nie podoba, będziemy chyba musieli porozmawiać o zabójstwie. A zatem. – Odłożył nóż i widelec. – Naprawdę uważasz, że kluczem do tej sprawy jest Krzykacz O'Brien?

– Te groźby przez telefon, które odbierał w radiu, brzmiały dziwnie podobnie do komentarzy na temat artykułu o Leonie Gotcie. Była tam mowa o wieszaniu i patroszeniu.

– Nie ma w tym nic nadzwyczajnego. Tak właśnie postępują myśliwi. Sam to robiłem po zastrzeleniu jelenia.

– Dziewczyna imieniem Suzy przedstawia się jako członkini Armii Akcji Wegan. Podają na swojej stronie, że mają w Massachusetts pięćdziesięciu członków.

Gabriel pokręcił głową.

– Nazwa tej organizacji nic mi nie mówi. Nie przypominam sobie, żeby pojawiła się na jakichś listach FBI.

– W rejestrze bostońskiej policji też nie figurują. Ale może są dość sprytni, by siedzieć cicho. Nie ujawniać się z tym, co robią.

– Wieszanie i patroszenie myśliwych? Czy to pasuje do wegan?

– Pomyśl o Froncie Wyzwolenia Ziemi. Podkładają bomby.

– Ale starają się nikogo nie zabić.

– Zastanów się jednak nad symboliką tego, co się stało.

Leon Gott polował na grubego zwierza i był taksydermistą. „Hub Magazine" zamieszcza artykuł o nim pod tytułem *Mistrz trofeów*. Kilka miesięcy później Gott zostaje zamordowany. Wisi głową na dół, z rozciętym tułowiem i usuniętymi wnętrznościami, na takiej wysokości, by pies i kot mogły obgryzać jego zwłoki. Czy jest bardziej odpowiedni sposób na pozbycie się ciała myśliwego niż pozostawienie go na pastwę Mruczka i Reksia? – Zamilkła, zdając sobie nagle sprawę, że w restauracji zaległa cisza. Zerknąwszy na bok, zobaczyła, że para z sąsiedniego stolika przygląda się jej.

– Nie pora ani miejsce na takie rozmowy, Jane – rzucił Gabriel.

Spojrzała na kotlet wieprzowy na swoim talerzu.

– Ładną mamy pogodę.

Dopiero gdy gwar rozmów wokół nich znów odżył, odezwała się już ciszej:

– Myślę, że symbolika jest tu oczywista.

– A może to zabójstwo nie ma nic wspólnego z tym, że był myśliwym. Motywem mogła być kradzież.

– Trzeba by ją uznać za dość nietypową. Jego portfel i gotówka zostały w sypialni, nietknięte. Według nas, z domu zginęła tylko skóra pantery śnieżnej.

– Mówiłaś, że była warta fortunę.

– Ale tak rzadkiego łupu cholernie trudno jest się pozbyć. Musiałby trafić do jakiejś prywatnej kolekcji. A gdyby rabunek był jedynym motywem, to po co ten krwawy rytuał patroszenia ofiary?

– Mam wrażenie, że pojawiają się tutaj dwa specyficzne elementy. Po pierwsze, kradzież skóry rzadkiego zwierzęcia. Po drugie, sposób wyeksponowania ciała ofiary. – Gabriel zmarszczył czoło, wpatrując się w świeczkę na stole i rozmyślając nad całą sprawą.

Wciągnęła go w końcu ta zagadka i teraz już w pełni się w nią zaangażował. Mieli dziś randkę, jedyny wieczór w miesiącu, gdy przysięgali sobie nie mówić o pracy, ale zawsze kończyło się na rozmowie o morderstwie. Jak mogło być inaczej, skoro oboje tym żyli i oddychali? Patrzyła, jak światło świecy migocze na jego twarzy, gdy spokojnie analizował fakty. Jakie to szczęście móc z nim o nich rozmawiać! Zastanawiała się, jak by to było, gdyby siedziała tu teraz z mężem, który nie jest policjantem, i chciała koniecznie pogadać o tym, co ją gryzie, a nie mogła poruszyć tego tematu. Łączył ich nie tylko wspólny dom i dziecko, ale także ponura wiedza o tym, jak życie może się w jednej chwili zmienić. Albo zakończyć.

– Sprawdzę, jakie mamy informacje na temat Armii Akcji Wegan – powiedział Gabriel. – Ale skoncentrowałbym się na tej skórze pantery, bo to jedyny wartościowy przedmiot, który zabrano. – Zamilkł. – Co sądzisz o Jerrym O'Brienie?

– Oprócz tego, że jest szowinistycznym dupkiem?

– Chodzi mi o to, czy go podejrzewasz. Czy miał jakiś motyw, żeby zabić Gotta?

Pokręciła głową.

– Obaj byli myśliwymi. Mógł równie dobrze zastrzelić go w lesie i udawać, że to był wypadek. Ale owszem, myślałam o O'Brienie. I o jego asystencie. Gott był takim samotnikiem, że nie mamy do wyboru zbyt wielu podejrzanych. Przynajmniej spośród tych, o których wiemy. – Ale wystarczy pogrzebać głębiej w czyimś życiu, a zawsze odkrywa się jakieś niespodzianki. Przypomniała sobie inne ofiary, inne dochodzenia, ujawniające ukrytych kochanków, tajne konta bankowe i niezliczone zakazane zachcianki, które wychodzą na światło dzienne, gdy gwałtowny koniec obnaża całą prawdę o czyimś życiu.

Pomyślała o ojcu, który też miał własne tajemnice; romans zrujnował małżeństwo jego i matki Jane. Nawet człowiek, którego rzekomo znała, z którym dzieliła wszystkie święta i urodziny, okazał się kimś obcym.

Jeszcze tego wieczoru była zmuszona stanąć z nim twarzą w twarz, gdy zatrzymali się z Gabrielem przed domem Angeli, aby zabrać córkę. Jane zauważyła zaparkowany na podjeździe znajomy samochód i spytała:

– Co robi tu tata?

– To jego dom.

– To był jego dom. – Wysiadła i spojrzała na chevroleta, zaparkowanego tam gdzie zwykle, jakby nigdy nie odjeżdżał. Jakby Frank Rizzoli mógł tak po prostu wrócić do dawnego życia, w którym zupełnie nic się nie zmieniło. Samochód miał nowe wgniecenie w lewym przednim zderzaku. Zastanawiała się, czy zrobiła je lalunia Franka i czy nawrzeszczał na nią tak, jak kiedyś na Angelę, gdy porysowała mu drzwi w aucie. Jeśli jest się z facetem dostatecznie długo, nawet w olśniewającym nowym kochanku zaczyna się dostrzegać wady. Kiedy lalunia zauważyła, że Frank ma włosy w nosie i nieświeży oddech nad ranem, jak każdy inny mężczyzna?

– Zabierzmy Reginę i wracajmy do domu – szepnął Gabriel, gdy wspinali się na ganek.

– A jak myślisz, co zamierzam zrobić?

– Mam nadzieję, że nie zaangażujesz się znów w rodzinny dramat.

– Rodzina bez dramatów nie byłaby moja – powiedziała, naciskając dzwonek.

Drzwi otworzyła jej matka. Przypominała w każdym razie Angelę, ale wyglądała jak zombie, witając ich bladym uśmiechem, gdy wchodzili.

– Mała mocni śpi, nie było żadnych problemów. Spędziliście miło wieczór?

– Tak. Co ojciec tutaj robi? – spytała Jane.

– Siedzę we własnym domu! – zawołał Frank. - Co to za pytanie?

Jane weszła do salonu i zobaczyła ojca rozpartego w swym starym fotelu jak król-wędrowiec, który wrócił, by odzyskać tron. Jego włosy miały kolor czarnej pasty do butów. Kiedy je ufarbował? Dostrzegła też inne zmiany: rozpiętą pod szyją jedwabną koszulę i efektowny zegarek. Wyglądał jak Frank Rizzoli z Las Vegas. Czyżby weszła do niewłaściwego domu, znalazła się w alternatywnym świecie, z mamą-androidką i tatą-dyskotekowcem?

– Zabiorę Reginę – powiedział Gabriel, znikając dyskretnie w korytarzu. Tchórz.

– Twoja matka i ja w końcu się dogadaliśmy – oznajmił Frank.

– To znaczy?

– Pogodzimy się. Będzie jak dawniej.

– Z blondyną czy bez?

– Co się z tobą dzieje, do cholery? Chcesz wszystko zepsuć?

– Sam już to zrobiłeś.

– Angelo! Powiedz jej.

Jane odwróciła się do matki, która stała wpatrzona w podłogę.

– Czy tego chcesz, mamo?

– Wszystko będzie dobrze, Janie – odparła cicho Angela. – Poradzimy sobie.

– Tryskasz wprost entuzjazmem.

– Kocham twoją mamę – powiedział Frank. – Jesteśmy rodziną, stworzyliśmy dom i zostaniemy ze sobą. Tylko to się liczy.

Jane mierzyła wzrokiem rodziców. Ojciec popatrzył na nią, rumiany na twarzy i hardy. Matka unikała jej spojrzenia. Jane tak wiele chciała powiedzieć, tak wiele powinna powiedzieć, ale było późno i Gabriel stał już przy drzwiach, trzymając na rękach ich śpiącą córeczkę.

– Dzięki za opiekę nad małą, mamo – rzekła. – Zadzwonię do ciebie.

Wyszli z domu do samochodu. Gdy Gabriel skończył zapinać w foteliku Reginy pas, otworzyły się drzwi domu i pojawiła się Angela z pluszową żyrafą.

– Będzie straszny wrzask, jak zapomnicie Benny'ego – powiedziała, podając Jane maskotkę.

– Dobrze się czujesz, mamo?

Angela skrzyżowała ręce na piersiach i spojrzała w kierunku domu, jakby oczekiwała, że ktoś inny odpowie na to pytanie.

– Mamo?

Angela westchnęła.

– Tak musi być. Frankie tego chce. I Mike także.

– Moi bracia nie mają tu nic do gadania. To wyłącznie twoja sprawa.

– On nie podpisał papierów rozwodowych, Jane. Jesteśmy nadal małżeństwem, a to coś znaczy. Że nigdy nas naprawdę nie porzucił.

– To znaczy, że grał na dwa fronty.

– Jest twoim ojcem.

– Tak, i kocham go. Ale kocham także ciebie, a nie wyglądasz na szczęśliwą.

Stojąc na zacienionym podjeździe, Jane dostrzegła, że matka próbuje zdobyć się na uśmiech.

– Jesteśmy rodziną. Postaram się, żeby wszystko grało.

– A co z Vince'em?

Na samą wzmiankę o Korsaku z twarzy matki zniknął nagle uśmiech. Zasłoniła twarz dłońmi i odwróciła się.

– O Boże. O Boże... – Gdy zaczęła szlochać, Jane wzięła ją w ramiona. – Tęsknię za nim – przyznała się Angela, łkając. – Tęsknię za nim codziennie. Nie zasługuje na to, żeby tak go traktować.

– Kochasz Vince'a?

– Tak!

– A tatę?

Angela zawahała się.

– Oczywiście. – Ale prawdziwą odpowiedź stanowiła ta chwila milczenia, te sekundy, które minęły, zanim zaprzeczyła temu, co wiedziało już jej serce. Odsunęła się od córki, odetchnęła głęboko i wyprostowała się.

– Nie martw się o mnie. Wszystko będzie dobrze. Wracaj do domu i połóż małą spać.

Jane patrzyła, jak matka znika za drzwiami. Widziała przez okno, jak Angela sadowi się na kanapie w salonie naprzeciwko męża, który był nadal rozparty w fotelu. Jak za dawnych czasów, pomyślała. Mama w swoim kącie, tata w swoim.

Rozdział trzynasty

Maura, słysząc krakanie wrony, przystanęła na podjeździe i spojrzała w górę. Dziesiątki tych ptaków siedziały na drzewie, wyglądając jak złowrogie owoce. Ich czarne skrzydła trzepotały na tle szarego nieba. Pasowało do nich określenie „zbrodnicze wrony". Wydawało się nader stosowne w to zimne szare popołudnie, z nadciągającą burzą i czekającym Maurę ponurym zadaniem. Wzdłuż ścieżki prowadzącej na tyły domu rozciągnięta była taśma policyjna. Przeszła pod nią i idąc po świeżo skopanym gruncie, czuła na sobie spojrzenia wron, obserwujących każdy jej krok i komentujących hałaśliwie obecność nowego intruza w swoim królestwie. Za domem detektywi Darren Crowe i Johnny Tam stali obok zaparkowanej koparki i hałdy mokrej ziemi. Gdy się zbliżyła, Tam pomachał do niej dłonią w fioletowej rękawiczce. Był nowym w wydziale zabójstw, bardzo zasadniczym i pozbawionym humoru młodym detektywem, przeniesionym niedawno z komisariatu w Chinatown. Na jego nieszczęście przydzielono mu do współpracy Crowe'a, który wyprawił poprzedniego partnera, Thomasa Moore'a, na zasłużoną emeryturę. Jane nazwała ich „parą z piekła rodem", a w wydziale robiono zakłady, ile czasu minie, zanim ciągle spięty Tam w końcu wybuchnie i przyłoży Crowe'owi. Miałoby to z pewnością katastrofalne skutki dla kariery Tama, ale wszyscy byli zgodni, że poczuliby cholerną satysfakcję, gdyby tak postąpił.

Nawet tutaj, na zadrzewionej działce, bez kamer telewizyjnych, Crowe – ze swą gwiazdorską fryzurą i garniturem świetnie dopasowanym do jego szerokich ramion – prezentował się jak na zdjęciu z magazynu dla panów. Wysysał z powietrza całą uwagę otoczenia, łatwo więc było przeoczyć obecność o wiele spokojniejszego Tama. Ale to właśnie nim zainteresowała się Maura, bo wiedziała, że dostarczy jej faktów, dokładnych i nieprzefiltrowanych.

Zanim jednak zdążył się odezwać, Crowe oznajmił ze śmiechem:

– Nie przypuszczam, żeby właściciele domu spodziewali się znaleźć w swoim nowym basenie coś takiego.

Maura spojrzała na ubrudzoną ziemią czaszkę i kości klatki piersiowej, leżące na zwiniętej częściowo niebieskiej plastikowej plandece. Wystarczył jej rzut oka, by stwierdzić, że to ludzki szkielet.

Włożyła rękawiczki.

– Co się tu wydarzyło?

– To miał być nowy basen. Właściciele kupili ten dom trzy lata temu i wynajęli ludzi z firmy Lorenzo Construction, żeby wykopali dół. Na głębokości nieco ponad pół metra znaleźli to. Operator koparki rozwinął plandekę, przeraził się i zadzwonił na dziewięćset jedenaście. Na szczęście niczego chyba tym swoim sprzętem nie uszkodził.

Maura nie zobaczyła żadnej odzieży ani biżuterii, ale nie były jej potrzebne, by określić płeć zmarłej osoby. Przykucnęła i obejrzała delikatne łuki brwiowe czaszki. Odciągnęła plandekę, odsłaniając kość miedniczną z bielejącymi kośćmi biodrowymi. Spojrzawszy na kość udową, stwierdziła, że denatka nie była wysoka, miała najwyżej metr sześćdziesiąt wzrostu.

– Ona leży tu już jakiś czas – odezwał się Tam. Nie potrzebował pomocy Maury, by rozpoznać, że to szczątki kobiety. – Jak długo, pani zdaniem?

– Pozostał tylko szkielet. Kręgosłup nie ma już stawów – zauważyła. – Więzadła uległy rozkładowi.

– Co to oznacza? Kilka miesięcy? Lat?

– Tak.

Crowe wydał pomruk zniecierpliwienia.

– Tylko na tyle dokładnie potrafi to pani określić?

– Widziałam kiedyś, jak po trzech miesiącach pozostał w płytkim grobie sam szkielet, więc nie dam panu bardziej precyzyjnej odpowiedzi. Moim zdaniem, od zgonu minęło co najmniej pół roku. Pogrzebano ją nago w dość płytkim grobie, co przyspieszyło rozkład zwłok, ale była wystarczająco głęboko pod ziemią, by nie paść ofiarą padlinożerców.

Jakby w reakcji na jej słowa w górze rozległo się głośne krakanie. Gdy podniosła głowę, zobaczyła, że przyglądają się im trzy siedzące na gałęziach wrony. Widywała już szkody, jakie potrafią wyrządzić ptaki z rodziny krukowatych, rozszarpując ludzkie ciało, jak ich dzioby rozrywają więzadła i wykłuwają oczy. Wrony zerwały się nagle, trzepocząc skrzydłami.

– Paskudne ptaszyska. Jak małe sępy. – Tam patrzył, jak odlatują.

– I niewiarygodnie inteligentne. Gdyby mogły do nas przemówić... – Maura spojrzała na Tama. – Jaka jest historia tej posiadłości?

– Przez czterdzieści lat należała do jakiejś kobiety. Właścicielka zmarła w podeszłym wieku piętnaście lat temu. Po uwierzytelnieniu testamentu dom popadł w ruinę. Czasem ktoś go wynajmował, ale na ogół stał pusty. Aż trzy lata temu kupiła go ta para.

Maura rozejrzała się po działce.

– Żadnego ogrodzenia. I przylega do lasu.

– Tak, do rezerwatu Stony Brook. Każdy, kto szuka miejsca na pogrzebanie zwłok, ma tu łatwy dostęp.

– A kim są obecni właściciele?

– To sympatyczna młoda para. Remontowali powoli dom, odnowili łazienkę i kuchnię. W tym roku postanowili zrobić basen w ogrodzie. Mówią, że zanim zaczęli kopać dół, było tam pełno chwastów.

– Więc pewnie ktoś zakopał ciało za domem, nim go kupili.

– A co z ofiarą? – wtrącił się Crowe. – Ustaliła pani przyczynę śmierci?

– Trochę cierpliwości. Nie zobaczyłam jeszcze nawet całego szkieletu. – Maura ściągnęła resztę niebieskiej plandeki, odsłaniając piszczele, kości strzałkowe, kości śródstopia i... Uniosła brwi, wpatrując się w pomarańczową nylonową linkę przewiązaną wokół kostek. Przypomniała sobie natychmiast inne miejsce zbrodni. Pomarańczowa nylonowa linka. Wypatroszone zwłoki powieszone za kostki.

Wróciła bez słowa do kości klatki piersiowej. Uklękła i przyjrzała się bliżej wyrostkowi mieczykowatemu, czyli miejscu, gdzie żebra się zbiegają i łączą z mostkiem. Nawet w ten chmurny dzień, w cieniu drzew, dostrzegła na kości wyraźne nacięcie. Wyobraziła sobie ciało powieszone do góry nogami za kostki. Wyobraziła sobie ostrze tnące brzuch, od kości łonowej do mostka. Nacięcie było dokładnie w miejscu, gdzie trafiłoby to ostrze.

Poczuła, jak ziębną jej dłonie w rękawiczkach.

– Doktor Isles? – odezwał się Tam.

Zignorowała go i spojrzała na czaszkę. Na kości czołowej, nieco powyżej brwi, widniały trzy równoległe zadrapania.

Wyprostowała się zdumiona, nie wstając z kolan.

– Musimy zadzwonić do Rizzoli.

□ □ □

Czekają mnie fajerwerki, pomyślała Jane, przechodząc pod jaskrawą taśmą policyjną. To nie było jej miejsce zbrodni ani jej rewir i spodziewała się, że Darren Crowe od razu to podkreśli. Przypomniała sobie, jak Leon Gott wrzeszczał na dzieciaka z sąsiedztwa: „Wynoś się z mojego trawnika!". Zobaczyła oczami wyobraźni, jak za trzydzieści lat Crowe, będąc równie zrzędliwym starcem, krzyczy: „Wynocha z mojego miejsca zbrodni!".

Ale na podwórku obok domu powitał ją Johnny Tam.

– Witam, pani Rizzoli – powiedział.

– W jakim jest nastroju?

– Jak zawsze. Promienieje.

– Aż tak dobrze, hm?

– Chwilowo boczy się na doktor Isles.

– To zupełnie jak ja.

– Nalegała, żeby panią tu sprowadzić, więc to zrobiłem.

Jane spojrzała na Tama, ale jak zwykle nie potrafiła nic wyczytać z jego twarzy. Nigdy jej się to nie udawało. Chociaż był nowy w wydziale zabójstw, zdobył już reputację człowieka, który zajmuje się swoją pracą ze spokojem i bezpretensjonalnym uporem. W odróżnieniu od Crowe'a, nie gonił za sławą.

– Zgadza się pan z nią, że istnieje związek między tymi sprawami? – spytała Jane.

– Wiem, że doktor Isles nie kieruje się przeczuciami. Dlatego byłem trochę zaskoczony, że panią wezwała. Zważywszy na przewidywalne konsekwencje.

Nie musieli wymieniać nazwiska, żeby wiedzieć, że chodzi o Crowe'a.

– Aż tak źle się z nim pracuje? – spytała, gdy szli kamienną ścieżką na tyły domu.

– Pomijając fakt, że rozwaliłem już na siłowni trzy worki treningowe?

– Proszę mi wierzyć, że nie będzie lepiej. Współpraca z nim przypomina chińskie tortury wod... – Przerwała w pół słowa. – Wie pan, co chcę powiedzieć.

Tam zaśmiał się.

– Być może zostały wymyślone przez nas, Chińczyków, ale Crowe je udoskonalił.

Gdy weszli za dom, Jane zobaczyła obok Maury obiekt ich drwin. Cała mowa ciała Crowe'a wyrażała wściekłość, od napiętego karku po nerwowe gesty.

– Zanim zrobi tu pani jeden wielki cyrk, może poda nam pani najpierw dokładniejszy czas zgonu? – powiedział do Maury.

– Określiłam go najdokładniej, jak mogłam – odparła. – Reszta należy do was. To wasza praca.

Crowe zauważył, że nadchodzi Jane, i rzucił:

– Na pewno wszechmocna Rizzoli zna wszystkie odpowiedzi.

– Jestem tu na prośbę doktor Isles – wyjaśniła Jane. – Tylko zerknę i zejdę panu z drogi.

– Jasne. Oczywiście.

– Jest tutaj, Jane – odezwała się cicho Maura.

Jane podążyła za nią przez ogród do miejsca, gdzie stała koparka. Szczątki leżały na niebieskiej plandece na skraju świeżo wykopanego dołu.

– Dorosła kobieta – powiedziała Maura. – Około metra sześćdziesięciu wzrostu. Żadnych artretycznych zmian w kręgosłupie, zanik chrząstki nasadowej. Szacuję jej wiek na dwadzieścia, trzydzieści parę lat...

– W co ty mnie, do cholery, wpakowałaś? – mruknęła Jane.

– Słucham?

– Jestem już na jego czarnej liście.

– Ja też, ale to mnie nie powstrzyma od wykonywania mojej pracy. – Maura zamilkła. – Zakładając, że jej nie stracę. – Mogła się tego obawiać, odkąd zeznaniami w sądzie doprowadziła do skazania cieszącego się sympatią policjanta. Dystans Maury wobec świata, nazywany przez niektórych „wyobcowaniem", nigdy nie przysparzał jej popularności w bostońskiej policji, a teraz uznano ją tam za zdrajczynię.

– Mówiąc szczerze – kontynuowała Jane – to, co powiedziałaś mi przez telefon, nie przyprawiło mnie o dreszcze. – Spojrzała na szczątki, które z powodu procesu rozkładu były już tylko kośćmi. – Zacznijmy od tego, że to szkielet kobiety.

– Związano jej nogi w kostkach pomarańczową nylonową żyłką. Taką samą, jaką skrępowano Gotta.

– Tego typu linka jest dość powszechnie używana. W przeciwieństwie do Gotta ta ofiara była kobietą i ktoś się pofatygował, żeby ją pochować.

– U dołu mostka jest nacięcie, tak jak u Gotta. Możliwe, że usunięto jej wnętrzności.

– Możliwe?

– Skoro nie zachowały się tkanki miękkie i narządy, nie mogę tego udowodnić. Ale to nacięcie na mostku pochodzi od ostrza. Taki ślad zostaje, gdy rozpruwa się brzuch. I jeszcze jedna rzecz. – Maura przyklęknęła, by pokazać jej czaszkę. – Spójrz na to.

– Te trzy drobne zadrapania?

– Pamiętasz, pokazywałam ci trzy równoległe rysy na czaszce Gotta? Jak ślady pazurów na kości.

– Tu mamy tylko drobne draśnięcia.

– Są w równych odległościach od siebie. Mogło je pozostawić to samo narzędzie.

– Albo zwierzęta. Albo koparka. – Jane odwróciła się,

słysząc głosy. Przyjechała ekipa dochodzeniowa i Crowe prowadził trzech techników kryminalistyki w kierunku odnalezionych szczątków.

– I co pani sądzi, Rizzoli? – spytał. – Zaklepuje pani dla siebie tę sprawę?

– Nie wkraczam na pański teren. Sprawdzam tylko pewne analogie.

– Pani ofiara to mężczyzna, tak? Sześćdziesięcioczteroletni?

– Zgadza się.

– A tu mamy młodą kobietę. Czy widzi pani jakieś podobieństwa?

– Nie – przyznała Jane, czując na sobie spojrzenie Maury.

– Co wykazała autopsja tego mężczyzny? Jaka była przyczyna śmierci?

– Pęknięcie czaszki i zmiażdżenie chrząstki tarczowatej – odparła Maura.

– Czaszka mojej dziewczyny nie ma wyraźnych uszkodzeń – powiedział Crowe. Mojej dziewczyny! Jakby ta bezimienna ofiara należała do niego. Jakby już ją sobie zawłaszczył.

– Ta kobieta była drobna i sprawca łatwiej mógł nad nią zapanować – zauważyła Maura. – Nie musiał jej ogłuszać uderzeniem w głowę.

– To kolejna rozbieżność – rzucił Crowe. – Kolejny szczegół, który różni obie sprawy.

– Detektywie Crowe, szukam całościowego obrazu.

– Który chyba tylko pani dostrzega. Jedną z ofiar jest starszy mężczyzna, drugą młoda kobieta. Jedna ma pękniętą czaszkę, druga nie. Jedną zamordowano i powieszono w garażu, drugą pogrzebano w ogrodzie.

– Obie ofiary były nagie, związano im kostki nylonową żyłką i usunięto wnętrzności. W taki sposób, jak myśliwy...

– Mauro – przerwała jej Jane. – Może byśmy przeszły się po terenie posiadłości?

– Już ją obejrzałam.

– Ale ja nie. Chodźmy.

Maura odeszła niechętnie od dołu i podążyła za Jane na skraj ogrodu. Były tam rozłożyste drzewa, których cień pogłębiał jeszcze ponury nastrój i tak już depresyjnie szarego popołudnia.

– Uważasz, że Crowe ma rację, tak? – spytała z goryczą w głosie.

– Mauro, wiesz, że zawsze szanuję twoją opinię.

– Ale w tym przypadku się z nią nie zgadzasz.

– Musisz przyznać, że te dwie sprawy bardzo się różnią.

– Zadrapania. Nylonowa żyłka. Nawet węzły są podobne i...

– Podwójny prosty węzeł nie jest niczym szczególnym. Gdybym była sprawcą, zapewne też bym go użyła, by związać ofiarę.

– A wycięcie wnętrzności? Ile ostatnio widziałaś takich przypadków?

– Znalazłaś na mostku pojedyncze nacięcie. Trudno z tego wyciągać wnioski. Te ofiary zbyt wiele różni. Wiek, płeć, miejsce znalezienia zwłok.

– Dopóki nie zidentyfikuję tej kobiety, nie możesz mówić, że nie ma nic wspólnego z Gottem.

– Okay – przyznała z westchnieniem Jane. – To prawda.

– Po co się sprzeczamy? Zawsze możesz mi udowodnić, że się mylę. Wykonuj tylko swoją pracę.

Jane zesztywniała.

– Czy tego nie robię?

To pełne napięcia pytanie sprawiło, że Maura znieruchomiała. Jej ciemne włosy, zwykle tak gładkie i lśniące, zmieniły się z powodu zimna i wilgoci w drucianą siatkę, w którą zaplątały się gałązki. W cieniu drzew, z zabrudzonymi ziemią nogawkami spodni i wymiętą bluzką, wyglądała jak dzikuska, której oczy płonęły zbyt jasno. Gorączkowo.

– Co się tu naprawdę dzieje? – spytała cicho Jane.

Maura odwróciła wzrok, unikając nagle jej spojrzenia, jakby odpowiedź na to pytanie była zbyt bolesna. Od lat opowiadały sobie wzajemnie o wszystkich kłopotach i potknięciach. Znały swoje najmroczniejsze sekrety. Dlaczego teraz unikała nagle odpowiedzi na proste pytanie?

– Mauro? – naciskała Jane. – Co się stało?

Maura westchnęła ciężko.

– Dostałam list.

Rozdział czternasty

Siedziały w boksie U J.P. Doyle'a, ulubionej knajpie bostońskich policjantów, w której o siedemnastej stałoby z pewnością przy barze co najmniej kilku funkcjonariuszy rozmawiających o swojej pracy. Ale piętnasta była tu martwą porą i tego popołudnia klienci zajmowali jeszcze tylko dwa boksy. Jane wielokrotnie jadała U Doyle'a lunch, ale Maura trafiła tam po raz pierwszy, co stanowiło kolejne przypomnienie, że choć od lat były koleżankami z pracy i przyjaciółkami, istniała między nimi przepaść. Policjantka kontra lekarka, lokalna uczelnia kontra Uniwersytet Stanforda, piwo Adams Ale kontra wino Sauvignon Blanc. Gdy kelnerka stała nad nimi, czekając na przyjęcie zamówienia, Maura przeglądała menu z takim wyrazem twarzy, jakby myślała: Co tu mam najmniej odrażającego do wyboru?

– Ryba z frytkami jest dobra – poradziła jej Jane.

– Wezmę sałatkę Cezara – zadecydowała Maura. – Z sosem.

Gdy kelnerka odeszła, siedziały przez chwilę w niezręcznej ciszy. Para w boksie obok bez przerwy się obejmowała. Starszy mężczyzna, młoda kobieta. Popołudniowy seks, pomyślała Jane, i bez wątpienia zakazany jak cholera. Przypomniała sobie ojca i jego blond lalunię, romans, który zrujnował mu małżeństwo i pchnął zrozpaczoną Angelę w objęcia Vince'a Korsaka. Miała ochotę krzyknąć: „Hej, proszę pana! Niech pan wraca do żony, zanim spieprzy pan wszystkim życie!".

Jakby mężczyźni upojeni testosteronem kierowali się kiedykolwiek rozsądkiem.

Maura zerknęła na objętą namiętnie parę.

– Przyjemne miejsce. Wynajmują tu pokoje na godziny?

– Za pensję policjantki można tu dobrze i dużo zjeść. Przykro mi, jeśli nie spełnia twoich oczekiwań.

Maura skrzywiła się.

– Nie wiem, czemu to powiedziałam. Mam dziś kiepski nastrój.

– Podobno dostałaś jakiś list. Kto ci go przysłał?

– Amalthea Lank.

Słysząc to nazwisko, Jane poczuła, jakby powiew lodowatego wiatru zmroził jej skórę i zjeżył włosy na karku. Matka Maury. Matka, która porzuciła ją tuż po urodzeniu. Matka, która siedziała teraz w więzieniu dla kobiet w Framingham, skazana na dożywocie za wielokrotne zabójstwo.

Nie, nie matka. Potwór.

– Dlaczego, do cholery, odbierasz od niej listy? – spytała Jane. – Myślałam, że zerwałaś z nią wszelkie kontakty.

– Owszem. Poprosiłam, żeby nie przysyłali mi z więzienia jej korespondencji. Nie odbierałam telefonów.

– Więc jak dotarł do ciebie ten list?

– Nie wiem, jak zdołała go przemycić. Może przekupiła któregoś ze strażników. Albo został wysłany z listem innej więźniarki. Ale znalazłam go w poczcie, gdy wczoraj wieczorem wróciłam do domu.

– Dlaczego do mnie nie zadzwoniłaś? Wszystko bym załatwiła. Jedna wizyta w Farmingham i zadbałabym o to, żeby przestała cię niepokoić.

– Nie mogłam do ciebie zadzwonić. Potrzebowałam czasu do namysłu.

– O czym tu rozmyślać? – Jane pochyliła się nad stołem. – Znów mąci ci w głowie. Uwielbia to robić. Rozkoszuje się tym, że tobą manipuluje.

– Wiem. Dobrze to wiem.

– Uchyl tylko odrobinę drzwi, a wepchnie się do twojego życia. Dzięki Bogu, że cię nie wychowywała. To oznacza, że nic jej nie jesteś winna. Ani jednego słowa, ani jednej myśli.

– Mam jej DNA, Jane. Gdy na nią patrzyłam, widziałam w jej twarzy siebie.

– Znaczenie genów jest przeceniane.

– Geny określają, kim jesteśmy.

– Chcesz powiedzieć, że weźmiesz skalpel i zaczniesz kroić ludzi, tak jak ona?

– Jasne, że nie. Ale ostatnio... – Maura zamilkła i spojrzała na swoje ręce. – Gdziekolwiek spojrzę, widzę cienie. Mroczną stronę życia.

Jane prychnęła.

– To oczywiste. Zobacz, gdzie pracujesz.

– Kiedy wchodzę do zatłoczonego pomieszczenia, natychmiast zaczynam się zastanawiać, kogo powinnam się bać. Przed kim mam się strzec.

– To się nazywa postrzeganiem otoczenia. Świadczy o inteligencji.

– Chodzi o coś więcej. Jakbym czuła ciemność. Nie wiem, czy pochodzi z mojego otoczenia, czy jest już we mnie. – Maura wpatrywała się nadal w swoje dłonie, jakby była na nich zapisana odpowiedź. – Obsesyjnie poszukuję schematów zła. Elementów, które mają ze sobą związek. Gdy zobaczyłam dzisiaj ten szkielet i przypomniałam sobie zwłoki Leona Gotta, dostrzegłam wzorzec. Znak firmowy zabójcy.

– To nie znaczy, że zanurzasz się w ciemność. Po prostu wykonujesz pracę lekarza sądowego. Zawsze szukasz całościowego obrazu, jak to określiłaś.

– Ty przeoczyłaś ten szczegół. Dlaczego ja nie?

– Bo jesteś bystrzejsza ode mnie?

– Unikasz odpowiedzi, Jane. I mijasz się z prawdą.

– Okay, więc posłużę się moim genialnym umysłem policjantki i coś ci powiem. Miałaś naprawdę ciężki rok. Zerwałaś z Danielem i prawdopodobnie wciąż za nim tęsknisz. Czy mam rację?

– Jasne, że za nim tęsknię – odparła Maura, a po chwili cicho dodała: – I jestem pewna, że on za mną także.

– Poza tym zeznawałaś przeciwko Wayne'owi Graffowi. Posłałaś policjanta do więzienia i jego bostońscy kumple nie mogli ci tego wybaczyć. Czytałam o tym, jak ludzie chorują z powodu stresu. Zawiedziona miłość, konflikty w pracy... Cholera, przy twoim poziomie frustracji powinnaś już mieć raka.

– Dzięki, że dajesz mi jeszcze jeden powód do zmartwienia.

– A teraz ten list. Cholerny list od niej.

Zamilkły, gdy kelnerka wróciła z zamówieniem. Kanapka dla Jane, sałatka Cezara – z sosem – dla Maury. Dopiero gdy kelnerka odeszła, Maura spytała cicho:

– Czy dostajesz jeszcze od niego listy?

Nie musiała wymieniać jego nazwiska. Obie wiedziały, o kim mowa. Jane zacisnęła odruchowo palce na nadgarstkach, gdzie pozostały blizny po skalpelu Warrena Hoyta. Nie widziała go od czterech lat, pamiętała jednak każdy szczegół jego twarzy, tak pospolitej, że trudno byłoby ją dostrzec w tłumie. Z pewnością postarzał się z powodu pobytu w więzieniu i choroby, ale nie miała ochoty patrzeć, jak się zmienia. Wystarczyła jej satysfakcja, że wymierzyła mu sprawiedliwość, trafiając go pojedynczym pociskiem w kręgosłup i skazując na paraliż do końca życia.

– Próbował pisać do mnie podczas rehabilitacji – odparła Jane. – Dyktuje listy odwiedzającym go ludziom, a oni mi je przekazują. Od razu lądują w koszu.

– Nigdy ich nie czytałaś?

– A po co? On próbuje w ten sposób pozostać obecny w moim życiu. Dać mi znać, że wciąż o mnie myśli.

– O kobiecie, która mu się wymknęła.

– Nie tylko się wymknęłam. Pokonałam go. – Jane zaśmiała się gorzko i wzięła do ręki kanapkę. – Ma obsesję na moim punkcie, ale nie będę traciła ani ułamka sekundy, żeby o nim myśleć.

– Naprawdę nigdy ci się to nie zdarza?

To pytanie, zadane cichym głosem, pozostawało przez chwilę bez odpowiedzi. Jane skupiła uwagę na kanapce, próbując przekonać samą siebie, że to, co mówi, jest prawdą. Ale czy mogło tak być? Choć Warren Hoyt był uwięziony w sparaliżowanym ciele, nadal miał nad nią władzę z powodu tego, co się wydarzyło. Widział ją bezradną i przerażoną. Był świadkiem jej porażki.

– Nie pozwolę mu nad sobą panować – powiedziała Jane. – Nie chcę o nim myśleć. Powinnaś pójść w moje ślady.

– Mimo że ona jest moją matką?

– To słowo się do niej nie odnosi. Jest tylko dawczynią DNA, nikim więcej.

– To bardzo wiele znaczy. Jest częścią każdej komórki mojego ciała.

– Sądziłam, że już powzięłaś decyzję, Mauro. Odeszłaś od niej i przyrzekłaś nigdy do tej sprawy nie wracać. Czemu zmieniasz zdanie?

Maura spojrzała na nietkniętą sałatkę.

– Ponieważ przeczytałam jej list.

– Domyślam się, że uderzyła we właściwe tony. „Jestem twoją jedyną krewną. Łączą nas nierozerwalne więzi". Czy mam rację?

– Tak – przyznała Maura.

– To psychopatka i nic jej nie jesteś winna. Podrzyj ten list i zapomnij o wszystkim.

– Ona umiera, Jane.

– Co?

Maura spojrzała na przyjaciółkę z rozpaczą w oczach.

– Zostało jej sześć miesięcy, najwyżej rok.

– Brednie. Pogrywa sobie z tobą.

– Zadzwoniłam wczoraj wieczorem, zaraz po przeczytaniu listu, do więziennej pielęgniarki. Amalthea podpisała już zgodę na przekazywanie mi informacji o jej stanie zdrowia.

– Potrafi osiągnąć to, czego chce. Wiedziała dokładnie, jak zareagujesz, i zastawiła pułapkę.

– Pielęgniarka potwierdziła jej słowa. Amalthea ma raka trzustki.

– Nikt bardziej na to nie zasłużył.

– Moja jedyna krewna umiera. Chce, abym jej przebaczyła. Błaga mnie o to.

– I oczekuje, że to zrobisz? – Jane wytarła serwetką palce z majonezu szybkimi, gniewnymi ruchami. – A co z ludźmi, których zamordowała? Kto jej wybaczy te zbrodnie? Nie ty. Nie masz do tego prawa.

– Ale mogę jej wybaczyć, że mnie porzuciła.

– To była jedyna dobra rzecz, jaką kiedykolwiek zrobiła. Zamiast być wychowywana przez psychopatyczną mamuśkę, dostałaś szansę na normalne życie. Wierz mi, nie postąpiła tak w trosce o ciebie.

– Ale jestem zdrowa i cała, Jane. Dorastałam w dobrych warunkach, miałam kochających rodziców, więc nie powinnam się uskarżać. Dlaczego mam nie pocieszyć umierającej kobiety?

– Więc napisz do niej list. Powiedz, że jej wybaczasz, a potem o niej zapomnij.

– Zostało jej sześć miesięcy. Chce się ze mną spotkać.

Jane rzuciła serwetkę.

– Nie zapominajmy, kim ona naprawdę jest. Powiedziałaś mi kiedyś, że miałaś dreszcze, kiedy patrzyła ci w oczy, bo nie było to spojrzenie człowieka. Widziałaś pustkę, istotę bez duszy. To ty nazwałaś ją potworem.

Maura westchnęła.

– Owszem.

– Nie wchodź do klatki potwora.

Oczy Maury zalśniły nagle łzami.

– A za sześć miesięcy, kiedy umrze, jak poradzę sobie z poczuciem winy? – spytała. – Z tym, że nie spełniłam jej ostatniego życzenia? Będzie już za późno, żeby zmienić zdanie. Tego najbardziej się obawiam. Że przez resztę życia będę czuła się winna. I nigdy już nie będę miała szansy zrozumieć.

– Czego?

– Dlaczego jestem taka, jaka jestem.

Jane spojrzała na zrozpaczoną twarz przyjaciółki.

– To znaczy jaka? Błyskotliwa? Rozsądna? Zbyt uczciwa, by wychodziło ci to na dobre?

– Prześladowana – odparła cicho Maura. – Przez siły ciemności.

Zadzwoniła komórka Jane. Wydobywając ją z torebki, powiedziała:

– To przez tę naszą pracę i wszystko, co oglądamy. Obie wybrałyśmy taki zawód, bo nie jesteśmy dziewczynkami, które kochają słońce i koniki. – Odebrała telefon. – Detektyw Rizzoli.

– Dostaliśmy w końcu od operatora listę połączeń Leona Gotta – oznajmił Frost.

– Coś ciekawego?

– Bardzo. W dniu śmierci telefonował do kilku osób. Między innymi do Jerry'ego O'Briena, o czym już wiedzieliśmy.

– Chodziło o zabranie zwłok Kovo.

– Tak. Dzwonił też do Interpolu w Johannesburgu, w Republice Południowej Afryki.

– Do Interpolu? Czego od nich chciał?

– Pytał o sprawę zaginięcia jego syna w Botswanie. Śledczego nie było w biurze, więc Gott zostawił mu wiadomość, że zadzwoni później. Ale już się nie odezwał.

– Jego syn zaginął sześć lat temu. Dlaczego wracał do tego teraz?

– Nie mam pojęcia. Ale na liście połączeń jest coś naprawdę ciekawego. O czternastej trzydzieści Gott zadzwonił na komórkę Jodi Underwood z Brookline. Rozmowa trwała sześć minut. Tego wieczoru, o dwudziestej pierwszej czterdzieści sześć, Jodi Underwood do niego oddzwoniła. Połączenie trwało tylko siedemnaście sekund, więc zapewne zostawiła wiadomość na automatycznej sekretarce.

– Nie było na niej żadnej wiadomości z tej nocy.

– Właśnie. Istnieje duże prawdopodobieństwo, że o tej porze Gott już nie żył. Sąsiadka powiedziała, że światła w jego domu zgasły między dziewiątą a dziesiątą trzydzieści.

– Więc kto skasował wiadomość? – spytała Jane. – To dziwna sprawa.

– Robi się o wiele dziwniejsza. Wczoraj dwa razy dzwoniłem na komórkę Jodi Underwood i od razu włączała się poczta głosowa. I nagle mnie olśniło, że jej nazwisko brzmi znajomo. Kojarzysz?

– Poproszę o jakąś wskazówkę.

– Wiadomości z zeszłego tygodnia. Z Brookline.

Jane poczuła nagle, jak przyspiesza jej puls.

– Było tam zabójstwo...

– Jodi Underwood została zamordowana w swoim domu w niedzielę wieczorem. Tego samego dnia co Leon Gott.

Rozdział piętnasty

– Wszedłem na jej stronę na Facebooku – powiedział Frost, gdy jechali do Brookline. – Sprawdziłem jej profil.

Tym razem on prowadził, ponieważ Jane korzystała z jego iPada, przeglądając strony w internecie, które wcześniej odwiedził. Weszła na Facebook i zobaczyła zdjęcie ładnej rudowłosej kobiety. Jak podano na profilu, ta trzydziestosiedmioletnia, pracująca w szkole niezamężna bibliotekarka miała siostrę imieniem Sarah i była wegetarianką, obrończynią praw zwierząt i zwolenniczką medycyny holistycznej.

– Nie jest szczególnie w typie Leona Gotta – zauważyła Jane. – Po co kobieta, która gardziła zapewne wszystkim, co reprezentował, miałaby do niego dzwonić?

– Nie wiem. Sprawdziłem rejestr jego połączeń cztery tygodnie wstecz. Nie było innych rozmów między nimi. Tylko te dwie, w niedzielę. Zadzwonił do niej o drugiej trzydzieści, a ona oddzwoniła o dziewiątej czterdzieści sześć. Kiedy już prawdopodobnie nie żył.

Jane odtworzyła w myślach przebieg wydarzeń tamtego

wieczoru. Zabójca jest nadal w domu Gotta. Powiesił jego zwłoki w garażu i być może usuwa z nich właśnie wnętrzności. Dzwoni telefon, włącza się automatyczna sekretarka i Jodi Underwood zostawia wiadomość. Co jest w niej takiego, że zabójca ją kasuje, pozostawiając na telefonie ślady krwi? Co go skłoniło, by pojechać do Brookline i popełnić drugie morderstwo?

Spojrzała na Frosta.

– Nie znaleźliśmy w jego domu żadnego notesu z adresami – powiedziała.

– Nie. A przeszukaliśmy wszystko. Bo potrzebowaliśmy jego kontaktów. Niczego takiego nie było.

Pomyślała o zabójcy, stojącym nad telefonem i widzącym na wyświetlaczu numer Jodi, na który Gott dzwonił tego dnia i zapewne zapisał go w notesie, razem z adresem tej kobiety.

Jane przejrzała stronę Jodi na Facebooku; odczytała wpisy. Były dość regularne, pojawiały się co kilka dni. Ostatni zamieściła w sobotę, w przeddzień swojej śmierci:

> Sprawdźcie ten przepis na wegetariańskie pad thai. Przyrządziłam je wczoraj wieczorem dla siostry i jej męża i nie odczuli wcale braku mięsa. To zdrowe, smaczne danie i korzystne dla planety!

Czy jedząc tamtego wieczoru na kolację ryżowy makaron i tofu, Jodi miała przeczucie, że będzie to jeden z jej ostatnich posiłków? Że wszystkie jej starania, by jadać zdrowo, okażą się wkrótce bez znaczenia?

Jane przejrzała poprzednie wpisy Jodi – na temat książek, które przeczytała, i filmów, które jej się spodobały, na temat ślubów i urodzin przyjaciół oraz ponurego dnia w październiku, gdy zastanawiała się nad sensem życia. Kilka tygodni wcześniej, we wrześniu, z początkiem nowego roku szkolnego, pojawiła się radośniejsza notatka:

Jak miło widzieć znów w bibliotece znajome twarze.

W pierwszych dniach września zamieściła zdjęcie uśmiechniętego chłopaka o ciemnych włosach i melancholijny komentarz:

Sześć lat temu straciłam miłość mojego życia. Nigdy nie przestanę za tobą tęsknić, Elliot.

Elliot.

– Jego syn – powiedziała cicho Jane.

– Co?

– Na stronie Jodi w Facebooku jest wpis na temat mężczyzny imieniem Elliot. Pisze: „Sześć lat temu straciłam miłość mojego życia".

– Sześć lat temu? – Frost spojrzał na nią zdumiony. – To wtedy zaginął Elliot Gott.

▫ ▫ ▫

W listopadzie, gdy przestawia się zegarki na czas zimowy, w Nowej Anglii słońce zachodzi wcześnie i tego ponurego popołudnia o szesnastej trzydzieści już zmierzchało. Przez cały dzień zanosiło się na deszcz i zanim Jane i Frost dotarli do domu Jodi Underwood, przednią szybę samochodu zrosiła mżawka. Przed budynkiem stał zaparkowany szary ford fusion, za którego kierownicą siedziała kobieta. Zanim Jane rozpięła pas, drzwi forda otworzyły się i kobieta wysiadła. Była szykowna, miała stylową fryzurę z siwymi pasemkami i elegancki, ale praktyczny ubiór: szare spodnie i żakiet, prochowiec i wygodne buty nie do zdarcia na płaskich obcasach. Podobny zestaw można by znaleźć w szafie Jane, co nie zaskakiwało, ponieważ ta kobieta również była policjantką.

– Detektyw Andrea Pearson – przedstawiła się. – Policja z Brookline.

– Jane Rizzoli i Barry Frost – odparła Jane. – Dziękujemy, że pani przyjechała.

Uścisnęli sobie dłonie, ale padało coraz mocniej, więc Pearson, nie tracąc czasu, poprowadziła ich od razu po schodach do drzwi od frontu domu. Był to skromny budynek, z niewielkim ogródkiem z przodu, w którym rosły dwa rzędy forsycji, pozbawionych liści jesienią. Na poręczy ganku wisiał nadal strzęp taśmy policyjnej, jak ostrzegawcza flaga, która informuje: „Uwaga! Miejsce tragedii".

– Muszę przyznać, że byłam zaskoczona pani telefonem – powiedziała detektyw Pearson, wyciągając klucz od domu. – Nie zdołaliśmy jeszcze wydobyć od operatora rejestru rozmów Jodi Underwood, a jej komórka gdzieś zniknęła. Nie mieliśmy więc pojęcia, że ona i pan Gott dzwonili do siebie.

– Mówi pani, że jej telefon zniknął – zainteresowała się Jane. – Został skradziony?

– Razem z innymi rzeczami. – Pearson otworzyła kluczem drzwi. – Motywem zbrodni był rabunek. Tak przynajmniej założyliśmy.

Weszli do domu i detektyw Pearson zapaliła światła. Jane zobaczyła drewniane podłogi, salon umeblowany z powściągliwą szwedzką elegancją, ale nie dostrzegła żadnych śladów krwi. Jedynym dowodem, że popełniono tu zbrodnię, były smugi po proszku do zdejmowania odcisków palców.

– Ciało leżało tutaj, obok drzwi wejściowych – wyjaśniła detektyw Pearson. – W poniedziałek rano Jodi nie pojawiła się w pracy, więc zadzwoniono ze szkoły do jej siostry, Sarah, a ona przyjechała od razu tutaj. Znalazła ją około dziesiątej. Jodi była w piżamie i szlafroku. Przyczyna śmierci jest dość oczywista. Miała na szyi ślady pętli i koroner potwierdził, że została uduszona. Siniak na prawej skroni może świadczyć o tym, że wcześniej ją ogłuszono. Nie ma oznak napaści na tle seksualnym. Zaatakowano ją znienacka i pozbawiono przytomności, gdy tylko otworzyła drzwi.

– Mówi pani, że była w piżamie i szlafroku? – spytał Frost.

Pearson skinęła głową.

– Lekarz sądowy określił czas zgonu między ósmą wieczorem a drugą w nocy. Jeśli dzwoniła do Gotta o dziewiątej czterdzieści sześć, możemy oszacować to precyzyjniej.

– Zakładając, że ktoś nie posłużył się jej komórką.

Pearson milczała przez moment.

– To możliwe, skoro telefon zniknął. Wszystkie połączenia, które miała w poniedziałek rano, trafiły do poczty głosowej, więc aparat jest chyba wyłączony.

– Pani zdaniem, motywem był rabunek. Co jeszcze zabrano? – spytała Jane.

– Według jej siostry, Sarah, brakuje laptopa Jodi, aparatu fotograficznego, komórki i torebki. W okolicy były też inne włamania, ale zawsze pod nieobecność lokatorów. Kradziono podobnego typu rzeczy, głównie sprzęt elektroniczny.

– Myśli pani, że sprawca był ten sam?

Detektyw Pearson nie odpowiedziała od razu; wpatrywała się w podłogę, jakby widziała leżące u jej stóp zwłoki Jodi Underwood. Kosmyk srebrzystych włosów zsunął jej się na policzek, więc odgarnęła go do tyłu i spojrzała na Jane.

– Nie jestem pewna. Po innych włamaniach pozostały na miejscu odciski palców. Najwyraźniej byli to amatorzy. Ale tu nie znaleźliśmy żadnych dowodów. Żadnych odcisków, śladów narzędzi ani obuwia. Czysta, sprawna robota, niemalże...

– ...profesjonalna – zakończyła za nią Jane.

Detektyw Pearson skinęła głową.

– Dlatego zaintrygował mnie jej telefon do Leona Gotta. Czy jego zabójstwo wyglądało na przypadek selektywnej eliminacji?

– Tego nie wiem – odparła Jane. – Ale zdecydowanie nie zostało dokonane tak czysto i sprawnie jak to.

– Co ma pani na myśli?

– Przyślę pani zdjęcia z miejsca zbrodni. Na pewno pani przyzna, że zabójstwo Leona Gotta wyglądało o wiele bardziej niechlujnie. I groteskowo.

– Może więc nie ma związku między tymi dwoma sprawami – powiedziała detektyw Pearson. – Czy pani wie, dlaczego oni do siebie dzwonili? Skąd się znali?

– Domyślam się, ale muszę poprosić siostrę Jodi o potwierdzenie. Mówiła pani, że ma na imię Sarah?

– Mieszka niecałe dwa kilometry stąd. Zadzwonię do niej i powiem, że ją odwiedzimy. Proszę pojechać za mną swoim samochodem.

▫ ▫ ▫

– Moja siostra nienawidziła wszystkiego, co reprezentował Leon Gott. Jego polowań na grubego zwierza, jego polityki, a przede wszystkim sposobu, w jaki traktował syna – powiedziała Sarah. – Nie mam pojęcia, po co dzwonił do Jodi. Albo ona do niego.

Siedzieli w schludnym salonie Sarah, gdzie wszystkie meble były z jasnego drewna i szkła. Najwyraźniej siostry miały zbliżone gusty, włącznie z zamiłowaniem do szwedzkiego wystroju wnętrz. Obie miały też kręcone rude włosy i łabędzie szyje. Ale o ile Jodi ze zdjęcia na Facebooku promieniała uśmiechem, o tyle twarz Sarah wyrażała wyczerpanie. Przyniosła na tacy herbatę i ciasteczka dla trojga gości, ale jej filiżanka pozostała nietknięta. Chociaż miała dopiero trzydzieści osiem lat, w padającym z okna szarym świetle wyglądała starzej, jakby żałoba oddziaływała na jej twarz własną siłą grawitacji, powodując worki pod oczami i opadanie kącików ust.

Detektyw Pearson i Sarah znały się już, a śmierć Jodi zbliżyła je do siebie, więc Jane i Frost zadawanie pierwszych pytań pozostawili policjantce z Brookline.

– Te telefony mogą nie mieć nic wspólnego z zabójstwem Jodi – powiedziała Pearson. – Ale to rzeczywiście uderzający zbieg okoliczności. Czy twoja siostra wspominała w ogóle w ciągu ostatnich kilku tygodni o Leonie Gotcie?

– Nie. Ani nawet w ciągu ostatnich miesięcy czy lat. Gdy straciła Elliota, nie miała powodu rozmawiać o jego ojcu.

– Co mówiła o Gotcie?

– Że jest najbardziej nikczemnym ojcem na świecie. Jodi i Elliot mieszkali razem przez jakieś dwa lata, więc dużo słyszała o Leonie. O tym, że kochał swoją broń bardziej niż rodzinę. Że zabrał kiedyś Elliota na polowanie, kiedy ten miał zaledwie trzynaście lat, i kazał mu oprawić jelenia, a gdy chłopak odmówił, nazwał go pedałem.

– To okropne.

– Żona opuściła go zaraz po tym, zabierając syna ze sobą. To najlepsze, co mogła zrobić jako matka. Szkoda, że nie postąpiła tak wcześniej.

– Czy Elliot utrzymywał kontakt z ojcem?

– Sporadycznie. Jodi powiedziała mi, że Leon dzwonił do niego po raz ostatni z okazji urodzin, ale była to krótka rozmowa. Elliot próbował być uprzejmy, musiał się jednak rozłączyć, gdy ojciec zaczął obrażać jego zmarłą matkę. Miesiąc później chłopak wyjechał do Afryki. Marzył o tej podróży, planował ją od lat. Dzięki Bogu Jodi nie dostała urlopu, żeby z nim pojechać, bo inaczej... – Sarah opuściła głowę, patrzyła na filiżankę wystygłej herbaty.

– Czy po zaginięciu Elliota Jodi miała jakiś kontakt z Leonem? – kontynuowała detektyw Pearson.

Sarah skinęła głową.

– Kilka razy. Dopiero kiedy stracił syna, zdał sobie sprawę, jakim był dupkiem jako ojciec. Moja siostra miała dobre serce i próbowała go pocieszać. Nigdy nie byli w przyjaznych stosunkach, ale po pogrzebie Elliota napisała do Leona kartkę. Wydrukowała nawet i oprawiła w ramkę ostatnie zdjęcie jego syna, zrobione w Afryce. Podarowała mu je i była zaskoczona, gdy pisemnie jej podziękował. Ale potem przestali się kontaktować. O ile wiem, od lat ze sobą nie rozmawiali.

Jane milczała do tej chwili, pozwalając zadawać pytania detektyw Peason. Teraz jednak musiała się wtrącić.

– Czy pani siostra miała jakieś inne zdjęcia Elliota z Afryki?

Sarah spojrzała na nią zdziwiona.

– Kilka. Wysyłał je z telefonu komórkowego w trakcie wyprawy. Jego aparatu fotograficznego nie odnaleziono, więc zachowały się tylko te z komórki.

– Widziała je pani?

– Tak. Typowe zdjęcia z podróży. Widoki z samolotu, atrakcje turystyczne Kapsztadu. Nic szczególnego. – Zaśmiała się gorzko. – Elliot nie był zbyt dobrym fotografem.

Detektyw Pearson zmarszczyła brwi, patrząc na Jane.

– Pyta pani o jego zdjęcia z Afryki z jakiegoś konkretnego powodu?

– Rozmawialiśmy ze świadkiem, który był u Gotta w niedzielę około drugiej trzydzieści. Słyszał, jak mówił do kogoś przez telefon, że chce wszystkie zdjęcia Elliota z Afryki. Wiemy, że o tej porze rozmawiał z Jodi. – Jane spojrzała na Sarah. – Po co Leon potrzebował tych zdjęć?

– Nie mam pojęcia. Może czuł się winny?

– Z jakiego powodu?

– Ponieważ mógł być lepszym ojcem. Popełnił mnóstwo błędów, skrzywdził wielu ludzi. Może pomyślał wreszcie o synu, którego ignorował przez tyle lat.

To samo powiedział im Jerry O'Brien – że Leon Gott miał ostatnio obsesję na punkcie zaginięcia syna. Z wiekiem pojawiły się wyrzuty sumienia i myśli, co powinien był zrobić, ale Leon nie będzie miał już szansy zasypać przepaści, jaka dzieliła go od Elliota. Czyżby mieszkając samotnie w domu, jedynie w towarzystwie psa i dwóch kotów, uświadomił sobie nagle, jakim są marnym substytutem miłości syna?

– To wszystko, co mogę powiedzieć na temat Leona Gotta – rzekła Sarah. – Spotkaliśmy się tylko raz, sześć lat temu, na pogrzebie Elliota. Nigdy więcej go nie widziałam.

Zapadł już zmierzch i za oknem było ciemno. W ciepłym świetle lampy twarz Sarah odmłodniała jakby o parę lat i wydawała się bardziej ożywiona. Może dlatego, że zapomniała na chwilę o żałobie po siostrze, pochłonięta zagadką ostatnich godzin jej życia i rolą Leona Gotta w tej sprawie.

– Wspomniałaś, że zadzwonił do Jodi o drugiej trzydzieści – powiedziała Sarah, patrząc na detektyw Pearson. – Musiała być wtedy jeszcze w Plymouth. Na konferencji.

Detektyw Pearson zwróciła się do Jane i Frosta:

– Próbowaliśmy odtworzyć przebieg ostatniego dnia Jodi. Wiemy, że była w niedzielę na konferencji bibliotekarzy. Zakończyła się o siedemnastej, więc prawdopodobnie dotarła do domu w porze kolacji. Może dlatego oddzwoniła do Gotta tak późno, o dziewiątej czterdzieści sześć.

– Wiemy, że telefonował do niej o drugiej trzydzieści, by zapytać o zdjęcia – przypomniała Jane. – Zakładam więc, że dzwoniła do niego wieczorem w tej samej sprawie. Może, by mu powiedzieć, że znalazła... – Przerwała nagle i spojrzała na Sarah. – Gdzie pani siostra przechowywała zdjęcia Elliota z Afryki?

– To były pliki cyfrowe, więc miała je zapewne w laptopie.

Jane i detektyw Pearson popatrzyły na siebie.

– W laptopie, który zniknął – rzuciła Jane.

□ □ □

Troje detektywów drżało z zimna, rozmawiając cicho obok swoich zaparkowanych samochodów.

– Prześlemy pani nasze notatki i będziemy wdzięczni, jeśli przekaże nam pani swoje – powiedziała Jane.

– Oczywiście. Ale nadal nie mam jasności, czego właściwie szukamy.

– Ja też – przyznała Jane. – Mam jednak przeczucie, że zdjęcia Elliota z Afryki zawierają jakąś wskazówkę.

– Słyszała pani, jak opisała je Sarah. Typowe turystyczne fotki, nic szczególnego.

– Przynajmniej dla niej.

– I pochodzą sprzed sześciu lat. Komu mogłoby teraz na nich zależeć?

– Nie wiem. Kieruję się tylko...

– Przeczuciem?

Słysząc to słowo, Jane zamilkła. Przypomniała sobie rozmowę z Maurą, gdy zignorowała jej przeczucia na temat wykopanego właśnie szkieletu. Pomyślała, że ludzie ufają tylko własnej intuicji. Nawet jeśli nie potrafią niczego udowodnić.

Detektyw Pearson odgarnęła kosmyk lśniących od deszczu włosów i westchnęła.

– No cóż, nie zaszkodzi wymienić się informacjami. To miła odmiana. Zwykle koledzy chcą korzystać z moich notatek, ale swoimi się nie dzielą. – Spojrzała na Frosta. – Co nie znaczy, że oczerniam mężczyzn.

Jane zaśmiała się.

– Ten facet jest inny. Podzieli się wszystkim, z wyjątkiem frytek.

– Które i tak mi kradniesz – stwierdził Frost.

– Prześlę pani e-mailem wszystko, co mam, jak tylko dotrę do domu – obiecała detektyw Pearson. – Raport z sekcji Jodi może pani dostać bezpośrednio od lekarza sądowego.

– Kto robił autopsję?

– Nie znam tu wszystkich patologów. Postawny mężczyzna o tubalnym głosie.

– To chyba doktor Bristol – stwierdził Frost.

– Tak, tak się nazywa. Doktor Bristol. Zrobił sekcję w zeszły wtorek. – Pearson wyjęła kluczyki od samochodu. – Nie było żadnych niespodzianek.

Rozdział szesnasty

Tak to jest z niespodziankami: nigdy nie wiadomo, kiedy pojawi się jakaś, która zmieni przebieg śledztwa.

Jane poświęciła następne popołudnie na poszukiwanie takiej niespodzianki w plikach, które przesłała jej Andrea Pearson. Siedząc przy komputerze, z rozrzuconymi na biurku resztkami lunchu, przeglądała, strona po stronie, zeznania świadków i notatki detektyw z Brookline. Jodi Underwood mieszkała od ośmiu lat w tym samym domu, który odziedziczyła po rodzicach, i uchodziła w okolicy za spokojną, kulturalną osobę. Nie miała wrogów i nie spotykała się z mężczyznami. W noc zabójstwa nikt w sąsiedztwie nie słyszał żadnych krzyków ani hałasów, które by wskazywały, że ktoś walczy o życie.

To był atak znienacka, jak określiła to Pearson, tak szybki, że ofiara nie miała szans się bronić. Zdjęcia z miejsca zbrodni potwierdzały słowa policjantki. Zwłoki Jodi znaleziono w przedpokoju. Leżała na plecach z ręką wyciągniętą w kierunku drzwi wejściowych, jakby chciała podczołgać się do progu. Była w prążkowanej piżamie i ciemnoniebieskim szlafroku. Jeden kapeć miała wciąż na lewej nodze, drugi leżał kilkanaście centymetrów dalej. Jane chodziła w takich samych miękkich kapciach, zamszowych z kożuszkiem, zamówionych w firmie wysyłkowej L.L. Bean. Już zawsze, wkładając je, będzie przypominała sobie to zdjęcie stopy martwej kobiety.

Przeszła do raportu z sekcji, który podyktował kolega Maury, doktor Bristol. Abe Bristol – potężnie zbudowany facet, który głośno się śmiał, miał wilczy apetyt i niechlujnie jadł – w prosektorium był równie skrupulatny jak Maura. Choć na miejscu zbrodni nie znaleziono żadnej pętli, z siniaków na szyi ofiary wywnioskował, że użyto linki, a nie drutu. Śmierć nastąpiła między ósmą wieczorem a drugą w nocy.

Jane przejrzała strony z opisem organów wewnętrznych (wszystkie były zdrowe) i wynikami badania narządów płciowych (żadnych urazów ani dowodów niedawnej aktywności seksualnej). Na razie bez niespodzianek.

Dalej była lista odzieży. Damska piżama w prążki – góra i dół, sto procent bawełny, rozmiar S. Szlafrok, ciemnoniebieski welur, rozmiar S. Damskie kapcie z kożuszkiem, rozmiar siedem, marka L.L. Bean.

Otworzyła następną stronę. Wykaz materiału dowodowego przekazanego do laboratorium kryminalistyki zawierał to co zwykle: ścinki paznokci, włosy łonowe, waciki z wymazami z otworów ciała. Skupiła się na notatce u dołu strony.

> Trzy pojedyncze włosy, biało-szare, być może zwierzęce, trzy do czterech centymetrów długości. Pobrane ze szlafroka ofiary, w pobliżu rąbka.

Być może zwierzęce...

Jane pomyślała o lśniących drewnianych podłogach i eleganckich szwedzkich meblach Jodi, próbując sobie przypomnieć, czy widziała w jej domu jakiekolwiek ślady obecności zwierzęcia domowego. Choćby kota, który mógłby się ocierać o ten niebieski welurowy szlafrok. Wzięła do ręki telefon i zadzwoniła do siostry Jodi.

– Kochała zwierzęta, ale nie trzymała żadnego w domu, z wyjątkiem złotej rybki, która usnęła kilka miesięcy temu – powiedziała Sarah.

– Nie miała nigdy psa ani kota? – spytała Jane.

– Nie mogła. Z powodu silnej alergii na sierść natychmiast zaczynała kichać. – Sarah zaśmiała się smętnie. – W dzieciństwie marzyła, żeby zostać weterynarzem, i zgłosiła się na ochotnika do miejscowej kliniki dla zwierząt. Wtedy dostała pierwszego ataku astmy.

– Czy miała jakieś futra? Może z królików albo norek?

– Na pewno nie. Należała do PETA, organizacji obrońców praw zwierząt.

Jane zakończyła rozmowę, wpatrując się w słowa na ekranie komputera. *Trzy włosy, być może zwierzęce.*

Leon Gott miał koty, pomyślała.

□ □ □

– Te trzy włosy to interesująca zagadka – powiedziała Erin Volchko. Była wytrawnym kryminologiem bostońskiej policji, specjalizującym się w badaniu włosów i włókien. Wyszkoliła przez lata dziesiątki policjantów, ucząc ich skomplikowanej analizy włókien dywanów i kosmyków włosów, pokazując, jak odróżnić wełnę od bawełny, tkaniny syntetyczne od naturalnych, włosy wyrwane od uciętych. Chociaż Jane, badając ślady z niezliczonych miejsc zbrodni, wpatrywała się wiele razy w mikroskop, nigdy nie potrafiłaby, tak jak Erin, odróżnić jednego włosa od drugiego. Wszystkie blond kosmyki wydawały jej się takie same.

– Mam teraz pod szkiełkiem jeden z tych włosów – oznajmiła Erin. – Proszę usiąść, to pokażę pani, na czym polega problem.

Jane zajęła miejsce na stołku laboratoryjnym i spojrzawszy w dwuokularowy szkolny mikroskop, zobaczyła pasemko przecinające ukośnie jej pole widzenia.

– To włos numer jeden, pobrany z niebieskiego szlafroka pani Underwood – wyjaśniła Erin, patrząc przez drugą parę okularów. – Kolor: biały. Skręcenie: brak. Długość: trzy centymetry. Widać wyraźnie naskórek, korę i rdzeń. Proszę skupić się najpierw na kolorze. Widzi pani, że nie jest całkiem jednolity? Bliżej czubka staje się jaśniejszy – to cecha zwana pasmowaniem. Naturalny ludzki włos ma zwykle jednolity kolor na całej długości, a więc to pierwsza wskazówka, że mamy tu do czynienia z czymś, co nie pochodzi od człowieka. Proszę teraz spojrzeć na rdzeń, biegnący przez środek centralny przewód. Jest szerszy niż w ludzkim włosie.

– Więc skąd ten włos się wziął?

– To pozwala stwierdzić zewnętrzna warstwa naskórka. Zrobiłam fotografię mikroskopową. Pokażę pani. – Erin odwróciła się do komputera na biurku i postukała w klawiaturę. Na ekranie pojawił się powiększony obraz włosa.

Jego powierzchnię pokrywały trójkątne łuski, ułożone jak w zbroi. – Nazwałabym te łuski kolczastymi. Widzi pani, że są lekko uniesione, jak rozchylające się małe płatki? Uwielbiam patrzeć, jak skomplikowanie wszystko wygląda w dużym powiększeniu. Pojawia się cały nowy wszechświat, którego nie widzimy gołym okiem. – Erin uśmiechnęła się do ekranu, jakby oglądała obce miasto, które chciałaby odwiedzić. Przez cały dzień siedziała zamknięta w pomieszczeniu bez okien i jej rewir stanowiły te widziane pod mikroskopem pejzaże keratyn i protein.

– Więc co to oznacza? – spytała Jane. – Fakt, że ten włos ma kolczaste łuski?

– To potwierdza moje pierwotne wrażenie, żc nie pochodzi od człowieka. Taki łuskowaty kształt jest charakterystyczny dla sierści norek, fok i kotów domowych.

– Najczęściej mamy do czynienia z typowymi zjawiskami. Przypuszczam więc, że to włos kota domowego.

Erin skinęła głową.

– Nie mogę tego stwierdzić ze stuprocentową pewnością, ale najprawdopodobniej to kocia sierść. Pojedynczy kot zrzuca w ciągu roku setki tysięcy włosów.

– O cholera! Sporo odkurzania.

– Proszę sobie wyobrazić, co to oznacza, jeśli ma się w domu więcej niż jednego kota albo dziesiątki tych zwierząt, jak niektórzy ich miłośnicy.

– Wolę o tym nie myśleć.

– Czytałam kiedyś artykuł lekarza sądowego, który wykazywał, że gdy wchodzimy do pomieszczenia, w którym przebywa kot, zawsze przyczepia się nam do ubrania jego sierść. W większości amerykańskich gospodarstw domowych jest co najmniej jeden kot albo pies, więc kto wie, jak ten konkretny włos trafił na szlafrok ofiary? Skoro sama nie miała kota, mogła mieć z nim kontakt u znajomych.

– Jej siostra twierdzi, że z powodu silnej alergii unikała zwierząt. Zastanawiam się, czy tego włosa nie przyniósł zabójca.

– I sądzi pani, że pochodził on z miejsca, w którym zamordowano Leona Gotta.

– Gott miał dwa koty i psa, więc jego dom przypominał fabrykę futer. Byłam cała w kociej sierści, gdy tylko tamtędy przeszłam. Do zabójcy też musiała przylgnąć. Gdybym dostarczyła pani włosy kotów Gotta, mogłaby pani porównać ich DNA z tymi trzema?

Erin westchnęła i przesunęła okulary na czoło.

– Obawiam się, że z analizą DNA byłby problem. Wszystkie trzy włosy znalezione na szlafroku Jodi Underwood pochodzą z fazy telogenowej. Nie mają korzeni, a więc i DNA.

– A nie da się porównać ich wizualnie pod mikroskopem?

– Dowiedzielibyśmy się tylko, że oglądamy białe włosy, które mogą pochodzić od tego samego kota. To nie wystarczy jako dowód w sądzie.

– Czy da się w jakiś sposób wykazać, że te włosy przeniesiono z domu Gotta?

– Możliwe. Spędzając trochę czasu z kotami, łatwo zauważyć, jak często się myją. Za każdym razem, gdy liżą sierść, zostają na niej komórki nabłonka z ich jamy ustnej. Może uda nam się uzyskać mitochondrialne DNA z tych włosów. Ale obawiam się, że na wyniki poczekamy parę tygodni.

– Czy to byłby dowód?

– Owszem.

– Więc chyba będę musiała zdobyć te kocie włosy.

– Proszę je pobrać bezpośrednio ze zwierzęcia, żebyśmy mieli korzenie.

Jane jęknęła.

– To nie będzie łatwe, bo jeden z kotów nie chce dać się złapać. Biega nadal swobodnie po domu ofiary.

– O Boże. Mam nadzieję, że ktoś go dokarmia.

– Proszę zgadnąć, kto zanosi tam codziennie jedzenie i wodę i czyści kuwetę?

Erin zaśmiała się.

– Nie wierzę! Detektyw Frost?

– Twierdzi, że nie znosi kotów, ale przysięgam, że wbiegłby do płonącego budynku, żeby uratować kociaka.

– Wie pani, zawsze go lubiłam. Jest taki miły.

Jane prychnęła.

– Tak, w porównaniu z nim jestem suką.

– Powinien znaleźć sobie drugą żonę. – Erin zabrała szkiełko spod mikroskopu. – Chciałam umówić go na randkę z jedną z moich przyjaciółek, ale nie chce się spotykać z policjantkami. Twierdzi, że mają skłonności do dominowania. – Włożyła pod mikroskop nowe szkiełko. – Okay, pokażę pani kolejny włos, pobrany z tego samego szlafroka. Ten zupełnie zbił mnie z tropu.

Jane usiadła ponownie na stołku laboratoryjnym i spojrzała w okular.

– Wygląda tak jak poprzedni. Czym się różnią?

– Na pierwszy rzut oka wydaje się podobny. Biały, prosty, długości około pięciu centymetrów. Ma takie samo pasmowanie, co świadczy o tym, że nie jest to włos ludzki. Początkowo sądziłam, że pochodzi również od *Felis catus*, czyli kota domowego. Ale przy powiększeniu tysiąc pięćset razy widać, że to zupełnie inny gatunek. – Odwróciła się znów do komputera i otworzyła na ekranie drugie okno, pokazujące kolejne zdjęcie mikroskopowe. Ustawiła oba obrazy obok siebie.

Jane uniosła brwi.

– Ten drugi włos zupełnie nie przypomina pierwszego.

– Łuski naskórka znacznie się różnią. Wyglądają jak miniaturowe góry o spłaszczonych szczytach. Nie są wcale kolczaste, jak u kota domowego.

– Od jakiego zwierzęcia pochodzi ten drugi włos?

– Porównałam go ze wszystkimi, które mam w bazie danych. Ale nigdy dotąd takiego nie widziałam.

Tajemniczy stwór. Jane przypomniała sobie dom Leona Gotta i zawieszone na ścianie trofea. Pomyślała o jego warsztacie taksydermisty, gdzie regularnie czyścił, suszył i rozciągał skóry zwierząt z całego świata.

– Czy ten włos może pochodzić od pantery śnieżnej? – spytała.

– Skąd takie przypuszczenie?

– Ponieważ Gott preparował skórę pantery, którą skradziono.

– To wyjątkowo rzadkie zwierzęta, więc nie wiem, skąd mogłabym wziąć próbkę włosa do porównania. Ale istnieje sposób, by określić gatunek. Pamięta pani, jak zidentyfikowaliśmy ten dziwny włos w sprawie o zabójstwo w Chinatown? Ten, który okazał się włosem małpy?

– Wysłała go pani do laboratorium w Oregonie.

– Właśnie. Do Przyrodniczego Zakładu Kryminalistyki. Mają w bazie danych wzorce keratyn gatunków zwierząt z całego świata. Za pomocą elektroforezy można zanalizować skład protein włosa i porównać go z innymi znanymi wzorcami.

– Zróbmy to. Jeśli ten włos pochodzi od pantery śnieżnej, został niemal na pewno przyniesiony z domu Gotta.

– A tymczasem proszę mi przynieść próbkę sierści tego kota domowego – powiedziała Erin. – Jeśli kod DNA będzie się zgadzał, zdobędzie pani potrzebny dowód, że te dwa zabójstwa mają ze sobą związek.

Rozdział siedemnasty

– Zrobiłam wielki błąd! – zawołała Maura. – Nie powinnam była przynosić cię do domu!

Kot zignorował ją, liżąc łapę i myjąc się skrupulatnie po zżarciu porcji importowanego hiszpańskiego tuńczyka w oliwie. Ta ekstrawagancja kosztowała dziesięć dolarów, ale zwierzak nie chciał ruszyć suchej karmy dla kotów, a wracając po południu do domu, Maura zapomniała kupić mu puszki z jedzeniem. Przeszukawszy spiżarnię, znalazła bezcennego tuńczyka, którego zamierzała wykorzystać do sałatki nicejskiej z chrupiącą zieloną fasolką i czerwonymi ziemniakami. Ale nie, jej żarłoczny mały gość spałaszował wszystko i wyszedł dostojnie z kuchni, dając wyraźnie do zrozumienia, że nie potrzebuje już usług Maury.

I tak dotrzymuje mi towarzystwa! Jestem tylko służącą. Opłukała kocią miskę w gorącej wodzie z mydłem i włożyła ją do zmywarki, by zabić wszelkie zarazki. Czy można złapać od kota w ciągu tygodnia pierwotniaka *Toxoplasma gondii*? Miała ostatnio obsesję na punkcie toksoplazmozy, bo przeczytała, że może ona prowadzić do schizofrenii. Zwariowane właścicielki kotów są takie właśnie z powodu swoich podopiecznych. Te cwane zwierzaki w ten sposób przejmują nad nami kontrolę, pomyślała. Zarażają nas pasożytem, żebyśmy im serwowali puszki tuńczyka za dziesięć dolarów.

Usłyszała dzwonek.

Gińcie, mikroby! – pomyślała, myjąc i wycierając ręce, po czym podeszła do drzwi.

Na progu stała Jane Rizzoli.

– Przyszłam po sierść kota – oznajmiła, wyjmując z kieszeni pęsetę i foliowy woreczek na materiał dowodowy. – Zechciej się tym zająć.

– Dlaczego nie ty?

– To twój kot.

Maura wzięła z westchnieniem pęsetę i poszła do salonu, w którym kot siedział teraz na stoliku do kawy, przyglądając się jej podejrzliwie zielonymi oczami. Mieszkał u niej od tygodnia i nie zdążyła jeszcze się z nim zaprzyjaźnić. Czy w ogóle przyjaźń z kotem jest możliwa? W miejscu zabójstwa Gotta przymilał się do Maury, miaucząc i ocierając się o nią, aż ją nakłonił, by go adoptowała. Odkąd przyniosła go do domu, traktował ją z całkowitą obojętnością, mimo że rozpieszczała go puszkami tuńczyka i sardynek. Czuła się jak wszystkie rozczarowane żony. Oczarował mnie, uwiódł, a teraz jestem jego służącą.

Uklęknęła obok kota, a ten natychmiast zeskoczył ze stolika i pomaszerował do kuchni, okazując jej pogardę.

– Włos musi pochodzić bezpośrednio od zwierzęcia – powiedziała Jane.

– Wiem, wiem. – Maura podążyła za kotem po korytarzu, mrucząc: – Dlaczego czuję się tak idiotycznie?

Siedział w miejscu, w którym powinna być jego miska, i wpatrywał się w Maurę z wyrzutem.

– Może jest głodny? – spytała Jane.

– Właśnie go nakarmiłam.

– Więc zrób to jeszcze raz. – Jane otworzyła lodówkę i wyjęła kartonik ze śmietaną.

– Potrzebuję jej do przepisu – oznajmiła Maura.

– A ja potrzebuję kociego włosa. – Jane wlała śmietanę do miski i postawiła ją na podłodze. Kot natychmiast zaczął chłeptać. Nie zauważył nawet, kiedy Jane wyrwała mu z grzbietu trzy włosy. – Gdy wszystko zawodzi, trzeba spróbować przekupstwa – powiedziała, zamykając włosy w foliowej torebce. – Teraz potrzebuję jeszcze próbki z tego drugiego kota.

– Nikt nie potrafił go złapać.

– Tak, to będzie problem. Frost wpadał w tym tygodniu codziennie do tego domu i nawet go nie widział.

– Jesteś pewna, że wciąż tam mieszka? Że nie uciekł?

– Kocie jedzenie znika, a dom ma wiele zakamarków, w których można się ukryć. Może uda mi się go schwytać. Masz jakieś kartonowe pudło?

– Będziesz też potrzebowała rękawiczek. Masz pojęcie, ile paskudnych infekcji mogą spowodować kocie pazury? – Maura podeszła do szafy w korytarzu i znalazła parę brązowych skórzanych rękawiczek. – Spróbuj te.

– Wow, wyglądają na kosztowne. Postaram się ich nie zniszczyć. – Jane odwróciła się w kierunku drzwi wejściowych.

– Zaczekaj. Mnie też będą potrzebne. Wiem, że mam tu jeszcze jakieś.

– Jedziesz ze mną?

– Ten kot nie chce dać się złapać. – Maura sięgnęła do kieszeni płaszcza i znalazła drugą parę rękawiczek. – To stanowczo zadanie dla dwóch osób.

▫ ▫ ▫

W domu unosił się nadal zapach śmierci. Choć ciało i wnętrzności zabrano wiele dni temu, odór rozkładu pozostawia w powietrzu swój ślad, intensywny bukiet woni, które przenikają do każdej szafy i szczeliny, wsiąkają w meble, dywany i zasłony. Podobnie jak swąd dymu po pożarze, smród zgnilizny niełatwo ustępuje i snuł się uparcie po domu Gotta, jak duch jego właściciela. Nie wyszorowano tam jeszcze podłogi i widniały na niej krwawe ślady łap. Tydzień temu, gdy Maura weszła do środka, była w towarzystwie detektywów i kryminologów, których głosy rozbrzmiewały echem po pokojach. Dziś słyszała ciszę opuszczonego domu, zakłócaną jedynie brzęczeniem pojedynczej muchy, krążącej bez celu po salonie.

Jane postawiła kartonowe pudło na podłodze.

– Przejdźmy po kolei przez wszystkie pokoje, zaczynając od parteru.

– Dlaczego przyszła mi nagle na myśl ta martwa dziewczyna z zoo? – spytała Maura.

– To kot domowy, a nie pantera.

– Nawet miłe kotki są drapieżnikami. Mają to zakodowane w genach. – Maura włożyła rękawiczki. – W raporcie, który czytałam, oszacowano, że koty domowe zabijają niemal cztery miliardy ptaków rocznie.

– Cztery miliardy? Naprawdę?

– Tak zostały zaprogramowane. Są ciche, zręczne i szybkie.

– Innymi słowy, trudne do złapania. – Jane westchnęła ciężko.

– Niestety. – Maura sięgnęła do pudła i wyjęła ręcznik kąpielowy, który przywiozła z domu. Miała zamiar zarzucić go na małego zbiega i wsadzić go do kartonu tak, by jej nie podrapał. – Tak czy inaczej, trzeba go w końcu schwytać. Biedny Frost nie może przez resztę życia przynosić mu jedzenia i sprzątać kuwety. Myślisz, że jeśli go złapiemy, Frost się nim zaopiekuje?

– Gdybyśmy oddały tego kota do schroniska, Frost nigdy by się już do nas nie odezwał. Uwierz mi, kiedy podrzucę mu go do domu, już tam zostanie.

Jane wciągnęła rękawiczki. Gdy zaczęły łowy, patrzyły na nie z góry wypchane głowy zwierząt. Jane zajrzała na czworakach pod kanapę i fotel. Maura przeszukiwała szafy i schowki, w których kot mógł się ukryć. Otrzepując ręce z kurzu, wyprostowała się i zwróciła nagle uwagę na głowę lwa afrykańskiego, którego szklane oczy lśniły taką inteligencją, że oczekiwała niemal, iż zeskoczy ze ściany.

– Tam jest! – krzyknęła Jane.

Maura obróciła się raptownie i zobaczyła, jak coś białego mknie przez salon i pędzi po schodach. Chwyciła pudło i ruszyła za Jane na piętro.

– Sypialnia właściciela! – wrzasnęła Jane.

Wpadły do pokoju i zamknęły za sobą drzwi.

– Okay, mamy go w pułapce – rzuciła. – Wiem, że tu wbiegł. Więc gdzie się ukrywa, do cholery?

Maura rozejrzała się po meblach. Zobaczyła szerokie łoże, dwie szafki nocne i ogromną komodę z szufladami. W lustrze na ścianie odbijały się ich zaczerwienione i sfrustrowane twarze.

Jane przyklęknęła i zajrzała pod łóżko.

– Tu go nie ma – oznajmiła.

Maura odwróciła się do niszy z garderobą, której drzwi były szeroko otwarte. Stanowiła ona jedyną kryjówkę w sypialni. Spojrzały na siebie i równocześnie głęboko nabrały powietrza.

– Na łowy! – zanuciła cicho Jane i włączyła światło w niszy. Zobaczyły marynarki, swetry i o wiele za dużo koszul w szkocką kratę. Jane przesunęła na bok ciężką kurtkę, by zajrzeć głębiej. Cofnęła się raptownie, gdy kot wyskoczył na nią z wrzaskiem. – Cholera! – Spojrzała na swój rozdarty prawy rękaw. – Teraz już oficjalnie nienawidzę kotów. Dokąd on, kurwa, poleciał?

– Zaszył się pod łóżkiem.

Jane podkradła się w kierunku swej kociej Nemezis.

– Nie będę już dobrą policjantką. Teraz, kocie, jesteś mój!

– Jane, ty krwawisz. Mam w torebce na dole waciki z alkoholem.

– Najpierw go złapmy. Przejdź na drugą stronę łóżka. Wypłosz go.

Maura uklęknęła i zajrzała pod ramę łóżka. Wpatrywała się w nią para żółtych oczu, a pomruk, który wydobywał się z gardła zwierzęcia, brzmiał tak dziko, że Maura dostała na przedramionach gęsiej skórki. To nie był miły kotek, tylko Kudłaty Demon.

– Okay, mam przygotowany ręcznik – oznajmiła Jane. – Przegoń go stamtąd.

Maura machnęła nieśmiało ręką w kierunku zwierzęcia.

– Sio!

Kot odsłonił zęby i zasyczał.

– Sio? – prychnęła Jane. – Naprawdę, Mauro, nie stać cię na więcej?

– No dobra. Rusz się, kocie! – Maura pomachała ręką i kot cofnął się. Po chwili ściągnęła but i zamachnęła się nim. – Spadaj!

Kot wystrzelił spod łóżka. Choć Maura nie widziała walki, która się rozegrała, słyszała miauczenie i syczenie oraz tłumione przekleństwa Jane, mocującej się ze swoim łupem. Zanim podniosła się z podłogi, Kudłaty Demon był już bezpiecznie zawinięty w kąpielowy ręcznik. Jane wrzuciła szarpiącego się kota do kartonowego pudła i zamknęła je. Osiem kilo żywej złości miotało się w jego wnętrzu.

– Czy powinnam brać zastrzyki przeciw wściekliźnie? – spytała Jane, patrząc na swoją zadraśniętą rękę.

– Przede wszystkim potrzebujesz mydła i środka antyseptycznego. Umyj rękę. Zejdę na dół po waciki z alkoholem.

Ponieważ stare motto skautów mówi „Bądź przygotowany", Maura miała w torebce lateksowe rękawiczki, waciki nasączone alkoholem, pęsetę, ochraniacze na buty i foliowe woreczki na materiały dowodowe. Znalazła torebkę na parterze, na stoliku do kawy, tam gdzie ją zostawiła. Wyjęła garść wacików i miała już wracać na górę, gdy nagle zauważyła wbity w ścianę gwóźdź. Wokół niego wisiały oprawione w ramki zdjęcia Leona Gotta z różnych wypraw myśliwskich, pozującego z karabinem i martwymi trofeami: jeleniem, bawołem, dzikiem, lwem. Był tam również artykuł na jego temat z „Hub Magazine": *Mistrz trofeów. Wywiad z bostońskim taksydermistą*.

Jane zeszła po schodach do salonu.

– Więc mam się martwić wścieklizną?

Maura wskazała na gwóźdź.

– Czy coś stąd usunięto?

– Boję się, czy nie odpadnie mi ręka, a ty pytasz o puste miejsce na ścianie.

– Czegoś tu brakuje, Jane. Czy w zeszłym tygodniu było tak samo?

– Owszem. Zauważyłam ten gwóźdź już wtedy. Mogę sprawdzić nagranie wideo z miejsca zbrodni, żeby to potwierdzić. – Jane zamilkła, patrząc na ścianę i marszcząc brwi. – Zastanawiam się...

– Nad czym?

Odwróciła się do przyjaciółki.

– Gott zadzwonił do Jodi Underwood, żeby poprosić o zdjęcia Elliota z Afryki. – Wskazała puste miejsce na ścianie. – Myślisz, że to ma coś wspólnego z tą sprawą?

Maura z zakłopotaniem pokręciła głową.

– Brakujące zdjęcie?

– Tego samego dnia Gott dzwonił również do Interpolu w Republice Południowej Afryki. Także w sprawie Elliota.

– Dlaczego miałby teraz interesować się losem syna? Czy Elliot nie zaginął przed wielu laty?

– Sześć lat temu. – Jane spojrzała ponownie na puste miejsce na ścianie, z którego coś usunięto. – W Botswanie.

Rozdział osiemnasty

BOTSWANA

Jak długo człowiek może nie spać? – zastanawiam się, patrząc na Johnny'ego, który czuwa przy ognisku z na wpół przymkniętymi powiekami i tułowiem pochylonym do przodu jak drzewo mające zaraz runąć. Ale dłonie zaciska nadal na strzelbie, jakby broń stanowiła część jego ciała, przedłużenie kończyn. Przez cały wieczór wszyscy go obserwowali i wiem, że Richarda kusi, żeby przejąć kontrolę nad jego strzelbą, ale nawet na wpół uśpiony, Johnny jest zbyt groźny, by z nim zadzierać. Od śmierci Isao drzemie tylko w ciągu dnia, by móc czuwać przez całą noc. Jeśli to potrwa dłużej, za kilka dni będzie katatonikiem albo zwariuje.

Tak czy inaczej, to on będzie miał broń.

Rozglądam się po twarzach ludzi siedzących wokół ogniska. Sylvia i Vivian tulą się do siebie. Ich blond włosy są splątane, a twarze spięte. To dziwne, jak busz odmienia nawet piękne kobiety. Pozbawia je powierzchownego blasku, matowi ich włosy, zmywa makijaż. Pozostają tylko ciało i kości. To właśnie widzę, gdy teraz na nie patrzę: dwie kobiety, które marnieją w oczach. Podobnie jak pani Matsunaga, która jest w tym momencie kruchą, złamaną istotą. Nadal nie je. Mięso, które przyniosłam, leży nietknięte u jej stóp. Żeby się pożywiła, dodałam jej do herbaty dwie łyżeczki cukru, ale natychmiast ją wypluła i w tej chwili przygląda mi się nieufnie, jakbym próbowała ją otruć.

Tak naprawdę to wszyscy patrzą na mnie podejrzliwie, bo nie dołączyłam do ich drużyny „przeciwników Johnny'ego". Uważają, że przeszłam na mroczną stronę i jestem jego szpiegiem, podczas gdy ja staram się jedynie znaleźć najlepszy sposób na to, byśmy pozostali przy życiu. Wiem, że Richard nie jest traperem, choć mu się tak wydaje. Nieporadny, przerażony Elliot nie golił się od dawna, ma przekrwione oczy i spodziewam się, że lada chwila zacznie bełkotać jak szaleniec. Blondynki są coraz bardziej zdeprymowane. Jedyną osobą, która trzyma wszystko w garści i wie, co tu robi, jest Johnny. Stawiam na niego.

Dlatego pozostali już na mnie nie patrzą. Odwracają wzrok albo spoglądają w przestrzeń, rzucając sobie ukradkowe spojrzenia, jakby nadawali powiekami sygnały alfabetem Morse'a. Przeżywamy realistyczną wersję telewizyjnego programu *Rozbitkowie* i najwyraźniej przegłosowali, że mam się wynieść z wyspy.

Blondynki pierwsze idą spać, tuląc się do siebie i szepcząc, gdy odchodzą od ogniska. Potem wślizgują się do swoich namiotów Elliot i Keiko. Przez chwilę siedzę przy ogniu sama z Richardem. Za mało sobie ufamy, by rozmawiać. Nie potrafię niemal uwierzyć, że kochałam kiedyś tego człowieka. Te dni spędzone w buszu dodały surowego uroku jego aparycji, ale teraz widzę pod nią tylko zwykłą próżność. Tak naprawdę nie znosi Johnny'ego, bo nie potrafi mu dorównać. Wszystko sprowadza się do tego, kto jest bardziej mężczyzną. Richard musi być zawsze bohaterem swojej opowieści.

Zamierza właśnie coś powiedzieć, gdy oboje zdajemy sobie sprawę, że Johnny nie śpi, a jego oczy lśnią w mroku. Richard wstaje bez słowa. Patrząc, jak się oddala i wchodzi do naszego namiotu, mam świadomość, że Johnny mi się przygląda, czuję na twarzy ciepło jego spojrzenia.

– Gdzie go poznałaś? – pyta Johnny. Siedzi pod drzewem tak nieruchomo, jakby był częścią pnia, odrastającym od niego korzeniem.

– W księgarni, oczywiście. Przyszedł podpisywać egzemplarze swojej książki *Opcja zbrodni*.

– O czym ona jest?

– Typowy thriller Richarda Renwicka. Bohater zostaje uwięziony na odległej wyspie z terrorystami. Wykorzystuje swoje umiejętności trapera, zabijając ich jednego po drugim. Mężczyźni pożerają takie książki jak cukierki i mieliśmy tłum klientów. Potem Richard poszedł z całym personelem księgarni do pubu. Byłam pewna, że wpadła mu w oko moja koleżanka Sadie. Ale nie, wrócił do domu ze mną.

– Wydajesz się zaskoczona.

– Nie widziałeś Sadie.

– Kiedy to było?

– Prawie cztery lata temu. – Wystarczająco dawno, by Richard się znudził. By nawarstwiły się różne urazy i żale, z których powodu zaczął myśleć o lepszych rozwiązaniach.

– Więc powinniście dobrze się znać – mówi Johnny.

– Powinniśmy.

– Nie masz pewności?

– Czy można ją mieć?

Spogląda na nasz namiot.

– Nie w przypadku każdego – odpowiada. – Tak samo jest z niektórymi zwierzętami. Można poskromić lwa lub słonia, nawet im zaufać. Ale nigdy nie należy ufać panterze.

– Jakiego rodzaju zwierzęciem jest, twoim zdaniem, Richard? – pytam na pół serio.

Johnny nie uśmiecha się.

– Ty mi to powiedz.

Jego cicha odpowiedź skłania mnie do zastanowienia się nad tymi prawie czterema latami, które spędziłam z Richardem. Dzieliliśmy łóżko i stół, ale zawsze był między nami dystans. To on nie zgadzał się na małżeństwo, drwiąc z niego, jakby nam uwłaczało, ale chyba przez cały czas wiedziałam, dlaczego się ze mną nie ożenił. Po prostu nie chciałam przyjąć tego do wiadomości. Czekał na tę jedyną. A ja nią nie jestem.

– Ufasz mu? – mówi cicho Johnny.

– Czemu o to pytasz?

– Czy po tych czterech latach naprawdę wiesz, kim on jest? Do czego jest zdolny?

– Nie sądzisz chyba, że to właśnie Richard...

– A ty?

– Inni mówią to samo o tobie. Że nie możemy ci ufać. Że przez ciebie tu utknęliśmy.

– Ty też tak uważasz?

– Moim zdaniem, gdybyś chciał nas zabić, już byś to zrobił.

Wpatruje się we mnie. Moją uwagę przykuwa strzelba u jego boku. Dopóki ma broń, sprawuje nad nami kontrolę. Zastanawiam się, czy nie popełniłam kardynalnego błędu. Czy nie zaufałam niewłaściwemu człowiekowi.

– Powiedz mi, co jeszcze mówią? – wypytuje mnie. – Co planują?

– Nikt niczego nie planuje. Po prostu się boją. Wszyscy się boimy.

– Nie ma powodu do obaw, dopóki postępujecie rozważnie. Dopóki mi ufacie. I nikomu więcej.

Nawet Richardowi, sugeruje, choć głośno tego nie mówi. Czy naprawdę sądzi, że Richard jest winien temu, co się stało? Czy też prowadzi grę, stosując zasadę „dziel i rządź", by zasiać ziarno wątpliwości?

Ziarno, które zaczyna już kiełkować.

Potem, leżąc obok Keiko w jej namiocie, przypominam sobie te wieczory, gdy Richard wracał późno do domu. Mówił, że miał spotkanie ze swoim agentem. Albo kolację z kimś z wydawnictwa. Najbardziej się obawiałam, że ma romans. Teraz zastanawiam się, czy nie brakowało mi wyobraźni i czy powody jego późnych powrotów nie były mroczniejsze i bardziej przerażające niż zwykła niewierność.

Za ścianą namiotu słychać nocny chór owadów, a drapieżniki krążą wokół obozu. Odstrasza je tylko ogień. I obecność samotnego człowieka ze strzelbą.

Johnny chce, żebym mu zaufała. Obiecuje, że zapewni nam bezpieczeństwo.

Z tą myślą w końcu zasypiam. On mówi, że przeżyjemy, i wierzę mu.

Aż do świtu, gdy wszystko się zmienia.

□ □ □

Tym razem słychać wrzask Elliota. Jego paniczne krzyki „O mój Boże! O mój Boże!" wyrywają mnie ze snu i przywracają do koszmarnej rzeczywistości. Keiko zniknęła i jestem w namiocie sama. Nie fatyguję się nawet, żeby wciągnąć spodnie, tylko wyskakuję w samym podkoszulku i majtkach; po drodze wsuwam bose stopy w buty.

Nikt już nie śpi i wszyscy zbiegli się do namiotu Elliota. Blondynki przywierają do siebie. Mają tłuste, rozczochrane włosy i gołe nogi, mimo porannego chłodu. Podobnie jak ja, wybiegły z namiotów w samej bieliźnie. Keiko jest wciąż w piżamie i małych japońskich sandałach. Tylko Richard zdążył się ubrać. Trzyma Elliota za ramiona, próbując go uspokoić, ale ten potrząsa jedynie głową i płacze.

– Uciekł – mówi Richard. – Już go nie ma.

– Mógł się ukryć w moim ubraniu! Albo w pościeli!

– Sprawdzę jeszcze raz, dobrze? Ale nie widziałem go.

– A może jest drugi?

– O czym mówicie? – pytam.

Wszyscy odwracają się w moim kierunku i widzę w ich oczach podejrzliwość. Nikt mi nie ufa, bo sprzymierzyłam się z wrogiem.

– W namiocie Elliota był wąż – wyjaśnia Sylvia, obejmując się ramionami, bo przenika ją dreszcz.

Spoglądam na ziemię, spodziewając się niemal, że zobaczę pod nogami pełzającego węża. W tej krainie pająków i owadów, które kąsają, nauczyłam się nigdy nie chodzić boso.

– Syczał na mnie – mówi Elliot. – Dlatego się obudziłem. Gdy otworzyłem oczy, leżał zwinięty na moich nogach. Byłem pewien... – Ociera drżącą ręką twarz. – O Boże! Nie przeżyjemy kolejnego tygodnia!

– Przestań, Elliot! – rozkazuje Richard.

– Jak będę mógł teraz zasnąć? Jak ktokolwiek z nas może spać, skoro nie wiemy, co wpełznie nam do łóżka?

– To musiał być niejadowity wąż – mówi Johnny. – Tak się domyślam.

Znów mnie zaskoczył, zjawiając się niepostrzeżenie. Odwracam się i widzę, jak wrzuca drwa do wygasającego ogniska.

– Widziałeś go? – pytam.

– Nie. Ale Elliot twierdzi, że na niego syczał. – Johnny podchodzi do nas ze swą nieodłączną strzelbą. – Czy był żółto-brązowy? Cętkowany, z trójkątną głową? – pyta Elliota.

– Wiem tylko, że to był wąż! Myślisz, że pytałem go, jak się nazywa?

– Węży jest w buszu mnóstwo. Zapewne jeszcze się na nie natkniemy.

– Jak bardzo są jadowite? – pyta Richard.

– Jeśli nie poda się szczepionki, jad niektórych może być śmiertelny. Ale pocieszcie się, że ich ukąszenia są często suche i nietoksyczne. Ten wąż prawdopodobnie wpełznął do namiotu Elliota, żeby się ogrzać. Gady tak robią. – Johnny rozejrzał się po naszych twarzach. – Dlatego was ostrzegałem, żebyście zapinali namioty.

– Mój był zapięty – mówi Elliot.

– Więc jak wąż dostał się do środka?

– Wiesz, jak bardzo boję się malarii. Zawsze zaciągam zamek w namiocie, żeby nie wpuścić komarów. Nie przypuszczałem, że może się tam wślizgnąć pieprzony wąż!

– Mógł wpełznąć w ciągu dnia – sugeruję. – Kiedy nie było cię w namiocie.

– Mówię ci, że nigdy nie jest otwarty. Nawet w dzień.

Johnny przechodzi bez słowa na drugą stronę namiotu. Czyżby szukał węża? Czy sądzi, że czai się on nadal pod brezentem, czekając na kolejną okazję, by wejść do środka? Nagle pochyla się i znika nam z oczu. Zapada nieznośna cisza.

– Czy ten wąż wciąż tam jest?! – woła niepewnym głosem Sylvia.

Johnny nie odpowiada. Podnosi się i na widok wyrazu jego twarzy lodowacieją mi dłonie.

– Co się dzieje? – pyta Sylvia. – Co się dzieje?

– Podejdźcie i sami zobaczcie – mówi cicho Johnny.

Dół brezentu, niemal niewidoczny w trawie, został rozpruty. Nie jest to zwykłe rozdarcie, lecz równe, proste cięcie. Natychmiast zdajemy sobie wszyscy sprawę, co ono oznacza.

Elliot patrzy na nas z niedowierzaniem.

– Kto to zrobił? Kto, do cholery, rozciął mój namiot?

– Wszyscy macie noże – zauważa Johnny. – Każdy mógł to zrobić.

– Nie każdy – mówi Richard. – My spaliśmy. Ty byłeś tu przez całą noc i, jak to określasz, pełniłeś wartę.

– O świcie poszedłem po drewno. – Johnny mierzy Richarda wzrokiem. – A ty? Kiedy zdążyłeś się ubrać?

– Widzicie, co on robi, prawda? – Richard odwraca się do nas. – Nie zapominajcie, kto ma broń. Kto tu dowodził, gdy wszystko się spieprzyło.

– Dlaczego mój namiot? – mówi piskliwym głosem Elliot, zarażając nas paniką. – Dlaczego ja?

– Chodzi o mężczyzn – odpowiada mu cicho Vivian. – Eliminuje ich w pierwszej kolejności. Zabił Clarence'a. Potem Isao. A teraz próbował zabić Elliota...

Richard robi krok w kierunku Johnny'ego, a ten natychmiast unosi strzelbę i wymierza lufę prosto w jego pierś.

– Cofnij się! – rozkazuje.

– A więc tak to ma wyglądać – mówi Richard. – Zastrzeli najpierw mnie, a potem Elliota. A co z kobietami, Johnny? Millie może być po twojej stronie, ale nie zabijesz nas wszystkich, jeśli stawimy opór.

– To ty – odpowiada Johnny. – Ty jesteś winien temu, co się tu dzieje.

Richard robi kolejny krok w jego kierunku.

– Jestem tym, który cię powstrzyma.

– Richardzie – błagam. – Przestań!

– Musisz zdecydować, po czyjej jesteś stronie, Millie.

– Nie ma takiej potrzeby. Musimy porozmawiać. Zachowywać się racjonalnie.

Idzie krok dalej. To wyzwanie, wojna nerwów. Busz pozbawił go rozsądku i Richard kieruje się teraz dziką furią, traktując Johnny'ego jak rywala. A mnie jak zdrajczynię. Czas płynie jakby wolniej i rejestruję każdy szczegół z bolesną wyrazistością. Pot na czole Johnny'ego. Trzask gałązki pod butem Richarda, gdy rusza naprzód. Napięte mięśnie Johnny'ego gotującego się do strzału.

I widzę Keiko – drobną, kruchą Keiko – która prześlizguje się bezszelestnie za plecy Johnny'ego. Widzę, jak unosi ręce i uderza go kamieniem w tył głowy.

□ □ □

Johnny żyje.

Kilka minut po ciosie otwiera oczy. Ma rozciętą skórę na głowie i niepokojąco silnie krwawi, ale patrzy na nas przytomnie.

– Popełniacie wszyscy błąd – mówi. – Posłuchajcie mnie.

– Nikt cię nie będzie słuchał – odpowiada Richard. Stoi nad nim, rzucając na niego cień. Teraz on ma broń i sprawuje kontrolę.

Johnny próbuje się podnieść, jęcząc z bólu, ale nawet by usiąść, musi wytężyć wszystkie siły.

– Beze mnie nie dacie sobie rady.

Richard patrzy na pozostałych, którzy stoją kręgiem wokół Johnny'ego.

– Zagłosujemy?

Vivian kręci głową.

– Ja mu nie ufam.

– Więc co z nim zrobimy? – pyta Elliot.

– Zwiążemy go, i tyle. – Richard zwraca się do blondynek: – Znajdźcie jakiś sznur.

– Nie. Nie! – Johnny wstaje, słaniając się na nogach. Chociaż się chwieje, jest wciąż zbyt groźny, by ktokolwiek odważył się stawić mu czoło. – Zastrzel mnie, jeśli chcesz, Richardzie. Tu i teraz. Ale nie dam się związać. Nie mogę pozostać bezbronny w takim miejscu.

– No już, zwiążcie go! – rozkazuje Richard blondynkom, ale one stoją jak skamieniałe. – Elliot, ty to zrób!

– Tylko spróbuj – ostrzega go Johnny.

Elliot blednie i cofa się.

Johnny zwraca się do Richarda:

– A więc masz teraz karabin, tak? Udowodniłeś, że jesteś samcem alfa. Czy tylko o to chodziło w tej grze?

– Grze? – Elliot kręci głową. – Nie, my, po prostu, kurwa, próbujemy przeżyć.

– Więc nie ufajcie mu.

Richard zaciska ręce na strzelbie. O Boże, zamierza strzelić. Zabije z zimną krwią bezbronnego człowieka! Rzucam się ku niemu i chwytam za lufę.

Uderza mnie w twarz.

– Chcesz, żebyśmy zginęli, Millie?! – wrzeszczy. – Do tego próbujesz doprowadzić?

Dotykam piekącego policzka. Nigdy dotąd mnie nie uderzył. Gdybyśmy byli gdziekolwiek indziej, zadzwoniłabym na policję, ale tu nie ma ucieczki, nie ma władz. Kiedy patrzę na innych, nie widzę na ich twarzach współczucia. Blondynki, Keiko, Elliot – wszyscy trzymają z Richardem.

– W porządku – mówi Johnny. – Masz broń. Możesz użyć jej w każdej chwili. Ale jeżeli chcesz mnie zabić, musisz strzelić mi w plecy. – Odwraca się i zaczyna odchodzić.

– Jeśli wrócisz do obozu, zginiesz! – krzyczy Richard.

– Wolę zostać w buszu – odpowiada przez ramię Johnny.

– Będziemy czujni! Jeżeli zobaczymy cię gdzieś w pobliżu...

– Nie zobaczycie. Bardziej ufam zwierzętom. – Johnny milknie, odwraca się i patrzy na mnie. – Chodź ze mną, Millie. Proszę.

Sparaliżowana koniecznością dokonania wyboru, mierzę wzrokiem Richarda i Johnny'ego.

– Nie, zostań z nami – mówi Vivian. – Lada dzień wyślą po nas samolot.

– Zanim przyleci, będziecie martwi – odpowiada Johnny. Wyciąga do mnie rękę. – Zaopiekuję się tobą. Przysięgam. Nic ci się nie stanie. Błagam, Millie, zaufaj mi.

– Nie bądź szalona – wtrąca się Elliot. – Nie możesz mu ufać.

Przypominam sobie wszystko, co się wydarzyło. Pokiereszowane zwłoki Clarence'a i Isao. Nagłą i tajemniczą awarię ciężarówki. Węża w rozciętym namiocie Elliota. Zaledwie przed paroma dniami Johnny wyjawił mi, że jako chłopak kolekcjonował węże. Kto oprócz niego wie, jak złapać węża i jak się z nim obchodzić? To, co się stało, nie było pechowym zbiegiem okoliczności. Nie, mieliśmy wszyscy zginąć, i tylko Johnny mógł zrealizować taki plan.

Patrząc mi w oczy, odczytuje moje myśli i reaguje pełnym bólu spojrzeniem, jakbym zadała mu śmiertelny cios. Stoi przez chwilę zrozpaczony, z opadniętymi ramionami i zbolałą twarzą.

– Zrobiłbym dla ciebie wszystko – mówi do mnie cicho. Po chwili, kręcąc głową, odwraca się i odchodzi.

Patrzymy wszyscy, jak znika w buszu.

□ □ □

– Myślicie, że wróci? – pyta Vivian.

Richard poklepuje leżącą obok niego strzelbę, z którą teraz się nie rozstaje.

– Jeśli spróbuje, będę na niego czekał.

Siedzimy wokół ogniska, z którego Elliot zrobił szalejące w ciemnościach piekło. Płomienie są zbyt wysokie i grzeją za mocno. Wcale nie jest nam z tym dobrze i tracimy bez sensu opał, ale rozumiem, dlaczego tak podsyca ogień. Odstrasza drapieżniki, które wciąż nas obserwują. Nie zauważyliśmy innego ogniska, więc gdzie podziewa się Johnny w tę czarną jak smoła noc? Jakich używa sztuczek, by pozostać przy życiu, gdy wszędzie czyhają kły i pazury?

– Będziemy pełnili wartę parami – oznajmia Richard. – Nikt nie powinien zostawać na zewnątrz sam. Zaczynają Elliot i Vivian. Sylvia i ja będziemy następni. W ten sposób przetrwamy noc. Jeśli zachowamy czujność, przeżyjemy do czasu, aż przyleci po nas samolot.

Odczuwam boleśnie fakt, że pominął mnie przy planowaniu wart. Rozumiem, dlaczego nie uwzględnił Keiko. Po tym, jak nieoczekiwanie powaliła Johnny'ego, znów zamilkła, ale teraz przynajmniej już je, kilka łyżeczek fasoli z puszki i garść krakersów. Ja jestem sprawna fizycznie i gotowa do pomocy, a jednak nikt nawet na mnie nie spojrzy.

– A co ze mną? – pytam. – Co ja mam robić?

– Poradzimy sobie, Millie. Ty nie musisz nic robić. – Ton głosu Richarda nie dopuszcza protestu, szczególnie ze strony kobiety, która odważyła się kiedyś stanąć po stronie Johnny'ego. Odchodzę bez słowa od ogniska i przekradam się do naszego namiotu. Tej nocy jestem znów z Richardem, ponieważ Keiko nie chce mnie już widzieć u siebie. Jestem pariasem, zdrajczynią, która może ją zasztyletować we śnie.

Gdy Richard wpełza godzinę później do namiotu, jeszcze nie śpię.

– Między nami wszystko skończone – oświadczam.

Nie próbuje dyskutować.

– Tak. Najwyraźniej.

– Więc którą wybierzesz? Sylvię czy Vivian?

– Czy to ma znaczenie?

– Nie, chyba nie. Wszystko sprowadza się do tego, żeby pieprzyć się z kimś nowym.

– A co z tobą i Johnnym? Przyznaj, że byłaś gotowa opuścić mnie i z nim odejść.

Odwracam się do Richarda, ale widzę tylko jego sylwetkę na tle brezentu oświetlonego łuną ogniska.

– Ale zostałam, prawda?

– Tylko dlatego, że mamy broń.

– I dzięki temu jesteś zwycięzcą, tak? Królem buszu?

– Walczę, kurwa, o nasze życie! Inni to rozumieją. Dlaczego ty nie potrafisz?

Wydaję długie, ciężkie westchnienie.

– Rozumiem, Richardzie. Wiem, że, twoim zdaniem, postępujesz właściwie. Chociaż nie masz pojęcia, co dalej robić.

– Bez względu na nasze problemy, Millie, musimy teraz trzymać się razem, bo inaczej nam się nie uda. Mamy broń i sprzęt. I przewagę liczebną. Ale nie mogę przewidzieć, co zrobi Johnny. Czy ucieknie po prostu do buszu, czy też wróci i spróbuje nas wykończyć. – Milknie na chwilę. – Jesteśmy w końcu świadkami.

– Czego? Nie widzieliśmy, żeby kogokolwiek zabił. Nie możemy mu niczego udowodnić.

– Więc niech zrobi to policja. Kiedy się stąd wydostaniemy.

Leżymy przez chwilę w milczeniu. Słyszę przez brezent, jak Elliot i Vivian rozmawiają przy ognisku, pełniąc straż. Do moich uszu dociera też przenikliwe brzęczenie owadów i daleki chichot hien. Zastanawiam się, czy Johnny jeszcze żyje, czy jego zwłoki są już rozszarpywane i pożerane.

Richard muska ręką moją dłoń. Powoli, ostrożnie, wplata w nią palce.

– Ludzie się zmieniają, Millie. Co nie znaczy, że straciliśmy te trzy lata.

– Cztery.

– Nie jesteśmy tacy sami jak wtedy, gdy się poznaliśmy. Życie biegnie naprzód i musimy zachowywać się jak dorośli. Pomyśleć, jak podzielić majątek, jak zawiadomić przyjaciół. Bez dramatyzowania.

Jemu o wiele łatwiej tak mówić. Ja pierwsza powiedziałam głośno, że wszystko między nami skończone, ale tak naprawdę to on mnie porzucił. Zdaję sobie teraz sprawę, że oddalaliśmy się od siebie od bardzo dawna. Afryka w końcu nam to uświadomiła, pokazała, jak bardzo do siebie nie pasujemy.

Być może byłam w nim kiedyś zakochana, ale teraz myślę, że nigdy go naprawdę nie lubiłam. A z pewnością nie lubię go w tej chwili, gdy mówi tak beznamiętnie o warunkach naszego rozstania. O tym, że powinnam poszukać sobie nowego mieszkania, gdy tylko wrócimy do Londynu. I czy siostra weźmie mnie do siebie, zanim znajdę coś odpowiedniego. I co z tymi wszystkimi rzeczami, które kupowaliśmy razem? Garnki mogę zabrać, ale płyty CD i sprzęt elektroniczny weźmie on, zgoda? I jak to dobrze, że nie mamy zwierząt, o które trzeba by się sprzeczać. Jakże inaczej było tamtej nocy, gdy siedzieliśmy przytuleni na kanapie, planując tę wyprawę do Botswany. Wyobrażałam sobie rozgwieżdżone niebo i drinki przy ognisku, a nie te wykalkulowane warunki separacji.

Przewracam się na bok, plecami do niego.

– W porządku – mówi. – Porozmawiamy o tym później. Jak cywilizowani ludzie.

– Jasne – mruczę. – Cywilizowani.

– Teraz muszę trochę się przespać. Za cztery godziny mam wartę.

To są ostatnie słowa, które do mnie powiedział.

▫ ▫ ▫

Budzę się w ciemnościach i przez chwilę nie mogę się zorientować, w którym jestem namiocie. Nagle przeszywa mnie ból, gdy wszystko sobie przypominam. Moje zerwanie z Richardem. Perspektywa samotnych dni. W namiocie jest tak ciemno, że nie potrafię stwierdzić, czy leży obok mnie. Wyciągam rękę, ale trafiam w pustkę. To moja przyszłość; muszę się przyzwyczaić do samotności w łóżku.

Słyszę trzask gałązki, gdy ktoś – lub coś – przechodzi obok namiotu.

Wytężam wzrok, by dostrzec cokolwiek przez brezent, ale jest tak ciemno, że nie widzę nawet śladu łuny ogniska. Kto pozwolił, by się wypaliło? Trzeba dołożyć drew, zanim całkiem wygaśnie. Wciągam spodnie i sięgam po buty. Po tym całym gadaniu o czujności i trzymaniu straży ci bezużyteczni kretyni nie potrafią zadbać nawet o podstawy naszego bezpieczeństwa.

Gdy rozsuwam zamek w namiocie, rozlega się pierwszy strzał.

Któraś z kobiet przeraźliwie krzyczy. Sylvia? Vivian? Nie potrafię powiedzieć. Słyszę tylko panikę w jej głosie.

– On ma broń! O Boże, on ma...

Szukam po omacku plecaka, w którym trzymam latarkę. Gdy chwytam ręką za pasek, słychać drugi strzał.

Wydostaję się z namiotu, ale widzę tylko cienie. Coś przemyka obok dogasającego ogniska. Johnny. Wrócił, żeby się zemścić.

Kiedy rozbrzmiewa trzeci strzał, rzucam się w kierunku mrocznego buszu i jestem niemal przy drucie okalającym teren obozu, gdy potykam się o coś i padam na kolana. Wyczuwam dotykiem ciepłe ciało i długie splątane włosy. I krew. To jedna z blondynek.

Natychmiast zrywam się na nogi i pędzę na oślep w mrok. Rozlega się dźwięk dzwonków, gdy zahaczam butem o drut.

Następny pocisk przelatuje mi ze świstem koło ucha.

Ale osłania mnie już ciemność i jestem dla Johnny'ego niewidocznym celem. Słyszę za sobą okrzyki przerażenia i ostatni ogłuszający strzał.

Nie mam wyboru. Zanurzam się samotnie w mrok.

Rozdział dziewiętnasty

BOSTON

– Zawsze udaje ważniaka. Mógłby przynajmniej być punktualny – zrzędził Crowe, spoglądając wilkiem na zegarek. – Powinien tu być dwadzieścia minut temu.

– Jestem pewna, że detektyw Tam nie spóźnia się bez powodu – powiedziała Maura. Gdy położyła prawą kość udową NN w odpowiedniej anatomicznie pozycji, nierdzewna stal blatu zadźwięczała złowieszczo. W zimnym blasku świateł prosektorium kości wyglądały sztucznie, jak plastikowe. Z młodej kobiety, pozbawionej skóry i ciała, pozostało tylko tyle: szkielet, na którym powinny trzymać się mięśnie. Docierające do kostnicy kościotrupy były często niekompletne – brakowało im kości dłoni i stóp, które tak łatwo padają łupem padlinożerców. Ale ta NN została zawinięta w brezent i pochowana dość głęboko, by ochronić ją przed pazurami, kłami i dziobami. Na jej ciele i wnętrznościach żerowały jedynie owady i mikroby, które ogołociły kości do czysta. Maura ułożyła szkielet na stole z precyzją stratega szykującego się do partii anatomicznych szachów.

– Wszyscy zakładają, że to geniusz, tylko dlatego, że jest Azjatą – utyskiwał dalej Crowe. – Nie jest aż tak bystry, jak mu się wydaje.

Maura nie miała ochoty wdawać się z nim w dyskusję – w ogóle nie chciała z nim rozmawiać. Kiedy zaczynał rozprawiać na temat niekompetencji innych, dotyczyło to zwykle adwokatów albo sędziów. Czuła się szczególnie niezręcznie, że tym razem czepiał się swojego partnera, Tama.

– W dodatku jest podstępny. Zauważyła pani? Knuje coś za moimi plecami – powiedział Crowe. – Zauważyłem wczoraj na jego laptopie jakiś dokument i zapytałem, co to jest. A on natychmiast zamknął plik i oznajmił, że to dochodzenie, które prowadzi na własną rękę.

Maura dopasowała lewą kość strzałkową do odpowiadającej jej piszczeli i ułożyła je obok siebie jak tory kolejowe.

– Widziałem, że miał na ekranie plik z VICAP. Nie prosiłem ich o żadne informacje. Co on, do cholery, próbuje przede mną ukryć? W co gra?

Nie podniosła wzroku znad kości.

– Prośba o dane z VICAP to nic nielegalnego.

– W tajemnicy przed partnerem? Mówię pani, że on coś kręci. I to odciąga go od naszej sprawy.

– A może jej dotyczy.

– Więc po co się z tym kryje? Żeby w odpowiednim momencie zrobić na wszystkich wrażenie? Niespodzianka, genialny detektyw Tam rozwiązuje zagadkę! Tak, chciałby narobić mi wstydu.

– Nie posądzam go o to.

– Jeszcze go pani nie zna, pani doktor.

Ale znam ciebie, pomyślała Maura. Monolog Crowe'a był klasycznym przykładem projekcji. Sam za wszelką cenę chciał być w centrum uwagi. Koledzy nazywali go Hollywodzkim Gliną. Wystarczyło, by gdzieś w pobliżu znalazła się ekipa wiadomości telewizyjnych, a on już tam był, opalony, w garniturze i gotowy do udzielania wywiadów. Gdy Maura kładła na stole ostatnią kość, znów trzymał przy uchu komórkę, wkurzonym głosem przekazując Tamowi kolejną wiadomość na pocztę głosową. O ile prościej było mieć do czynienia z milczeniem umarłych. Gdy NN czekała cierpliwie na stole, Crowe przechadzał się po pokoju, emanując toksyczną chmurę wrogości.

– Chce pan posłuchać o szczątkach NN? Czy woli pan zaczekać na mój pisemny raport? – spytała, mając nadzieję, że wybierze tę drugą opcję i zostawi ją w spokoju.

Wetknął komórkę do kieszeni.

– Tak, tak, słucham. Co my tu mamy?

– Na szczęście zachował się kompletny szkielet, więc nie musimy niczego się domyślać. Ta kobieta miała od osiemnastu do trzydziestu pięciu lat. Na podstawie długości kości udowej szacuję jej wzrost na metr pięćdziesiąt pięć, sześćdziesiąt. Rekonstrukcja twarzy da nam pojęcie, jak wyglądała, ale jeśli spojrzy się na jej czaszkę... – Podniosła ją i przyjrzała się kościom nosowym, a potem odwróciła, by popatrzeć na górne zęby. – Wąska jama nosowa, wysoki korzeń nosa. Gładkie siekacze. Typowe cechy rasy białej.

– Biała kobieta.

– Tak, która miała dobrego dentystę. Wszystkie cztery

zęby mądrości zostały usunięte i nie ma śladów próchnicy. Uzębienie idealnie równe.

– Bogata biała kobieta. Nie z Anglii.

– Proszę mi wierzyć, że Anglicy odkryli już ortodoncję. – Starając się zignorować jego drażniące uwagi, skupiła uwagę na żebrach. Raz jeszcze przyciągnęło jej wzrok nacięcie na wyrostku mieczykowatym. Nie potrafiła sobie wyobrazić, by taką rysę na mostku mogło spowodować coś innego niż ostrze noża. Przy rozcinaniu brzucha właśnie tam musiało trafić, w kość chroniącą serce i płuca.

– Może to ślad po ranie kłutej – zasugerował Crowe. – Może mierzył w serce.

– Przypuszczam, że to możliwe.

– Nadal pani myśli, że została pozbawiona wnętrzności? Jak Leon Gott?

– Uważam, że trzeba rozważyć wszelkie teorie.

– Określi pani lepiej czas zgonu?

– Lepiej się nie da. Co najwyżej dokładniej.

– Nieważne.

– Jak powiedziałam panu w miejscu znalezienia ciała, pełne zeszkieletowanie zwłok może trwać miesiące lub lata, zależnie od głębokości pochówku. Wszelkie szacunki będą tu nieprecyzyjne, ale zważywszy na widoczny zanik stawów, powiedziałabym... – Zamilkła, koncentrując nagle uwagę na jednym z żeber. Nie zauważyła tego szczegółu tam, gdzie odkopano ciało, a nawet teraz, w jaskrawym świetle prosektorium, ślady były ledwo widoczne. Trzy równoległe zadrapania z tyłu żebra. Takie same jak na czaszce kobiety. Zrobione tym samym narzędziem.

Otworzyły się drzwi kostnicy i wszedł detektyw Tam.

– Czterdzieści pięć minut spóźnienia – burknął Crowe. – Po co się pan w ogóle fatygował?

Tam rzucił tylko okiem na partnera, skupiając uwagę na Maurze.

– Mam dla pani odpowiedź, doktor Isles – oznajmił, wręczając jej skoroszyt.

– Co, pracuje pan teraz dla Biura Lekarza Sądowego? – spytał Crowe.

– Doktor Isles poprosiła mnie o przysługę.

– Zabawne, że mi pan o tym nie wspomniał.

Maura otworzyła teczkę i spojrzała na pierwszą kartkę. Potem przejrzała kolejne.

– Nie lubię sekretów, Tam – rzucił Crowe. – I naprawdę nie znoszę partnerów, którzy coś przede mną ukrywają.

– Powiedział pan o tym detektyw Rizzoli? – przerwała mu nagle Maura, patrząc na Tama.

– Jeszcze nie.

– Lepiej od razu do niej zadzwońmy.

– Po co angażujecie w to Rizzoli? – spytał Crowe.

Maura spojrzała na leżące na stole kości.

– Ponieważ pan i detektyw Rizzoli będziecie wspólnie pracowali nad tą sprawą.

□ □ □

Jak na policjanta, który trafił do wydziału zabójstw dopiero przed miesiącem, Johnny Tam surfował z prędkością błyskawicy po internetowych stronach programu do wykrywania brutalnych przestępstw, zwanego w skrócie VICAP. Kilkoma szybkimi uderzeniami w klawisze zalogował się do policyjnego portalu, który dawał mu dostęp do bazy danych FBI, zawierającej informacje na temat ponad 150 000 przypadków zbrodni na terenie całego kraju.

– Wypełnianie tych raportów kosztuje sporo wysiłku – rzekł Tam. – Nikomu się nie chce odpowiadać na dwieście pytań i pisać wypracowania, żeby dodać swój przypadek do bazy danych. Jestem więc pewien, że to niekompletna lista. Ale i tak budzi przerażenie. – Odwrócił laptop, by wszyscy siedzący przy stole konferencyjnym widzieli ekran. – Oto wyniki wstępnych poszukiwań, oparte na założonych przeze mnie kryteriach. Wszystkie te przypadki miały miejsce w ciągu ostatniej dekady. Znajdziecie państwo ich opisy w teczkach, które dostaliście.

Siedząc przy końcu stołu konferencyjnego, Maura przyglądała się, jak Jane, Frost i Crowe przerzucają pliki kartek, które rozdał im Tam. Przez zamknięte drzwi słyszała śmiech na korytarzu i gong windy, ale w tym pomieszczeniu ciszę zakłócał tylko szelest papieru i sceptyczne pochrząkiwania. Rzadko brała udział w policyjnych naradach, lecz tego ranka Tam poprosił ją, by dołączyła do nich jako konsultantka. Jej miejsce było w prosektorium, gdzie zmarli nie dyskutują, i czuła się niezręcznie w gronie ludzi, którzy ciągle się ze sobą nie zgadzali.

Crowe rzucił kartkę na plik papierów.

– Więc, pana zdaniem, wszystkie te zbrodnie popełnił w całym kraju jeden sprawca? I chce go pan wyśledzić, siedząc przy biurku i grając w bingo z pomocą VICAP?

– Pierwsza lista to tylko punkt wyjścia – wyjaśnił Tam. – Dostarczyła mi wstępnych danych.

– Ma pan tu zabójstwa w ośmiu stanach! Trzy kobiety, ośmiu mężczyzn. Dziewięć osób rasy białej, jeden Latynos, jeden Murzyn. Wiek od dwudziestu do sześćdziesięciu czterech lat. Co, do cholery, łączy te ofiary?

– Wie pan, jak niechętnie zgadzam się z Crowe'em – odezwała się Jane. – Ale ma rację. Ofiary zbyt wiele różni. Jeśli to ten sam sprawca, dlaczego wybrał te konkretne osoby? Nie widzę, by miały ze sobą coś wspólnego.

– Ponieważ wspólnym mianownikiem, od którego zaczęliśmy, był szczegół, który doktor Isles zauważyła przy szczątkach NN: pomarańczowa nylonowa linka, przewiązana wokół kostek. Podobnie jak u Gotta.

– Już z nią o tym rozmawiałam – oznajmiła Jane. – Moim zdaniem, to za słaby dowód.

Maura zwróciła uwagę, że przyjaciółka, mówiąc te słowa, nie patrzy na nią. Jest na mnie zła? – zastanawiała się. Myśli, że nie powinnam odgrywać policjantki, skoro moje miejsce jest w prosektorium, ze skalpelem w ręce?

– Tylko to łączy tych kilkanaście zabójstw? To, że ofiary związano linką? – spytał Crowe.

– W obu przypadkach użyto takiej samej plecionej nylonowej linki o grubości pół centymetra, pomarańczowego koloru – powiedział Tam.

– Dostępnej w każdym sklepie żelaznym w całym kraju – prychnął Crowe. – Do diabła, może sam mam nawet taką w swoim garażu.

– Nylonowa linka nie była moim jedynym kryterium

poszukiwań – wyjaśnił Tam. – Wszystkie ofiary zostały powieszone do góry nogami. Jedne na drzewach, inne na krokwiach.

– To nadal za mało, by przypisać je jednemu sprawcy – odparł Crowe.

– Proszę pozwolić mu skończyć, detektywie Crowe – wtrąciła się Maura. Dotąd milczała, ale nie mogła już dłużej trzymać języka za zębami. – Może pan zrozumie, do czego zmierzamy. Naprawdę może istnieć związek między naszymi dwiema sprawami i innymi zabójstwami na terenie kraju.

– A pani i Tam wyciągniecie królika z kapelusza. – Crowe wyjął z teczki plik kartek i rozłożył je na stole. – Okay, zobaczmy, co odkryliście. Ofiara numer jeden, pięćdziesięcioletni biały prawnik z Sacramento. Sześć lat temu znaleziono go powieszonego za nogi w garażu, ze skrępowanymi nadgarstkami i kostkami i z podciętym gardłem.

Ofiara numer dwa, dwudziestodwuletni Latynos, kierowca ciężarówki, powieszony do góry nogami w Phoenix w Arizonie. Związane dłonie i stopy, ślady oparzeń i cięć na całym torsie, odcięte genitalia. Uuu. Miło. Niech zgadnę: kartel narkotykowy.

Ofiara numer trzy, trzydziestodwuletni biały mężczyzna, karany za drobne kradzieże, powieszony za nogi na drzewie w Maine. Miał rozcięty brzuch i usunięte narządy wewnętrzne. Ups, tutaj sprawcę już znamy. Wydano nakaz aresztowania jego kumpla. Więc skreślcie go z listy. – Podniósł wzrok. – Czy mam kontynuować, doktor Isles?

– Chodzi o coś więcej niż związane linką kostki.

– Tak, wiem. Są jeszcze te trzy nacięcia, zrobione nożem

lub nie. Marginalny szczegół. Może Tam będzie panią zabawiał, ale ja muszę zająć się swoją sprawą. Nadal mi pani nie powiedziała, kiedy zmarła NN.

– Podałam panu przybliżony czas zgonu.

– Tak, w przedziale od dwóch do dwudziestu lat. Naprawdę precyzyjnie.

– Detektywie Crowe, pański partner poświęcił tej analizie wiele godzin. Mógłby pan go przynajmniej wysłuchać.

– Okay. – Crowe rzucił pióro na blat. – Dalej, Tam. Niech pan nam powie, jaki związek z NN mają martwi ludzie z tej listy.

– Nie dotyczy to ich wszystkich – odparł Tam. Choć atmosfera w pokoju robiła się coraz bardziej nerwowa, wydawał się niewzruszony jak zawsze. – Pierwsza lista, którą pan widział, była tylko wstępnym wykazem przypadków, gdy sprawca używał linki i wieszał ofiarę do góry nogami. Potem podałem jako kluczowy termin „usunięcie wnętrzności", ponieważ wiemy, że wycięto je Gottowi. A doktor Isles, wnioskując z nacięcia na jej mostku, podejrzewa, że również NN. VICAP dostarczył nam kilku dodatkowych nazwisk, ofiar, których nie powieszono, a tylko usunięto im wnętrzności.

Jane spojrzała na Frosta.

– Nie co dzień słyszy się takie stwierdzenie. Usunięto im tylko wnętrzności.

– Gdy czytałem o tych przypadkach – ciągnął Tam – szczególnie jeden zwrócił moją uwagę, sprzed czterech lat. Ofiarą była trzydziestopięcioletnia turystka z Nevady biwakująca z przyjaciółmi. Grupa składała się z dwóch kobiet i dwóch mężczyzn, ale odnaleziono tylko ją. Pozostali zaginęli. Badanie owadów wykazało, że nie żyła od trzech, czterech dni. Ponieważ zwłoki nie uległy jeszcze rozkładowi, lekarz sądowy zdołał ustalić, że usunięto z nich wnętrzności.

– Leżała trzy czy cztery dni pod gołym niebem i zostało z niej tyle, że można to było stwierdzić? – zdziwił się Crowe.

– Tak, ponieważ zwłoki nie znajdowały się na ziemi. Znaleziono je na drzewie, ułożone na gałęzi. Wycięto jej wnętrzności i wciągnięto ją na górę. Zastanawiałem się, czy właśnie ta kombinacja nie stanowi klucza do zagadki. Tak postąpiłby myśliwy z upolowaną dziką zwierzyną. Powiesiłby ją i wypatroszył. Pomyślałem natychmiast o powiązaniach Leona Gotta z polowaniami i myśliwymi. Wróciłem do bazy danych VICAP i zacząłem szukać od nowa. Tym razem niewyjaśnionych przypadków zabójstw w plenerze. Ofiar, które miały nacięcia na mostku albo inne ślady świadczące o wycięciu im wnętrzności. I wtedy natrafiłem na coś ciekawego. Nie na pojedynczą ofiarę, lecz kolejną zaginioną grupę, jak tych czworo turystów w Nevadzie. Trzy lata temu w Montanie zniknęło trzech mężczyzn polujących na jelenie. Szkielet jednego z nich znaleziono później na drzewie. Na szczękę drugiego – tylko szczękę – natrafiono po wielu miesiącach w pobliżu jaskini pumy. Zdaniem lekarza sądowego, myśliwych mógł zaatakować niedźwiedź albo puma, ale niedźwiedź nie zaciągnąłby ciała na drzewo. Koroner doszedł więc do wniosku, że to była puma. Chociaż nie jestem pewien, czy pumy postępują tak ze swoim łupem.

– Powiedział pan, że to byli myśliwi, więc mieli broń –

zauważył Frost. – Jak zabójca dałby radę trzem uzbrojonym mężczyznom?

– Dobre pytanie. Jednej strzelby nigdy nie znaleziono. Dwie pozostałe były nadal w namiotach. Ktoś musiał ich zaskoczyć.

Jane wydawała się dotąd sceptyczna, ale teraz pochyliła się nad stołem, patrząc z uwagą na Tama.

– Niech mi pan powie coś więcej na temat tej turystki z Nevady. Jaką przyczynę zgonu stwierdził lekarz sądowy?

– Rozważano również możliwość ataku pumy. Ale tam było czworo turystów, w tym dwóch mężczyzn. Przyczyny śmierci nie określono.

– Czy puma mogła zabić cztery dorosłe osoby?

– Nie wiem – odparł Tam. – Musielibyśmy zapytać specjalistę od wielkich kotów. Nawet gdyby puma zabiła całą czwórkę, jest pewien szczegół, który zaniepokoił lekarza sądowego. Z tego powodu włączono ten przypadek do bazy danych VICAP.

– Nacięcie na mostku?

– Właśnie. I trzy łuski po pociskach. Znaleziono je w pobliżu, na ziemi. Turyści nie mieli broni, ale najwyraźniej ktoś w okolicy miał. – Tam spojrzał na trójkę siedzących wokół stołu detektywów. – Zacząłem poszukiwania od nylonowej linki, a skończyłem na zupełnie innym zestawie wspólnych mianowników. Usunięte wnętrzności. Zwłoki na drzewie. I rejony, w których można znaleźć myśliwych.

– Co z tym złodziejaszkiem z Maine, który wisiał na gałęzi z rozciętym brzuchem? – spytał Frost. – Mówił pan, że mają podejrzanego w tej sprawie.

Tam skinął głową.

– Nazywa się Nick Thibodeau, był kumplem ofiary. Biały mężczyzna, metr osiemdziesiąt pięć wzrostu, sto kilo wagi. Skazywany już za włamania, kradzieże i napad z pobiciem.

– A więc jest brutalny.

– Zdecydowanie. A poza tym z pasją poluje na jelenie. – Tam odwrócił laptop, by pokazać im zdjęcie młodego człowieka o krótko przystrzyżonych włosach i śmiałym spojrzeniu. Stał obok swej zdobyczy, częściowo oprawionego jelenia, powieszonego na gałęzi za tylne nogi. Choć Nick Thibodeau miał na sobie obszerny myśliwski strój, widać było wyraźnie, że jest muskularnym i silnym mężczyzną o grubym karku i umięśnionych rękach.

– To zdjęcie zrobiono jakieś sześć lat temu, więc wygląda teraz nieco starzej – rzekł Tam. – Wychował się w Maine, zna dzikie tereny i potrafi posługiwać się bronią. Sądząc z tej fotografii, umie również oprawić jelenia.

– I być może inne duże zwierzęta – dodała Maura. – Mamy tu wspólny mianownik: polowanie. Może Thibodeau znudziły się jelenie. Może zabijanie ludzi tak go podniecało, że postanowił polować na zdobycz, która stanowiła większe wyzwanie. Zwróćmy uwagę na czas tych zabójstw. Pięć lat temu zostaje zabity, powieszony i pozbawiony wnętrzności kumpel Thibodeau. On sam znika. Rok później zostaje zaatakowana w Nevadzie czwórka nieuzbrojonych turystów. A w kolejnym roku trzej uzbrojeni myśliwi w Montanie. Zabójca podnosi stawkę, szuka coraz bardziej ekscytujących wyzwań. I być może większego ryzyka.

– Leon Gott stanowiłby również ambitne wyzwanie –

przyznał Frost. – Był uzbrojony po zęby i dobrze znany w środowisku myśliwych. Zabójca musiał o nim słyszeć.

– Ale po co taki łowca miałby atakować NN? – spytał Crowe. – Kobietę? Co to za wyzwanie?

Jane prychnęła pogardliwie.

– Jasne, jesteśmy przecież takimi słabymi, bezbronnymi istotami. Skąd pan wie, może ona też polowała.

– Nie zapominajcie o Jodi Underwood. Kolejna kobieta – wtrącił Frost. – A jej zabójstwo prawdopodobnie ma związek ze śmiercią Gotta.

– Moim zdaniem, powinniśmy się skupić na NN – powiedział Tam. – Jeśli zginęła ponad sześć lat temu, mogła być jedną z pierwszych ofiar. Jej identyfikacja może stanowić klucz do wyjaśnienia tej sprawy.

Jane zamknęła teczkę i wpatrywała się w Tama.

– Zdaje się, że tworzy pan z Maurą zgrany duet. Od kiedy?

– Odkąd poprosiła mnie, żebym poszukał w VICAP podobnych przypadków – odparł Tam. – Od tego się zaczęło.

Jane spojrzała na przyjaciółkę.

– Mogłaś do mnie zadzwonić.

– Mogłam – przyznała Maura. – Ale kierowałam się tylko przeczuciem. Więc nie chciałam zabierać ci czasu. – Wstała, zbierając się do wyjścia. – Dziękuję, detektywie Tam. Wszystko pan powiedział i nie muszę niczego dodawać. Wrócę więc do prosektorium. – Bo tam naprawdę jest moje miejsce, między posłusznymi zmarłymi, pomyślała, opuszczając salę konferencyjną.

Kiedy weszła do windy, Jane wślizgnęła się za nią.

– Pogadajmy – rzuciła, gdy zasunęły się drzwi, uniemożliwiając Maurze uniknięcie rozmowy. – Dlaczego zwróciłaś się do Tama?

Maura wpatrywała się w tablicę, na której zmieniały się światełka, w miarę jak winda mijała kolejne piętra.

– Był gotów mi pomóc.

– A ja nie?

– Nie zgadzałaś się z moją opinią, że te przypadki są do siebie podobne.

– Czy prosiłaś mnie konkretnie o przeszukanie bazy danych?

– Tam tak czy inaczej sporządzał raport do VICAP na temat NN. Jest nowy w wydziale zabójstw i chce się wykazać. Był otwarty na moje sugestie.

– A ja jestem tylko zblazowaną cyniczką.

– Jesteś sceptyczką, Jane. Musiałabym cię namawiać, żebyś mi pomogła, a to byłby zbyt duży wysiłek.

– Zbyt duży wysiłek? Dla przyjaciółki?

– Nawet dla przyjaciółki – odparła Maura, wychodząc z windy.

Jane nie dała się zbyć i dotrzymywała jej kroku, gdy Maura skierowała się z budynku na podziemny parking.

– Nadal jesteś zła, że się z tobą nie zgadzałam.

– Wcale nie.

– Owszem, bo inaczej poprosiłabyś mnie, a nie Tama.

– Nie chciałaś dostrzec podobieństw między zabójstwami Gotta i NN, ale one istnieją. Czuję to.

– Czujesz? Odkąd to zaczęłaś kierować się przeczuciami zamiast dowodami?

– Sama mówisz stale o intuicji.

– Ale ty nie. Zawsze liczyły się dla ciebie tylko fakty i logika, więc co się zmieniło?

Maura zatrzymała się przy swoim samochodzie, ale nie otworzyła go. Stała obok drzwi, patrząc na swe odbicie w szybie.

– Ona znów do mnie napisała – powiedziała. – Moja matka.

Zaległo długie milczenie.

– A ty nie wyrzuciłaś jej listu?

– Nie mogłam, Jane. Są rzeczy, których muszę się dowiedzieć, zanim umrze. Dlaczego mnie zostawiła. Kim naprawdę jestem.

– Wiesz, kim jesteś, i to nie ma z nią nic wspólnego.

– Skąd ta pewność? – Maura zrobiła krok w kierunku przyjaciółki. – Może dostrzegasz tylko to, na co ci pozwalam. Może ukrywam prawdę.

– Co? Że niby jesteś takim potworem jak ona? – spytała Jane, a kiedy Maura podeszła tak blisko, że stały twarzą w twarz, tylko się roześmiała. – Jesteś najmniej przerażającą osobą, jaką znam. No, może z wyjątkiem Frosta. Amalthea jest wariatką, ale nie odziedziczyłaś tego po niej.

– Ale jedno odziedziczyłam. Obie widzimy ciemność. Tam gdzie wszyscy dostrzegają tylko promienie słońca, my zauważamy mroczną stronę życia. Dziecko z siniakami, żonę, która boi się mówić. Dom z zaciągniętymi zawsze zasłonami. Amalthea nazywała to darem rozpoznawania zła. – Maura wyjęła z torebki kopertę i podała ją przyjaciółce.

– Co to jest?

– Wycinki z gazet, które ona zbiera. Kolekcjonuje wszystko, co piszą na mój temat, i śledzi sprawy, nad którymi pracuję.

– Także dochodzenie dotyczące Gotta i NN.

– Oczywiście.

– Teraz wiem, o co chodzi. Amalthea Lank mówi ci, że jakieś sprawy mają ze sobą związek, a ty jej wierzysz. – Jane pokręciła głową. – Czy nie ostrzegałam cię przed nią? Ona tobą manipuluje.

– Widzi rzeczy, których inni nie dostrzegają. Zauważa wskazówki zagubione wśród szczegółów.

– Jak to możliwe? Przecież nie ma dostępu do informacji.

– Nawet w więzieniu dowiaduje się różnych rzeczy. Ludzie rozmawiają z nią, piszą do niej albo przysyłają jej wycinki z prasy. Kojarzy fakty i w tym przypadku miała rację.

– Tak. Gdyby nie była zabójczynią, zostałaby znakomitym kryminologiem.

– Niewykluczone. W końcu to moja matka.

Jane uniosła obie ręce w poddańczym geście.

– Okay. Skoro wierzysz w jej moc, nic na to nie poradzę. Ale wiem, kiedy popełniasz błąd.

– I zawsze lubisz mi to wytknąć.

– Kto inny ci to powie? Od tego są przyjaciółki, Mauro. Próbuję cię powstrzymać, zanim znów spieprzysz sobie życie.

Znów. Maura nie znajdowała odpowiedzi i patrzyła na Jane w milczeniu, przybita prawdą jej słów. Znów. Przypomniała sobie, ile razy przyjaciółka próbowała ją odwieść od popełnienia błędu, z którego powodu, jeszcze tyle miesięcy później, nadal cierpiała. Gdy Maura zbliżała się coraz bardziej do ojca Daniela Brophy'ego, wdając się w romans, który nie mógł mieć szczęśliwego zakończenia, Jane była głosem rozsądku, ostrzegającym ją, że będzie miała złamane serce. Głosem, który Maura zignorowała.

– Proszę – powiedziała cicho Jane. – Po prostu nie chcę, żeby spotkała cię krzywda. – Uścisnęła mocno jej ramię. – Jesteś przecież bystrą dziewczyną.

– Ale nie znam się na ludziach.

Jane zaśmiała się.

– Ludzie to spory problem, prawda?

– Może powinnam skupić się na kotach. – Maura otworzyła drzwi samochodu i wsunęła się do środka. – Z nimi wiadomo przynajmniej dokładnie, na czym się stoi.

Rozdział dwudziesty

Większości ludzi Maine kojarzy się z homarami, łosiami i czarnymi jagodami, ale Jane miała o tym stanie o wiele bardziej ponure wyobrażenia. Myślała o mrocznych lasach, złowrogich trzęsawiskach i ukrytych miejscach, gdzie człowiek może zniknąć bez śladu. Pamiętała swój poprzedni wyjazd z Frostem na północ, zaledwie pięć miesięcy temu, w noc, która zakończyła się krwawo. Dla niej stan Maine nie był krainą wakacji, lecz miejscem, w którym wydarzały się złe rzeczy.

Przed pięciu laty coś złego przydarzyło się tam złodziejaszkowi o nazwisku Brandon Tyrone.

Gdy Frost prowadził samochód na północ Coastal Route 1, krople deszczu zmieniły się w igiełki lodu. Mimo włączonego ogrzewania Jane miała zmarznięte stopy i żałowała, że nie włożyła rano kozaków, zamiast półbutów na płaskich obcasach, które miała na nogach. Choć przyznawała to z niechęcią, lato już się skończyło. Wystarczyło spojrzeć za szybę samochodu na drzewa bez liści i stalowe niebo, by stwierdzić, że zaczęła się najbardziej ponura pora roku. Wydawało się, że jadą w sam środek zimy.

Frost zwolnił, gdy mijali dwóch myśliwych w jaskrawopomarańczowych kamizelkach, taszczących oprawioną sarnę do zaparkowanego pick-upa. Pokręcił smętnie głową.

– Mamusia jelonka Bambi.

– Jest listopad. Pora polowań.

– Przy tej kanonadzie strzelb boję się przekroczyć granicę stanu. Bang! Ustrzelony kolejny jeleń!

– Polowałeś kiedyś?

– Nigdy nie miałem ochoty.

– Z powodu mamusi Bambi?

– Nie jestem przeciwnikiem polowań. Po prostu mnie to nie bawi. Taszczyć strzelbę do lasu, odmrażać sobie tyłek, a potem... – Wzdrygnął się.

– Oprawiać jelenia? – Zaśmiała się. – Nie, nie widzę ciebie w tej roli.

– A ty byś potrafiła?

– Gdybym musiała... Stąd bierze się mięso.

– Nie, mięso kupuje się w supermarkecie, opakowane w folię. Nie wymaga patroszenia.

Za szybami samochodu kapały z nagich gałęzi krople lodowatej wody, a na horyzoncie wisiały ciemne chmury. Pogoda nie sprzyjała wycieczkom do lasu, kiedy więc dwie godziny później dotarli w końcu na parking u wylotu szlaku turystycznego, Jane nie była zaskoczona, nie widząc tam innych samochodów. Siedzieli przez chwilę w aucie, wpatrując się w mroczny las i zaśmiecone liśćmi drewniane stoły.

– Cóż, to tutaj. Więc gdzie on jest? – spytała.

– Spóźnia się tylko dziesięć minut. – Frost wyciągnął telefon komórkowy. – Nie ma sygnału. Jak się z nim skontaktujemy?

Pchnęła drzwi samochodu.

– Nie mogę czekać. Przejdę się po lesie.

– Jesteś pewna, że chcesz tam iść? W trakcie sezonu łowieckiego?

Wskazała na przybitą do pobliskiego drzewa tabliczkę z napisem ZAKAZ POLOWAŃ.

– W tym rejonie powinno być bezpiecznie.

– Myślę, że trzeba zaczekać na niego w samochodzie.

– Nie, naprawdę nie mogę. Muszę się wysikać. – Wysiadła i ruszyła w kierunku lasu. Przez cienkie spodnie poczuła lodowaty podmuch wiatru i pęcherz zabolał ją z zimna. Weszła między drzewa, ale listopad ogołocił je z liści i przez ich nagie konary widziała nadal samochód. Było tak cicho, że każdy trzask gałązki brzmiał jak głośna eksplozja. Przykucnąwszy za kępą wiecznie zielonych zarośli, z nadzieją, że nikt nie będzie tamtędy przechodził i nie zobaczy jej gołego tyłka, rozpięła spodnie.

W tym momencie rozległ się strzał.

Zanim zerwała się na równe nogi, usłyszała wołanie Frosta. Biegł ku niej po leśnym poszyciu. Nagle zobaczyła go przed sobą. Nie był sam. Kilka kroków za nim stał muskularny mężczyzna, który przyglądał jej się z rozbawieniem, gdy zapinała spodnie.

– Usłyszeliśmy strzał – powiedział Frost, czerwieniejąc na twarzy i szybko odwracając wzrok. – Przepraszam, nie miałem zamiaru...

– Nieważne – burknęła Jane, gdy zdołała w końcu zapiąć zamek. – Jest tu zakaz polowań. Kto, do cholery, strzela?

– To mogło być echo wystrzału z doliny – powiedział dobrze zbudowany mężczyzna. – A wy nie powinniście wchodzić do lasu bez pomarańczowych oznakowań. – Z pewnością trudno było nie zauważyć jaskrawej kamizelki, którą miał na parce. – Pani Rizzoli, jak się domyślam. – Zerknął na miejsce, gdzie kucała, i nie podał jej ręki.

– To detektyw Barber, policja stanowa z Maine – przedstawił go Frost.

Barber skinął lekko głową.

– Byłem zaskoczony, gdy wczoraj zadzwoniliście. Nie przypuszczałem, że Nick Thibodeau wyląduje w Bostonie.

– Nie twierdzimy, że tam jest – odparła Jane. – Chcemy tylko więcej się o nim dowiedzieć. Kim jest i czy może być facetem, którego szukamy.

– Chcieliście zobaczyć, gdzie znaleźliśmy przed pięciu laty ciało Tyrone'a. Pokażę wam.

Poprowadził ich, maszerując pewnie po leśnym poszyciu. Po kilku krokach Jane zahaczyła nogawką o kolczasty krzew i musiała przystanąć, by się od niego uwolnić. Gdy ponownie podniosła wzrok, jaskrawa plama była już daleko, za plątaniną nagich gałęzi.

W oddali zagrzmiał kolejny strzał. A ja jestem ubrana na czarno-brązowo i wyglądam jak niedźwiedź. Pospieszyła za Barberem, by jak najszybciej znaleźć się blisko zapewniającej bezpieczeństwo pomarańczowej kamizelki. Zanim go dogoniła, wyprowadził ich na wytyczoną ścieżkę.

– Ciało Tyrone'a znalazła para biwakowiczów z Wirginii – oznajmił Barber, nie fatygując się, by sprawdzić, czy Jane za nim nadąża. – Mieli ze sobą psa i to on doprowadził ich do zwłok.

– Tak, zwłoki w lesie zawsze są znajdowane przez psy – rzekł Frost, jakby był ekspertem w tych sprawach.

– Było późne lato i ciało zasłaniały liście drzew. Może poczuliby odór, gdyby wiatr powiał we właściwym kierunku. W lesie wciąż coś się rozkłada, więc można się spodziewać, że od czasu do czasu trafi się na zdechłe zwierzę. Ale nie na faceta z rozciętym brzuchem, powieszonego do góry nogami. – Skinął głową, wskazując ścieżkę. – Już docieramy na miejsce.

– Skąd pan wie? – spytała Jane. – Te wszystkie drzewa wyglądają podobnie.

– Poznaję po tym. – Pokazał umieszczoną przy ścieżce tabliczkę z napisem ZAKAZ POLOWAŃ. – Za tym znakiem trzeba wejść kilkadziesiąt kroków w głąb lasu.

– Sądzi pan, że usytuowanie tego miejsca ma znaczenie? Czy ta tabliczka to jakiś sygnał?

– Tak. To pokazanie władzom środkowego palca.

– A może sam napis zawiera jakieś przesłanie. Jedną z naszych ofiar w Bostonie był myśliwy i zastanawiamy się, czy zabójca nie kierował się motywami politycznymi.

Barber pokręcił głową.

– Więc szukacie niewłaściwego człowieka. Nick Thibodeau nie był obrońcą praw zwierząt. Lubił polować. – Zeszli ze ścieżki do lasu. – Pokażę wam to drzewo.

Z każdym krokiem robiło się coraz zimniej. Jane miała przemoknięte buty i zlodowaciałe stopy. Sięgające do łydki martwe liście ukrywały błotniste kałuże i zahaczające o kostki korzenie. Pięć lat temu, w ciepły sierpniowy dzień, zabójca musiał mieć dużo przyjemniejszy spacer przez ten las, choć mogły dokuczać mu komary. Czy Brandon Tyrone jeszcze żył, idąc dobrowolnie obok niego, nieświadom intencji swego towarzysza? Czy był już martwy i zabójca niósł go na ramionach jak wypatroszonego jelenia?

– To jest to drzewo – oznajmił Barber. – Zwisał głową w dół z tamtej gałęzi.

Jane spojrzała na konar, na którego gałęziach trzymało się jeszcze kilka drżących zeschniętych liści. Nic nie różniło tego dębu od innych drzew. Nic nie wskazywało na to, że przed pięciu laty wisiał na nim człowiek. Było to zwyczajne drzewo nieujawniające żadnych tajemnic.

– Zdaniem lekarza sądowego, Tyrone nie żył od dwóch dni – wyjaśnił Barber. – Ponieważ wisiał, miały do niego dostęp tylko ptaki i owady, więc zwłoki nie zostały rozszarpane. – Przerwał. – Z wyjątkiem wnętrzności, które zapewne natychmiast pożarły. – Wpatrywał się w gałąź, jakby Brandon Tyrone znajdował się nadal pod baldachimem zielonych liści. – Nie znaleźliśmy jego portfela ani odzieży. Prawdopodobnie zabójca pozbył się tych rzeczy, by ofiarę trudniej było zidentyfikować.

– Albo zatrzymał je jako trofeum – zasugerowała Jane. – Tak jak myśliwi zabierają skóry zwierząt, by przypominały im emocjonujące polowania.

– Nie, wątpię, że chodziło tu o jakiś rytuał. Nicko był po prostu pragmatyczny, jak zwykle.

Jane spojrzała na Barbera.

– Czyżby znał pan podejrzanego?

– Owszem. Dorastaliśmy w tym samym mieście, więc znam obu braci, jego i Eddiego.

– Na ile dobrze?

– Wystarczająco, by wiedzieć, że zawsze sprawiali kłopoty. Już w wieku dwunastu lat Nick kradł kolegom z kurtek drobne pieniądze. Jako czternastolatek włamywał się do samochodów, a jako szesnastolatek do domów. Brandon Tyrone, ofiara zabójstwa, był taki sam. On i Nick przyjechali tu razem i okradali namioty i samochody biwakowiczów. Po zabójstwie znaleźliśmy ukrytą w garażu Tyrone'a torbę ze skradzionymi rzeczami. Może dlatego się posprzeczali. W tej torbie było parę cennych przedmiotów. Aparaty fotograficzne, srebrna zapalniczka, portfel pełen kart kredytowych. Chyba pobili się o to, jak podzielić łupy, i Tyrone przegrał. Cholerny drań. Zasłużył na to.

– A gdzie, pańskim zdaniem, jest teraz Nick Thibodeau?

– Przypuszczałem, że wyniósł się na zachód. Może do Kalifornii. Nie sądziłem, że zostanie w Bostonie, ale może nie chce być za daleko od brata, Eddiego.

– Gdzie mieszka Eddie?

– Jakieś osiem kilometrów stąd. Przyciskaliśmy go na przesłuchaniu, ale dotąd nie chce nam powiedzieć, gdzie jest Nick.

– Nie chce powiedzieć? Czy nie wie?

– Przysięga, że nie wie. Ale ci bracia Thibodeau już tacy są, że występują solidarnie przeciwko całemu światu. Proszę pamiętać, że Maine leży na północnym krańcu Appalachów i niektóre rodziny cenią tam ponad wszystko lojalność. Stań po stronie brata bez względu na to, co zrobił. Myślę, że Eddie tak właśnie postąpił. Zaplanował, jak wydostać stąd Nicka i pomóc mu zniknąć.

– Na pięć lat?

– To nie takie trudne, jeśli brat pomaga. Dlatego nadal obserwuję Eddiego. Wiem, gdzie bywa i do kogo dzwoni. Ma mnie już dość, bo zdaje sobie sprawę, że mu nie odpuszczę. Że mam go na oku.

– Musimy pomówić z Eddiem Thibodeau – rzuciła Jane.

– Nie wydobędziecie z niego prawdy.

– Mimo wszystko chcielibyśmy spróbować.

Barber zerknął na zegarek.

– Okay, mam wolną godzinę. Możemy teraz do niego pojechać.

Jane i Frost spojrzeli na siebie.

– Może byłoby lepiej, gdybyśmy sami się z nim zobaczyli – powiedział Frost.

– Nie chcecie, żebym wam towarzyszył?

– Najwyraźniej się nie przyjaźnicie – zauważyła Jane. – W pana obecności będzie czuł się zagrożony.

– Rozumiem. Jestem złym gliniarzem, a wy chcecie odgrywać dobrych. Tak, to ma sens. – Spojrzał na pistolet u boku Jane. – Widzę, że jesteście oboje uzbrojeni. To dobrze.

– Dlaczego? Czy Eddie sprawia problemy? – spytał Frost.

– Jest nieprzewidywalny. Pamiętajcie, co Nick zrobił Tyrone'owi, i bądźcie czujni. Ci bracia są zdolni do wszystkiego.

□ □ □

W garażu Eddiego Thibodeau wisiał oprawiony jeleń z porożem o czterech odrostach. Pomieszczenie, zawalone narzędziami – oponami, kubłami na śmieci i sprzętem wędkarskim – wyglądałoby jak typowy garaż z amerykańskiego przedmieścia, gdyby nie to powieszone na haku pod sufitem zwierzę, z którego skapywała krew do kałuży na betonowej podłodze.

– Nie wiem, co jeszcze mogę powiedzieć o bracie. Policja już o wszystko mnie wypytała. – Eddie przytknął nóż do tylnej nogi jelenia, naciął ją wokół stawu, a potem rozkroił do pachwiny. Ze zręcznością człowieka, który oprawił już wiele zwierząt, chwycił obiema rękami skórę i ściągnął ją z wyraźnym wysiłkiem, odsłaniając purpurowe mięśnie i ścięgna pokryte srebrzystą błoną. W otwartym garażu było zimno i gdy przerwał, by zaczerpnąć tchu, wypuszczał z ust kłęby pary. Podobnie jak Nick, którego znali z fotografii, Eddie miał szerokie ramiona, ciemne oczy i kamienne rysy twarzy, ale w zakrwawionym kombinezonie, wełnianej czapce i ze szczeciniastym zarostem, przyprószonym już siwizną w dojrzałym wieku trzydziestu dziewięciu lat, przypominał niechlujną wersję brata.

– Gdy znaleźli Tyrone'a powieszonego na drzewie, policja stanowa zadręczała mnie ciągle tymi samymi pytaniami. Gdzie Nick się zaszył? Kto go ukrywa? Powtarzałem im, że się mylą. Że jemu też musiało się coś stać. Gdyby uciekł, nie zostawiłby swojej torby ewakuacyjnej.

– Jakiej torby? – spytał Frost.

– Proszę nie mówić, że pan o czymś takim nie słyszał. – Eddie uniósł brwi, przyglądając im się zza rozciętych tylnych nóg jelenia.

– Co to dokładnie jest?

– Torba, w której trzyma się rzeczy niezbędne do przeżycia. Na wypadek sytuacji awaryjnej. Gdyby doszło do jakiejś katastrofy, wybuchu bomby atomowej albo ataku terrorystycznego, ludzie w dużych miastach będą w trudnym położeniu. Brak władzy, powszechna panika. Dlatego potrzebna jest torba ewakuacyjna. – Eddie ściągnął kolejny fragment skóry i Frost cofnął się z odrazą, czując zapach świeżego krwistego mięsa.

Eddie spojrzał na niego z rozbawieniem.

– Nie lubi pan dziczyzny?

Detektyw popatrzył na lśniące mięso z pasemkami tłuszczu.

– Kiedyś spróbowałem.

– I nie smakowała panu?

– Nie bardzo.

– To znaczy, że nie została odpowiednio przyrządzona. Albo zwierzę niewłaściwie zabito. Żeby mięso było smaczne, jeleń musi zginąć szybko. Od jednej kuli, bez walki. Jeśli zostaje zraniony i trzeba go ścigać, mięso przesiąka jego strachem.

Frost patrzył na odsłonięte mięśnie, dzięki którym jeleń biegał kiedyś po polach i lasach.

– A jak smakuje strach?

– Jakby mięso było przypalone. Panika powoduje wydzielanie hormonów i daje się wyczuć, że zwierzę walczyło.

To rujnuje smak. – Odciął zręcznie z zadu kawałek mięsa wielkości pięści i rzucił go do miski z nierdzewnej stali. – Ten jeleń został zabity jak należy. Nie wiedział nawet, co go trafiło. Będzie z niego smakowity gulasz.

– Chodził pan na polowania z bratem? – spytała Jane.

– Od wczesnego dzieciństwa. – Odkroił kolejny kawałek mięsa. – Brakuje mi tego.

– Dobrze strzelał?

– Lepiej ode mnie. Miał pewną rękę, nigdy się nie spieszył.

– Więc poradziłby sobie w lesie.

Eddie obrzucił ją chłodnym spojrzeniem.

– Minęło pięć lat. Sądzi pani, że gdzieś się tam ukrywa, żyjąc jak jaskiniowiec?

– A pańskim zdaniem, gdzie on jest?

Eddie wrzucił nóż do wiadra i zaplamiona krwią woda prysnęła na beton.

– Szukacie niewłaściwego człowieka.

– A kto jest tym właściwym?

– Nie Nick. On nie morduje ludzi.

Jane wpatrywała się w martwe zwierzę, którego lewa noga była już oprawiona do kości.

– Kiedy znaleźli jego kumpla, Tyrone'a, miał wycięte wnętrzności i był powieszony jak ten jeleń.

– Więc?

– Nick był myśliwym.

– Ja też jestem, a nikogo nie zabiłem. Zdobywam tylko żywność dla swojej rodziny, co wam jest tak obce, że pewnie nigdy nie posługiwaliście się nawet nożem do odkrawania mięsa z kości. – Wyjął z wiadra opłukany nóż i podał go Jane. – Proszę spróbować, pani detektyw. No już, niech go pani weźmie. Odetnie pani kawałek mięsa i zobaczy, jak to jest upolować coś na obiad. A może boi się pani zaplamić ręce krwią?

Jane widziała w jego oczach pogardę. No nie, dziewczyna z miasta nigdy nie zabrudziłaby sobie rąk. Tylko tacy ludzie jak bracia Thibodeau polują, hodują zwierzęta i zabijają je, by mogła mieć stek na talerzu. Nawet jeśli gardziła takimi jak on, to Eddie odwzajemniał jej niechęć.

Wzięła nóż, podeszła do jelenia i wbiła ostrze głęboko, aż do kości. Gdy odkroiła kawał zimnego mięsa, poczuła woń tego, z czym zwierzę kiedyś obcowało: świeżej trawy, żołędzi i leśnego mchu. A także zapach krwi, dziki i metaliczny. Gdy mięso odeszło od kości, rzuciła do miski jego zbity purpurowy płat. Nie patrząc na Eddiego, zaczęła odcinać następną porcję.

– Jeśli Nick nie zabił swego kumpla Tyrone'a – znów zatopiła ostrze w mięsie – to kto, według pana, to zrobił?

– Nie wiem.

– Nick zachowywał się agresywnie.

– Nie był aniołem. Wdawał się w bijatyki.

– Z Tyrone'em także?

– Tylko raz.

– O ile panu wiadomo.

Eddie wziął do ręki drugi nóż i sięgnął w głąb tuszy, by odkroić polędwicę. Operował ostrzem tuż obok Jane, która spokojnie odcinała z udźca kolejny kawałek.

– Tyrone też nie był niewiniątkiem i obaj lubili wypić. – Eddie wydobył śliską jak węgorz, ociekającą krwią polędwicę i wrzucił ją do miski. Opłukał ostrze w wiadrze z lodowatą wodą. – To, że człowiek traci czasem nad sobą kontrolę, nie czyni z niego potwora.

– Może Nick nie tylko stracił kontrolę. Może ich kłótnia zakończyła się czymś o wiele gorszym niż bijatyka.

Eddie spojrzał jej w oczy.

– Po co zostawiałby Tyrone'a powieszonego na drzewie, w miejscu, gdzie każdy mógł go znaleźć? Nick nie jest głupi. Potrafi zacierać ślady. Gdyby zabił Tyrone'a, zaciągnąłby go do lasu i zakopał. Albo poćwiartował jego zwłoki i rzucił na żer zwierzętom. Tyrone'a zamordował jakiś psychopata. Nie mój brat. – Podszedł do warsztatu, aby naostrzyć nóż, i rozmowę przerwał świst osełki. Stalowa misa była teraz wypełniona po brzegi co najmniej dziesięcioma kilogramami mięsa, a pozostała jeszcze do oprawienia połowa tuszy. Za otwartymi drzwiami garażu mżył lodowaty deszcz. Przy tej pustej wiejskiej drodze stało niewiele domów i w ciągu ostatnich trzydziestu minut Jane nie widziała żadnych przejeżdżających samochodów. Byli na pustkowiu i przyglądali się, jak rozdrażniony mężczyzna ostrzy nóż.

– Czy pański brat często bywał w Bostonie? – spytała, przekrzykując świst osełki.

– Czasami. Niezbyt często.

– Wspominał kiedyś o niejakim Leonie Gotcie?

Eddie spojrzał na nią.

– A więc o to chodzi? O zabójstwo Gotta?

– Znał go pan?

– Nie osobiście, ale słyszałem o nim, jasne. Jak większość myśliwych. Nie mógłbym sobie pozwolić na zlecenie mu roboty, ale jeśli ktoś chciał mieć spreparowane trofeum, zgłaszał się do Gotta. – Eddie przerwał. – Czy dlatego tu przyjechaliście i pytacie o Nicka? Myślicie, że to on go zabił?

– Pytamy tylko, czy się znali.

– Czytaliśmy artykuły Gotta w czasopiśmie „Myśliwy". I oglądaliśmy w sklepie sieci Cabela's wypchane przez niego dzikie zwierzęta. Ale z tego, co wiem, Nick nigdy go nie spotkał.

– Był kiedyś w Montanie?

– Przed wielu laty. Pojechaliśmy tam obaj, żeby zobaczyć Yellowstone.

– Ile lat temu?

– Czy to ma znaczenie?

– Owszem.

Eddie odłożył nóż, który ostrzył, i powiedział cicho:

– Dlaczego pytacie o Montanę?

– Zabito również innych ludzi, panie Thibodeau.

– W taki sam sposób jak Tyrone'a?

– W podobny.

– Co to byli za ludzie?

– Myśliwi. Zginęli w Montanie trzy lata temu.

Eddie pokręcił głową.

– Mój brat zniknął przed pięciu laty.

– Ale był w Montanie. Zna ten stan.

– Byliśmy na pieprzonej wycieczce w Yellowstone!

– A co z Nevadą? – spytał Frost. – Był tam kiedykolwiek?

– Nie. A co, podejrzewacie, że w Nevadzie też kogoś zabił? – Eddie zmierzył wzrokiem detektywów, prychając z pogardą. – Chcecie przypisać Nickowi jeszcze jakieś zabójstwa? Nie może się bronić, więc zrzućcie na niego winę za wszystkie niewyjaśnione przypadki!

– Gdzie on jest, Eddie?

– Chciałbym wiedzieć! – Strącił ze złości na podłogę pustą misę, tak że uderzyła z brzękiem o beton. – Pieprzona policja powinna się wziąć do swojej pieprzonej roboty i wyjaśnić sprawę! A wy zamiast tego wypytujecie mnie o Nicka. Od pięciu lat nie mam z nim kontaktu. Gdy widziałem go po raz ostatni, pił na ganku z Tyrone'em. Targowali się o jakiś chłam, który zgarnęli na kempingu.

– Zgarnęli? – prychnęła Jane. – To znaczy ukradli?

– Nieważne. Ale to nie była bójka, okay? Po prostu... żywo dyskutowali. Potem pojechali do Tyrone'a. Wtedy widziałem ich po raz ostatni. Kilka dni później pojawiła się tu policja stanowa. Znaleźli pick-upa Nicka na leśnym parkingu. I zwłoki Tyrone'a. Ale Nick zniknął bez śladu. – Eddie opadł na ławę, jakby zbyt znużony, by dłużej stać, i odetchnął ciężko. – Tyle wiem. Tylko tyle.

– Powiedział pan, że pick-up Nicka stał na leśnym parkingu.

– Tak. Policja uznała, że uciekł do lasu. Że mieszka tam jak Rambo.

– Co, pańskim zdaniem, się wydarzyło?

Eddie milczał przez chwilę, spoglądając na swoje zgrubiałe dłonie i paznokcie zaplamione zakrzepłą krwią.

– Myślę, że mój brat nie żyje – odparł cicho. – Jego kości leżą gdzieś porozrzucane i po prostu jeszcze ich nie znaleźliśmy. Albo wisi na jakimś drzewie, jak Tyrone.

– A więc sądzi pan, że został zamordowany.

Eddie podniósł głowę i spojrzał jej w oczy.

– Myślę, że w tym lesie na kogoś się natknęli.

Rozdział dwudziesty pierwszy

BOTSWANA

Gdy wschodzi słońce, jestem sama w dziczy. Przez wiele godzin wędrowałam w ciemnościach i nie mam pojęcia, jak daleko odeszłam od obozowiska. Wiem tylko, że posuwam się w dół rzeki, bo przez całą noc słyszałam po lewej stronie jej plusk. Gdy niebo jaśnieje, zmieniając barwę z różowej na złotą, jestem tak spragniona, że padam na kolana nad brzegiem i piję wodę jak dzikie zwierzę. Jeszcze wczoraj nalegałabym, żeby ją najpierw przegotować i odkazić. Przejmowałabym się strasznymi mikrobami, które połykam, śmiercionośną dawką bakterii i pasożytów. Teraz to wszystko jest bez znaczenia, bo i tak umrę. Nabieram wody w dłonie i piję ją tak zachłannie, że spryskuje mi twarz i spływa po podbródku.

Kiedy w końcu ugaszam pragnienie, przykucam i spoglądam przez gęstwinę papirusów na drzewa i kołyszące się trawy po drugiej stronie rzeki. Dla istot, które zamieszkują ten zielony, obcy mi świat, jestem chodzącym źródłem pokarmu i gdziekolwiek spojrzę, widzę oczami wyobraźni kły czyhające tylko, by mnie pożreć. O wschodzie słońca zaczęły hałaśliwie świergotać ptaki. Patrząc w górę, widzę sępy, zataczające leniwie kręgi na niebie. Czy już wyznaczyły mnie sobie na następny posiłek? Spoglądam w górę rzeki, w kierunku obozu, i dostrzegam odciski stóp, które zostawiłam wzdłuż brzegu. Pamiętam, jak łatwo Johnny potrafił zauważyć nawet mało widoczne tropy zwierząt. Moje ślady będą dla niego wyraźne jak pulsujący neon. Teraz, kiedy jest już dzień, będzie mnie ścigał, bo nie może pozwolić, żebym przeżyła. Tylko ja wiem, co się wydarzyło.

Podnoszę się i uciekam dalej w dół rzeki.

Nie mogę się rozpraszać myśleniem o Richardzie i pozostałych. Muszę skupić się na tym, by pozostać przy życiu. Strach pcha mnie naprzód, w głąb dziczy. Nie mam pojęcia, dokąd płynie ta rzeka. Pamiętam z przewodnika, że rzeki i strumienie delty Okawango są zasilane opadami z gór Angoli. Cała ta woda, zalewająca corocznie bagna, na których rozkwita tak bujnie dzika przyroda, wsiąka w końcu w spieczoną pustynię Kalahari. Patrzę w niebo, by określić położenie słońca, które wznosi się właśnie nad wierzchołki drzew. Zmierzam na południe.

I jestem głodna.

Znajduję w plecaku sześć batoników PowerBar, po dwieście czterdzieści kalorii każdy. Pamiętam, jak wkładałam je do walizki w Londynie, na wypadek gdyby nie odpowiadało mi jedzenie w buszu, a Richard naśmiewał się z mojego subtelnego podniebienia. Pożeram natychmiast jeden batonik i zmuszam się z trudem, by zostawić pozostałych pięć na później. Jeśli zostanę w pobliżu rzeki, będę miała przynajmniej nieograniczone zapasy wody, choć z pewnością zawiera ona zarazki przeróżnych chorób, których nawet nie potrafię nazwać. Ale brzeg rzeki to niebezpieczna strefa, w której drapieżniki czyhają na ofiary, gdzie życie splata się ze śmiercią. Widzę u swoich stóp zwierzęcą czaszkę, wypłowiałą od słońca. Zginął tu jakiś jeleń. Na pomarszczonej powierzchni wody pojawiają się przenikliwe ślepia krokodyla. Lepiej nie przebywać w takim miejscu. Zapuszczam się w trawę i znajduję wydeptaną ścieżkę. Odciśnięte w ziemi ślady wskazują, że szły tędy słonie.

Gdy człowiek się boi, ma wyostrzone zmysły. Widzi i słyszy zbyt wiele. Przytłacza mnie lawina obrazów i dźwięków, z których każdy może stanowić jedyne ostrzeżenie przed śmiertelnym zagrożeniem. Muszę wszystkie natychmiast analizować. Ruch trawy? To tylko wiatr. Cień skrzydeł nad trzcinami? Bielik afrykański. Poszycie zaszeleściło pod nogami guźca. Wzdłuż horyzontu przesuwają się sylwetki płowych impali i ciemniejszych w kolorze afrykańskich bawołów. Wszędzie widzę żywe istoty, które fruwają, hałasują, pływają, jedzą. Piękne, głodne i niebezpieczne. A teraz dopadły mnie moskity i pożywiają się moją krwią. Bezcenne tabletki zostały w namiocie, mogę więc dodać malarię do listy różnych rodzajów śmierci, czyhającej w buszu, w którym może mnie rozszarpać lew, stratować bawół, utopić krokodyl albo zmiażdżyć hipopotam.

W miarę jak nasila się upał, moskity atakują coraz zaciekłej. Idąc, odganiam je bez przerwy, ale otaczają mnie chmurą, przed którą nie mogę uciec. W desperacji wracam nad rzekę, nabieram garściami błoto i nacieram nim twarz, szyję i ręce. Muł jest śliski i cuchnie gnijącymi roślinami, więc czuję mdłości, ale nakładam sobie grubą warstwę. Gdy się podnoszę, wyglądam jak pierwotna istota wyłaniająca się z bagien. Jak Adam.

Podążam dalej ścieżką słoni. One też wolą wędrować wzdłuż rzeki. Idąc, dostrzegam także ślady innych zwierząt, co dowodzi, że z tego szlaku korzysta wiele różnych gatunków. To jakby wytyczona przez słonie autostrada w buszu. A skoro przemierzają ją impale i kudu, to z pewnością lwy również.

To jeszcze jedna strefa śmierci, gdzie krzyżują się drogi drapieżników i ich ofiar.

Ale wysoka trawa po obu stronach ścieżki kryje równie wiele zagrożeń, zresztą nie mam dość energii, by przedzierać się przez gęsty busz. Muszę poruszać się szybko, bo gdzieś za mną jest Johnny, najbardziej bezwzględny ze wszystkich drapieżników. Czemu nie chciałam tego dostrzec? Gdy inni ginęli po kolei, a ich ciałami i kośćmi żywiła się ta wygłodniała ziemia, nie przejrzałam jego gry. Każde spojrzenie Johnny'ego, każde miłe słowo stanowiło jedynie preludium do zbrodni.

Gdy słońce sięga zenitu, nadal maszeruję mozolnie po ścieżce słoni. Zaschnięte błoto tworzy twardą skorupę na mojej skórze i jego grudki chrzęszczą mi w ustach, gdy jem drugi batonik PowerBar, gryząc go i żując. Wiem, że powinnam zachować zapasy żywności, ale jestem już wygłodzona, a największą tragedią byłoby umrzeć, mając nadal w plecaku jedzenie. Ścieżka skręca z powrotem w kierunku brzegu rzeki i dochodzę do rozlewiska o tak czarnej i nieruchomej tafli, że odbija się w niej niebo. Południowy upał uciszył busz. Zamilkły nawet ptaki. Nad brzegiem rzeki rośnie drzewo, z którego zwisają jak bombki na choince dziesiątki dziwnych podłużnych sakiewek. Upał mąci mi w głowie i zastanawiam się, czy natrafiłam na kolonię kokonów pozostawionych przez kosmitów, aby pozaziemskie istoty wylęgły się w miejscu, gdzie nikt ich nie znajdzie. Wtem przelatuje obok mnie ptak i znika w jednej z sakiewek. Są to gniazda wikłaczy.

Woda w lagunie drga, jakby coś się w niej przebudziło. Cofam się, wyczuwając obecność zła, które czai się, by dopaść nieostrożną ofiarę. Przechodzą mnie dreszcze, gdy zapuszczam się ponownie w trawę.

▫ ▫ ▫

Tego wieczoru wpadam wprost na stado słoni.

W gęstym buszu nawet tak duże zwierzę jak słoń może pojawić się znienacka. Gdy wychodzę z kępy akacji, widzę nagle przed sobą słonicę. Wydaje się nie mniej zaskoczona niż ja i jej głośny ryk przenika mnie na wskroś. Jestem zbyt zaszokowana, by uciekać. Zastygam w bezruchu, mając za plecami akacje, a przed sobą słonicę, stojącą równie nieruchomo jak ja. Gdy patrzymy na siebie, widzę poruszające się wokół mnie wielkie szare cielska. Całe stado słoni obgryza gałązki z drzew. Zauważają mnie, oczywiście, i przerywają jedzenie, patrząc nieufnie na oblepionego błotem intruza. Z jak niewielkim wysiłkiem każdy z nich mógłby mnie zabić. Wystarczyłoby, by machnął trąbą albo przygniótł mnie potężną nogą, a stado pozbyłoby się zagrożenia. Czuję, jak mi się przyglądają i decydują o moim losie. Potem jeden ze słoni podnosi spokojnie trąbę, łamie gałązkę i wsuwa ją sobie do pyska. Po kolei zaczynają znów się pożywiać. Osądziły mnie i ułaskawiły.

Usuwam się dyskretnie w zarośla i podążam w kierunku majestatycznego drzewa, które góruje nad akacjami. Wspinam się po wielkim pniu, aż jestem dostatecznie wysoko nad stadem słoni, i sadowię się na konarze. Podobnie jak moi pierwotni przodkowie, znajduję bezpieczne schronienie na drzewie. Dochodzący z oddali chichot hien i ryk lwów zapowiada nocną batalię. Z wysokości mojej kryjówki obserwuję zachód słońca. W cieniu drzewa pożywiają się nadal słonie, szeleszcząc liśćmi i szurając nogami. To kojące odgłosy.

Noc ożywa kakofonią wrzasków i ryków. Migocą gwiazdy, krystalicznie jasne na czarnym niebie. Podglądam przez wygięte konary gwiazdozbiór Skorpiona, który Johnny pokazywał mi pierwszej nocy. To jedna z wielu rzeczy, których mnie nauczył, bym umiała przetrwać w buszu, i zastanawiam się, po co zawracał tym sobie głowę. Żebym miała szansę walczyć i stała się dla niego cenniejszym łupem?

Jakimś cudem przeżyłam pozostałych. Myślę o Clarensie, Elliocie, państwu Matsunaga i blondynkach. A przede wszystkim o Richardzie i tym, co nas kiedyś łączyło. Pamiętam obietnice, które sobie składaliśmy, i noce, gdy zasypialiśmy w czułych objęciach. Nagle zaczynam płakać z żalu za Richardem, za tym wszystkim, co kiedyś mieliśmy, i mój szloch jest jak jeszcze jeden zwierzęcy skowyt w tym hałaśliwym nocnym chórze. Płaczę tak długo, aż czuję ból w piersiach i pieczenie w gardle. Aż jestem tak wyczerpana, że opadam z sił.

Zasypiam jak moi przodkowie przed milionem lat, na drzewie, pod gwiazdami.

▫ ▫ ▫

Czwartego dnia o świcie rozpakowuję ostatni batonik. Jem go powoli, składając każdym kęsem hołd świętej mocy pożywienia. Ponieważ to mój ostatni posiłek, każdy orzech, każdy płatek owsiany jest radosną eksplozją smaku, którego wcześniej nigdy naprawdę nie doceniałam. Myślę o wielu świątecznych ucztach, którymi się delektowałam, ale żadnej nie celebrowałam tak jak tego batonika zjadanego na drzewie pod niebem jaśniejącym złociście o wchodzie słońca. Wylizuję z papierka ostatnie okruszki, a potem gramolę się na brzeg rzeki, upadam na kolana, jakby do modlitwy, i piję wodę z rwącego nurtu.

Gdy wstaję, czuję się dziwnie syta. Nie pamiętam, kiedy samolot ma przylecieć na lądowisko, ale to jest już bez znaczenia. Johnny powie pilotowi, że zdarzyło się coś strasznego i wszyscy zginęli. Nikt nie będzie mnie nawet szukał. Dla świata jestem martwa.

Czerpię błoto z rzeki i smaruję jego świeżą warstwą twarz i ramiona. Czuję już na karku gorące promienie słońca.

Z trzcin wzlatują w powietrze roje kąśliwych owadów. Dzień ledwo się zaczął, a ja jestem już wyczerpana.

Zmuszam się, by wstać. I znów maszeruję mozolnie na południe.

□ □ □

Po południu następnego dnia jestem tak głodna, że zginam się wpół od skurczów żołądka. Piję wodę z rzeki w nadziei, że spazmy ustaną, ale łykam ją za szybko i w nadmiarze i dostaję torsji. Klęczę w błocie, wymiotując i szlochając. Jak łatwo byłoby się teraz poddać! Położyć się na ziemi i pozwolić, by dopadły mnie zwierzęta. Moje ciało i kości pochłonęłaby dzicz. Pozostałyby na zawsze w Afryce. Z tej ziemi wszyscy się wywodzimy i do niej powracam. To odpowiednie miejsce na śmierć.

Słyszę jakiś plusk w wodzie i podniósłszy głowę, widzę sterczącą na powierzchni parę uszu. Hipopotam. Jestem dość blisko, by go zaniepokoić, ale nie czuję już strachu, nie zależy mi na życiu. Zauważa mnie, ale nadal beztrosko się tapla. Małe rybki i owady marszczą ciemną taflę wody, a żurawie pikują do rzeki spod nieba. W miejscu, gdzie umieram, jest tyle życia. Przyglądam się ważce, która frunie w gąszczu papirusów, i czuję nagle taki głód, że nawet ją bym zjadła. Ale nie jestem dość szybka i chwytam tylko garść trzcin, grubych i włóknistych. Nie wiem, czy nie są trujące. Jest mi to obojętne. Muszę po prostu wypełnić czymś żołądek i pozbyć się skurczów.

Ucinam trzciny wyjętym z plecaka scyzorykiem i rozgryzam ich łodygi. Z wierzchu są miękkie, w środku twarde.

Żuję je tak długo, aż mam w ustach tylko łykowate włókna, które wypluwam. Skurcze ustają. Ścinam kolejną wiązkę łodyg papirusu i gryzę je jak zwierzę. Jak hipopotam, który pożywia się spokojnie w pobliżu. Tnę i żuję, tnę i żuję. Z każdym kęsem wchłaniam w siebie busz, czuję, jak staję się jego częścią.

Kobieta, którą kiedyś byłam, Millie Jacobson, osiągnęła kres swojej podróży. Klęcząc nad brzegiem rzeki, oddaję jej duszę dziczy.

Rozdział dwudziesty drugi

BOSTON

Maura nie widziała jej, ale wiedziała, że ją obserwuje.

– Tam, na skalnej półce – powiedział doktor Alan Rhodes, zatrudniony w zoo specjalista od wielkich kotów. – Jest tuż za kępą trawy. Trudno ją zauważyć, bo zlewa się idealnie ze skałami.

Dopiero w tym momencie spostrzegła brunatne ślepia. Ich spojrzenie skupione było tylko na niej, jak zimna wiązka lasera, która łączy drapieżnika z ofiarą.

– Całkowicie bym ją przeoczyła – mruknęła. Drżała już z powodu zimnego wiatru, ale na widok bezlitosnych ślepi pumy poczuła jeszcze silniejsze dreszcze.

– Ale ona panią dostrzegła – odparł Rhodes. – Zapewne śledzi panią wzrokiem od chwili, gdy wyszliśmy zza zakrętu i znaleźliśmy się w jej polu widzenia.

– Śledzi mnie? A dlaczego nie pana?

– Drapieżnik identyfikuje najbardziej dostępną zdobycz, którą najłatwiej zabić. Zamiast atakować dorosłego mężczyznę, puma wybierze raczej dziecko albo kobietę. Widzi pani tę rodzinę, która idzie w naszym kierunku? Proszę się przyjrzeć, co robi puma. Proszę obserwować jej oczy.

Leżąca na skale puma odwróciła nagle łeb i czujnie napięła mięśnie, siadając na zadzie. Nie patrzyła już na Maurę. Namierzała laserowym spojrzeniem swych ślepi nowy cel: drepczące w kierunku wybiegu dziecko.

– Jej uwagę przyciąga zarówno ruch, jak i rozmiar – wyjaśnił Rhodes. – Kiedy obok klatki przebiega dziecko, w głowie kota jakby zapalało się światełko. Odzywa się jego instynkt. – Odwrócił wzrok od zwierzęcia i spojrzał na Maurę. – Ciekaw jestem, skąd to nagłe zainteresowanie pumami. Ale nie mam nic przeciwko odpowiadaniu na pytania – dodał szybko. – Chętnie opowiem pani kiedyś o nich dużo więcej podczas lunchu, jeśli pani zechce.

– Wielkie koty mnie fascynują, ale przyszłam tu właściwie w związku ze sprawą, którą prowadzimy.

– A więc chodzi o pracę.

Czyżby słyszała w głosie Rhodesa rozczarowanie? Nie mogła nic wyczytać z jego twarzy, bo odwrócił się w kierunku wybiegu i stał oparty łokciami o barierkę i wpatrzony znów w pumę. Zastanawiała się, jak mógłby wyglądać lunch z Alanem Rhodesem. Interesująca rozmowa z człowiekiem, który najwyraźniej pasjonował się swoją pracą. Widziała w jego oczach inteligencję i – choć nieszczególnie wysoki – dzięki przebywaniu na powietrzu był opalony i w dobrej formie. To w takim solidnym, niezawodnym mężczyźnie powinna się zakochać, ale jakoś między nimi nie zaiskrzyło. Poszukiwanie tej przeklętej iskry przynosiło tylko smutek. Dlaczego nigdy nie pociągali jej mężczyźni, którzy mogli ją uszczęśliwić?

– Co zachowanie pumy ma wspólnego z przypadkiem zbrodni? – spytał Rhodes.

– Chcę się dowiedzieć więcej na temat ich metod polowań. W jaki sposób zabijają.

Spojrzał na nią, unosząc brwi.

– Czy puma zaatakowała kogoś w naszym stanie? To potwierdzałoby pogłoski, które słyszałem.

– Jakie pogłoski?

– O pumach w Massachusetts. Widywano je kiedyś w całej Nowej Anglii, ale teraz są jak duchy. Podobno się pojawiają, ale nie ma na to dowodów. Z wyjątkiem okazu zabitego kilka lat temu w Connecticut.

– W Connecticut? Uciekł właścicielowi?

– Nie, to było zdecydowanie dzikie zwierzę, potrącone przez SUV-a na autostradzie w Milford. Analiza DNA wykazała, że puma pochodziła ze stada w Dakocie Południowej. A więc te koty niewątpliwie dotarły na Wschodnie Wybrzeże. Są zapewne także tutaj, w Massachusetts.

– Przeraża mnie to. Ale pana wyraźnie ekscytuje.

Zaśmiał się z zażenowaniem.

– Eksperci od rekinów uwielbiają te drapieżne ryby. Badacze dinozaurów mają bzika na punkcie tyranozaurów. To nie znaczy, że chcieliby się na nie natknąć, ale wszystkich nas fascynują wielkie drapieżniki. Wie pani, pumy, zanim je przepędziliśmy, rządziły kiedyś tym kontynentem, od wybrzeża do wybrzeża. Moim zdaniem, to dość ekscytujące, że wracają.

Rodzina z dzieckiem minęła wybieg i poszła dalej ścieżką. Puma znów skierowała wzrok na Maurę.

– Jeśli pojawiły się w tym stanie, nie ma mowy o spokojnym spacerze po lesie – powiedziała Maura.

– Nie panikowałbym z tego powodu. Proszę zobaczyć, ile pum jest w Kalifornii. Kamery noktowizyjne nagrały je w Griffith Park w Los Angeles. Rzadko słychać o jakichś incydentach, chociaż atakowały biegaczy i rowerzystów. Są zaprogramowane do ścigania uciekającej ofiary, więc ich uwagę przyciąga ruch.

– Powinniśmy zatem stać nieruchomo i patrzeć na nie? Stawić im opór?

– Szczerze mówiąc, podchodzącej pumy nigdy się nie widzi. Zanim zdąży ją pani dostrzec, zatopi już kły w pani szyi.

– Jak było w przypadku Debbie Lopez.

Rhodes zamilkł i odparł cicho:

– Tak. Biedna Debbie. – Spojrzał na Maurę. – A więc czy puma kogoś tu zaatakowała?

– Chodzi o przypadek z Nevady. W górach Sierra.

– Tam te koty z pewnością występują. W jakich okolicznościach to się stało?

– Ofiarą była turystka. Zanim znaleziono ciało, rozdziobały je ptaki, ale z powodu kilku szczegółów lekarz sądowy podejrzewał, że zabiła ją puma. Po pierwsze, zwłoki były pozbawione wnętrzności.

– To się często zdarza w przypadku ataku dużego kota.

– Kolejną rzeczą, która zastanowiła koronera, było miejsce znalezienia zwłok. Leżały na drzewie.

Rhodes popatrzył na nią.

– Na drzewie?

– Spoczywały na konarze około trzech metrów nad ziemią. Pytanie, skąd się tam wzięły? Czy mogła je tam zaciągnąć puma?

Rhodes zastanawiał się nad tym przez chwilę.

– To nie jest jej klasyczne zachowanie.

– Gdy pantera zabiła Debbie Lopez, zaciągnęła ją na skalną półkę. Powiedział pan, że zrobiła to instynktownie, by chronić swą zdobycz.

– Tak, to typowe zachowanie pantery afrykańskiej. W buszu rywalizuje z innymi dużymi mięsożercami, lwami, hienami, krokodylami. Wciągając zdobycz na drzewo, broni jej przed nimi. Gdy łup leży bezpiecznie między gałęziami, pantera może spokojnie się pożywiać. Kiedy w Afryce widzi się na drzewie martwą impalę, tylko jedno zwierzę mogło ją tam zanieść.

– A pumy? Też korzystają z drzew?

– Puma z Ameryki Północnej nie ma takiej konkurencji jak drapieżniki w Afryce. Czasem zaciąga zdobycz w gęste zarośla albo do jaskini, zanim zacznie ją konsumować. Ale na drzewo? – Pokręcił głową. – To byłoby niezwykłe. Tak postępuje raczej pantera afrykańska.

Maura odwróciła się znów w kierunku wybiegu. Puma przenikała ją wzrokiem, jakby tylko ona mogła zaspokoić jej głód.

– Proszę mi powiedzieć coś więcej o panterach – powiedziała cicho Maura.

– Bardzo wątpię, żeby jakaś biegała po Nevadzie, chyba że uciekła z zoo.

– Mimo wszystko chciałabym się czegoś o nich dowiedzieć. O ich zwyczajach, metodach polowań.

– Cóż, najlepiej znam gatunek *Panthera pardus*, czyli panterę afrykańską. Jest też kilka podgatunków: *Panthera orientalis*, *Panthera fusca*, *Panthera pardus japonensis*... Ale nie zostały tak dobrze zbadane. Zanim niemal wytępiliśmy pantery, można było je napotkać w całej Azji, Afryce, a nawet w zachodniej części Anglii. To przykre, jak niewiele ich zostało na świecie. Zwłaszcza że mamy wobec nich dług, bo zawdzięczamy im awans na drabinie ewolucji.

– W jakim sensie?

– Istnieje teoria, że pierwsi pierwotni ludzie w Afryce nie polowali, lecz kradli mięso, które pantery gromadziły na drzewach. Były to dla nich swego rodzaju fast foody. Nie musieli sami ścigać impali. Wystarczyło zaczekać, aż pantera ją upoluje i zaciągnie na drzewo. Kiedy się nasyci, odejdzie na kilka godzin. Wtedy można zdjąć resztę mięsa. Dzięki tym gotowym zapasom protein rozwinęły się zapewne mózgi naszych przodków.

– Pantery pozwalały odbierać sobie łupy?

– Zakładając tym zwierzętom obrożę z radionadajnikiem, można stwierdzić, że w ciągu dnia zostawiają swoją zdobycz. Najedzą się, odchodzą na jakiś czas i wracają po kilku godzinach, by znów się pożywić. Ponieważ tusze są często pozbawione wnętrzności, mięso zachowuje świeżość przez kilka dni. Dzięki temu przedstawiciele naszego gatunku mieli szansę podkradania jedzenia. Ale ma pani rację, nie było to pozbawione ryzyka. W prehistorycznych jaskiniach panter znajdowano wiele kości hominidów. Podczas gdy my kradliśmy im żywność, one zjadały czasem na obiad nas.

Maura pomyślała o kocie, którego miała w domu. Wpatrywał się w nią równie intensywnie, jak teraz puma. Więź między kotami i ludźmi była o wiele bardziej złożona niż między drapieżnikiem i ofiarą. Kot domowy może siedzieć człowiekowi na kolanach i jeść mu z ręki, ale nie zatraca instynktu myśliwego.

Podobnie jak my, pomyślała.

– Czy pantery są samotnikami? – spytała.

– Tak jak większość kotowatych. Z wyjątkiem lwów. Pantery szczególnie preferują samotność. Samice zostawiają młode bez opieki nawet przez tydzień, bo wolą polować i żywić się w pojedynkę. Półtoraroczne kocięta opuszczają matkę i stają się samodzielne. Zapłodniwszy samicę, samiec odchodzi. To bardzo tajemnicze zwierzęta i trudne do zauważenia. Są nocnymi łowcami, słynącymi z ostrożności, nic więc dziwnego, że zajmowały tak poczesne miejsce w mitologii. Ciemność musiała przerażać ludzi pierwotnych, skoro wiedzieli, że pewnej nocy pantera może zacisnąć szczęki na ich gardle.

Maura pomyślała o Debrze Lopez. Dla niej ten strach był ostatnią rzeczą, którą zarejestrowała. Zerknęła na wybieg znajdujący się w odległości zaledwie kilku metrów. Od czasu śmierci pracowniczki zoo założono tymczasową przegrodę, by zasłonić klatkę, ale dwaj zwiedzający stali tam teraz, robiąc zdjęcia telefonem komórkowym. Śmierć jest jak gwiazda rocka, która zawsze przyciąga publiczność.

– Wspomniał pan, że wielkie koty wyjadają ofiarom wnętrzności – powiedziała.

– To wynika z tego, w jaki sposób się pożywiają. Pantery rozrywają jamę brzuszną ofiary od tyłu, tak że trzewia wypadają i są konsumowane w ciągu doby. Dzięki temu mięso nie psuje się zbyt szybko, więc kot ma pożywienie na dłużej. – Rhodes przerwał, gdyż zadzwoniła jego komórka. Odebrał telefon, przepraszając Maurę wzrokiem. – Halo? O Boże, Marcy. Zupełnie o tym zapomniałem. Zaraz tam będę. – Zakończył rozmowę i westchnął. – Przepraszam, ale czekają na mnie na zebraniu zarządu. Wieczna pogoń za funduszami.

– Dziękuję za spotkanie. Bardzo mi pan pomógł.

– Zawsze do usług. – Ruszył ścieżką, ale odwrócił się jeszcze i krzyknął: – Gdyby miała pani ochotę na prywatne zwiedzanie zoo po godzinach, proszę dać mi znać!

Patrzyła, jak znika pospiesznie za zakrętem. Została nagle sama, drżąc z zimna.

Nie, nie była zupełnie sama. Za kratami pustej klatki pantery dostrzegła jasne włosy, płowe jak grzywa lwa, i szerokie ramiona w brązowym polarze. Stał tam weterynarz, doktor Oberlin. Przez chwilę mierzyli się nieufnie wzrokiem, jak dwie istoty, które spotkały się nieoczekiwanie w buszu. Potem doktor Oberlin skinął oschle głową, pomachał ręką i zniknął w zaroślach.

Niewidzialny jak puma, pomyślała Maura. Nawet nie zauważyłam, że tam jest.

Rozdział dwudziesty trzeci

– Jeśli rzeczywiście te zabójstwa w różnych stanach są ze sobą powiązane, mamy do czynienia z wyjątkowo złożonymi rytualnymi zachowaniami – rzekł doktor Lawrence Zucker, psycholog i kryminolog, konsultant bostońskiej policji. Tego bladego, masywnego mężczyznę widywano często w wydziale zabójstw. Siedząc przy końcu stołu, przyglądał się Maurze i czwórce detektywów, którzy zebrali się tego ranka w sali konferencyjnej. Zucker niepokojąco przypominał gada i gdy zmierzył Maurę wzrokiem, miała wrażenie, że czuje na twarzy zimny dotyk języka jaszczurki.

– Zanim za bardzo się zagalopujemy – odezwał się detektyw Crowe – ustalmy najpierw, czy te zabójstwa rzeczywiście są powiązane. To teoria doktor Isles, nie nasza.

– Nadal ją weryfikujemy – wyjaśniła Jane. – Frost i ja pojechaliśmy wczoraj do Maine, by zapoznać się z przypadkiem, który wydarzył się pięć lat temu. Ofiarą był niejaki Brandon Tyrone. Wisiał na drzewie, z wyciętymi wnętrznościami.

– I co pani sądzi? – spytał Zucker.

– Nie mogę powiedzieć, żeby ta sprawa była jasna. Policja stanowa z Maine ma tylko jednego podejrzanego, niejakiego Nicka Thibodeau. Znał ofiarę. Być może się pokłócili i to było przyczyną zabójstwa.

– Dzwoniłem do Montany i Nevady i rozmawiałem z detektywami o sprawach, które prowadzili – oznajmił Crowe. – Uważają, że obie ofiary zaatakowała puma. Nie rozumiem, co przypadki z innych stanów mają wspólnego z naszym albo z zabójstwem w Maine.

– Łączy je symbolika – odezwała się Maura, nie mogąc się powstrzymać od komentarza. Przyszła na zaproszenie doktora Zuckera, lecz nie była ani policjantką, ani psychologiem, więc znów czuła się w tym gronie intruzem. Gdy wszyscy na nią spojrzeli, poczuła mur sceptycyzmu. Mur, który musiała zburzyć. Crowe postawił tarczę ochronną przeciw jej argumentom. Frost i Jane starali się nie mieć uprzedzeń, ale słyszała w głosie przyjaciółki brak entuzjazmu. Johnny Tam był nieprzenikniony jak zawsze i zachowywał swoje zdanie dla siebie.

– Po rozmowie z doktorem Rhodesem na temat zwyczajów pantery uświadomiłam sobie, co jest wspólnym ogniwem, które łączy wszystkie ofiary. To sposób, w jaki pantera poluje, żywi się i zaciąga zdobycz na drzewo.

– Więc kogo szukamy? – szydził Crowe. – Człowieka-Pantery?

– Słyszę pańską ironię, detektywie Crowe – wtrącił się Zucker. – Ale proszę nie odrzucać tak od razu teorii doktor Isles. Gdy zadzwoniła do mnie wczoraj w tej sprawie, też miałem wątpliwości. Ale potem zapoznałem się z tymi zabójstwami spoza granic stanu.

– W Nevadzie i Montanie niekoniecznie popełniono zbrodnie – zauważył Crowe. – Zdaniem lekarzy sądowych, to mogły być ataki pum.

– Doktor Rhodes powiedział, że pumy nie zaciągają zwykle zdobyczy na drzewo – oznajmiła Maura. – A co stało się z pozostałymi członkami obu grup? W Nevadzie było czworo turystów. Odnaleziono tylko jednego. W Montanie natrafiono na szczątki dwóch spośród trzech myśliwych. Pumy nie mogły zabić ich wszystkich.

– Może to było całe stado.

– Tego w ogóle nie zrobiły pumy.

– Wie pani, doktor Isles, nie nadążam trochę za pani kolejnymi teoriami. – Crowe rozejrzał się po twarzach zebranych. – Najpierw słyszymy, że zabójca nienawidzi myśliwych, i dlatego ich wiesza i pozbawia wnętrzności. A teraz co? Jest nim jakiś szaleniec, który uważa się za panterę?

– Nie musi wcale być szaleńcem.

– Naprawdę? Gdybym przebrał się za panterę, wezwałaby pani facetów w białych fartuchach, żeby mnie zamknęli.

– Moglibyśmy załatwić to teraz? – mruknęła Jane.

– Powinien pan wysłuchać, co doktor Isles ma do powiedzenia – zaproponował doktor Zucker, spoglądając na Maurę. – Proszę opisać nam ponownie, w jakim stanie były zwłoki pana Gotta.

– Czytaliśmy wszyscy raport z sekcji – zaprotestował Crowe.

– Mimo wszystko, niech pani opisze jeszcze raz jego obrażenia.

Maura skinęła głową.

– Doznał wgniecenia prawej kości ciemieniowej od uderzenia tępym narzędziem. Miał również liczne równoległe zadrapania na tułowiu, prawdopodobnie zadane po śmierci, i zmiażdżoną chrząstkę tarczowatą, co zapewne doprowadziło do uduszenia. Wykonano pojedyncze nacięcie od wyrostka mieczykowatego na mostku aż do kości łonowej i usunięto wnętrzności z klatki piersiowej i jamy brzusznej. – Maura przerwała. – Czy mam kontynuować?

– Nie, wydaje mi się, że to wystarczy. A teraz pozwolę sobie przeczytać raport lekarza z innego miejsca zbrodni. – Zucker zsunął z czoła okulary. – „Ofiarą jest kobieta, mniej więcej osiemnastoletnia, znaleziona o świcie martwa w swojej chacie. Ma zmiażdżone gardło, a na rozszarpanej twarzy i szyi jakby ślady pazurów. Jej ciało jest tak potwornie okaleczone, że wygląda na częściowo pożarte. Brakuje jelit i wątroby, ale zauważam dziwny szczegół: jelito jest bardzo starannie nacięte. Po dalszym badaniu stwierdzam, że jej brzuch został rozkrojony wyjątkowo prosto i równo; żadne znane mi dzikie zwierzę nie zadałoby takiej rany. Zatem, mimo moich pierwotnych przypuszczeń, że ta biedaczka padła ofiarą ataku pantery lub lwa, muszę wyciągnąć wniosek, że sprawcą był bez wątpienia człowiek”. – Zucker odłożył kartkę, z której czytał. – Z pewnością zgodzicie się państwo, że ten raport i opis przekazany nam właśnie przez doktor Isles wykazują niezwykłe podobieństwa?

– O jaką sprawę chodziło? – spytał Frost.

– Napisał to niemiecki lekarz-misjonarz, pracujący w Sierra Leone. – Zucker zamilkł na chwilę. – W tysiąc dziewięćset czterdziestym ósmym roku.

W sali zaległo grobowe milczenie. Maura powiodła wzrokiem po twarzach osób siedzących wokół stołu i dostrzegła zdumienie Frosta i Tama oraz sceptycyzm Crowe'a. A co myśli Jane? Że w końcu postradałam zmysły i uganiam się za duchami?

– Czy dobrze rozumiem? – kontynuował Crowe. – Sądzi pani, że mamy do czynienia z zabójcą, który działał w tysiąc dziewięćset czterdziestym ósmym roku? To ile miałby teraz lat? Jakieś osiemdziesiąt pięć?

– Wcale nie to sugerujemy – odparła Maura.

– Zatem jaką ma pani nową teorię, doktor Isles?

– Chodzi o to, że istnieje historyczny precedens rytualnych zabójstw. Te równoległe zadrapania czy wycięte wnętrzności są echem czegoś, co dzieje się od wieków.

– Mówimy o jakimś kulcie? O duchach? A może znów o Człowieku-Panterze?

– Na litość boską, niech pan jej da skończyć, Crowe. – Jane spojrzała na Maurę. – Mam nadzieję, że to nie żadne absurdalne zjawiska nadprzyrodzone.

– Są bardzo realne – odparła Maura. – Ale najpierw niezbędna jest krótka lekcja historii. Musimy się cofnąć niemal sto lat. – Zwróciła się do Zuckera: – Zechce pan zapoznać nas z tą sprawą?

– Z przyjemnością. Ponieważ to naprawdę fascynująca opowieść – powiedział Zucker. – Podczas pierwszej wojny światowej w Afryce Zachodniej odnotowywano liczne przypadki tajemniczych zgonów. Ofiarami byli mężczyźni, kobiety i dzieci. Znajdowano ich zwłoki ze śladami pazurów, rozciętymi gardłami i rozprutymi brzuchami. Niektóre ciała były częściowo pożarte. Wszystko wskazywało na to, że sprawcami są wielkie koty. Jeden ze świadków twierdził, że widział uciekającą do buszu panterę. Sądzono, że grasuje tam jakieś monstrualne zwierzę, które napada na wioski i atakuje ludzi we śnie.

Ale miejscowe władze zdały sobie wkrótce sprawę, że nie robi tego pantera. Zabójcami byli wyznawcy pradawnego kultu. Członkowie tajnego stowarzyszenia, którzy identyfikują się tak silnie z panterami, że wierzą, iż się nimi staną, jeśli wypiją krew ofiary albo zjedzą jej mięso. Zabijają, by zdobyć moc, przejąć siłę swego totemicznego zwierzęcia. Aby dokonać takiego rytualnego zabójstwa, wyznawca kultu wdziewa skórę pantery i używa stalowych pazurów do rozszarpywania ofiary.

– Skórę pantery? – spytała Jane.

Zucker skinął głową.

– Teraz kradzież skóry tej pantery śnieżnej nabiera nowego znaczenia, prawda?

– Czy ten kult nadal istnieje w Afryce? – spytał Tam.

– Są pewne pogłoski – odparł Zucker. – W latach czterdziestych ubiegłego wieku w Nigerii przypisywano „ludziom-panterom" dziesiątki zabójstw, kilka popełnionych nawet w biały dzień. Władze zaangażowały kilkuset dodatkowych policjantów i ostatecznie aresztowano i stracono wielu podejrzanych. Ataki ustały, ale czy kult przestał istnieć? A może tylko zszedł do podziemia i rozszerzył się?

– Docierając do Bostonu? – powiedział Crowe.

– Cóż, mieliśmy tu przypadki voodoo i satanizmu – zauważył Tam. – Dlaczego nie mieliby się pojawić „ludzie-pantery"?

– Jakie były motywy tych kultowych zabójstw w Afryce? – spytał Frost.

– Czasem polityczne. Chodziło o wyeliminowanie rywali – odparł Zucker. – Ale to nie wyjaśnia przypadkowych najwyraźniej zabójstw kobiet i dzieci. Nie, za tym kryło się coś innego, to samo, co inspiruje kulty rytualnych mordów na całym świecie. Wielu ludzi składano w ofierze z różnych powodów. Bez względu na to, czy zabija się, by zastraszyć wrogów, czy aby udobruchać bogów, takich jak Zeus czy Kali, wszystko sprowadza się do jednego: posiadania władzy. – Zucker powiódł wzrokiem naokoło i Maura poczuła ponownie zimny pocałunek gada. – Jeśli dodać specyficzny charakter tych zabójstw, zaczyna się dostrzegać ich wspólny mianownik: polowanie jako atrybut władzy. Zabójca może wyglądać zupełnie zwyczajnie i mieć zwyczajną pracę. Ale codzienna rutyna nie zapewnia mu takich emocji ani poczucia władzy jak zabijanie. Podróżuje więc w poszukiwaniu łupu, jeśli posiada niezbędne do tego środki i swobodę ruchów. Ile jeszcze zgonów zostało mylnie zakwalifikowanych jako wypadki w plenerze? Ilu zaginionych turystów czy biwakowiczów było jego ofiarami?

– Leon Gott nie był turystą – zauważył Crowe. – Zginął we własnym garażu.

– Może sprawca chciał ukraść skórę pantery – zasugerował Zucker. – Totemiczny symbol zabójcy, potrzebny do rytualnych celów.

– Wiemy, że Gott chwalił się na forach internetowych posiadaniem skóry pantery śnieżnej – włączył się Frost. – Obwieszczał wszystkim, że zlecono mu wypchanie jednego z najrzadszych zwierząt na Ziemi.

– Co znów wskazuje, że podejrzanym jest myśliwy. Ma to sens zarówno z symbolicznego, jak i praktycznego punktu widzenia. Zabójca identyfikuje się z panterami, najzręczniejszymi myśliwymi w przyrodzie. Czuje się swobodnie w lesie. Ale w przeciwieństwie do innych myśliwych, nie poluje na jelenie ani łosie. Woli zabijać ludzi. Turystów albo wędrowców. To stanowi dla niego wyzwanie. Lubi tropić zdobycz w dziczy. W górach Nevady. W lasach Maine. W Montanie.

– W Botswanie – dodała cicho Jane.

Zucker spojrzał na nią, unosząc brwi.

– Słucham?

– Syn Leona Gotta zaginął w Botswanie. Był na safari w buszu z grupą turystów.

Na wzmiankę o Elliocie Gotcie Maura poczuła przyspieszone bicie serca.

– To samo spotkało biwakowiczów i myśliwych – powiedziała. – Wyruszyli w dzicz i nigdy więcej ich nie widziano. – Schematy, pomyślała, trzeba dostrzegać schematy. Spojrzała na Jane. – Jeśli Elliot Gott był jedną z ofiar, to znaczy, że nasz zabójca polował już sześć lat temu.

Jej przyjaciółka skinęła głową.

– W Afryce.

▫ ▫ ▫

Jane miała od kilku dni w laptopie elektroniczny plik, przesłany jej z Narodowego Centralnego Biura Interpolu w Botswanie. Dokument liczył prawie sto stron i zawierał raporty policyjne z Maun, z Republiki Południowej Afryki i wydziału Interpolu w Johannesburgu. Gdy go otrzymała, nie była przekonana, czy sprawa sprzed sześciu lat ma jakikolwiek związek z zabójstwem Leona Gotta, i przejrzała go tylko pobieżnie. Ale w zaginięciu turystów w Nevadzie i myśliwych w Montanie dostrzegła niepokojące analogie do tragicznego safari Elliota Gotta, usiadła więc przy biurku i otworzyła plik. Podczas gdy w wydziale zabójstw dzwoniły telefony, a Frost zgniatał z hałasem na blacie plastikowe opakowania po kanapkach, Jane czytała ponownie dokumenty, tym razem dużo uważniej.

Raport Interpolu zawierał zwięzłe podsumowanie wydarzeń i przebiegu śledztwa. Sześć lat temu, dwudziestego sierpnia, siedmioro turystów z czterech różnych krajów wsiadło na pokład niewielkiego samolotu w Maun w Botswanie i poleciało do delty Okawango. Zostali wysadzeni na lądowisku w buszu, gdzie przejął ich przewodnik i jego tropiciel. Obaj pochodzili z Republiki Południowej Afryki. Trasa safari prowadziła w głąb delty. Mieli biwakować każdej nocy w innym miejscu, podróżować ciężarówką, spać w namiotach i żywić się dziczyzną. Strona internetowa przewodnika obiecywała „prawdziwą przygodę w buszu w jednym z ostatnich rajskich zakątków na Ziemi".

Dla sześciorga spośród tej siódemki nieszczęsnych turystów przygoda okazała się podróżą w zaświaty.

Jane otworzyła kolejną stronę i odczytała listę nazwisk

i narodowości ofiar, wraz z informacją, czy odnaleziono ich szczątki.

Sylvia Van Ofwegen (Republika Południowej Afryki). Zaginiona, uznana za zmarłą. Nie odnaleziono szczątków.

Vivian Kruiswyk (Republika Południowej Afryki). Nie żyje. Odnaleziono część szczątków, tożsamość potwierdzona badaniami DNA.

Elliot Gott (USA). Zaginiony, uznany za zmarłego. Nie odnaleziono szczątków.

Isao Matsunaga (Japonia). Nie żyje, odnaleziono szczątki zakopane w obozowisku. Tożsamość potwierdzona badaniami DNA.

Keiko Matsunaga (Japonia). Zaginiona, uznana za zmarłą. Nie odnaleziono szczątków.

Richard Renwick (Wielka Brytania). Zaginiony, uznany za zmarłego. Nie odnaleziono szczątków.

Clarence Nghobo (Republika Południowej Afryki). Nie żyje. Odnaleziono część szczątków, tożsamość potwierdzona badaniami DNA.

Jane miała już przejść na następną stronę, gdy nagle znieruchomiała i skoncentrowała uwagę na jednym z nazwisk z listy ofiar. Z czymś jej się mgliście kojarzyło. Dlaczego wydawało się znajome? Usilnie próbowała to sobie przypomnieć. Widziała oczami wyobraźni inną listę, na której się pojawiło.

Odwróciła się do Frosta, który pochłaniał radośnie swoją zwyczajową kanapkę z indykiem.

– Masz raport na temat Brandona Tyrone'a z Maine?

– Tak.

– Czytałeś go już?

– Tak. Jest tam niewiele więcej, niż powiedział nam detektyw Barber.

– Podali w nim spis skradzionych rzeczy, które znaleziono w garażu Tyrone'a. Mogę ją jeszcze raz zobaczyć?

Frost odłożył kanapkę i sięgnął do pliku teczek na biurku.

– Nie pamiętam, żeby było tam coś godnego uwagi. Kilka aparatów fotograficznych, karty kredytowe, iPod...

– A srebrna zapalniczka?

– Też. – Wyciągnął teczkę i podał ją Jane. – I co z tego?

Przekartkowała raport, aż znalazła listę przedmiotów, które Brandon Tyrone i Nick Thibodeau ukradli z namiotów i samochodów na kempingu w Maine. Przeglądając ją, natrafiła na to, czego szukała. *Srebrna zapalniczka z wygrawerowanym napisem* R. Renwick. Spojrzała na ekran laptopa. Na nazwiska na liście ofiar z Botswany.

Richard Renwick (Wielka Brytania). Zaginiony, uznany za zmarłego.

– Cholera! – zaklęła, sięgając po telefon.

– Co takiego? – zainteresował się Frost.

– Może nic. A może wszystko. – Wystukała numer w komórce.

Po trzech sygnałach usłyszała w słuchawce:

– Detektyw Barber.

– Mówi Jane Rizzoli z bostońskiej policji. Pamięta pan ten raport na temat zabójstwa Brandona Tyrone'a, który od pana dostaliśmy? Jest tam lista przedmiotów znalezionych w jego garażu.

– Tak. Rzeczy, które ukradli z Nickiem na kempingu.

– Czy odszukaliście ich właścicieli?

– Większość. Z kartami kredytowymi i przedmiotami, na których były nazwiska, poszło łatwo. Gdy rozeszła się wieść, że odzyskaliśmy rzeczy skradzione na kempingu, zgłosiło się jeszcze paru poszkodowanych.

– Interesuje mnie jeden konkretny przedmiot. Srebrna zapalniczka z wygrawerowanym nazwiskiem.

– Nie. Jej właściciela nie znaleźliśmy – powiedział bez wahania Barber.

– Jest pan pewien, że nikt się o nią nie upomniał?

– Tak. Przesłuchiwałem wszystkich, którzy się zgłaszali, bo chciałem się upewnić, czy nie zauważyli czegoś na kempingu. Może widzieli tam Nicka albo Tyrone'a. Po zapalniczkę nikt się nie zgłosił, co mnie zdziwiło. Jest ze srebra wysokiej próby. Musiała sporo kosztować.

– Było na niej wygrawerowane *R. Renwick*. Próbowaliście odszukać tego człowieka?

Barber zaśmiał się.

– Niech pani wrzuci to nazwisko w Google. Otrzyma pani dwadzieścia tysięcy wyników. Mogliśmy jedynie zamieścić tę informację w mediach i mieć nadzieję, że właściciel się do nas zgłosi. Może o tym nie słyszał. Może w ogóle nie zauważył braku zapalniczki. – Barber przerwał. – Dlaczego pani o nią pyta?

– R. Renwick pojawił się w innej sprawie. Niejaki Richard Renwick był ofiarą zabójstwa.

– Co to za sprawa?

– Wielokrotne zabójstwo sprzed sześciu lat. W Botswanie.

– W Afryce? – prychnął Barber. – Kawał drogi. Nie sądzi pani, że to przypadkowy zbieg okoliczności?

Możliwe, pomyślała Jane, zakończywszy rozmowę. A może było to jedyne ogniwo łączące wszystkie te sprawy. Sześć lat temu Richard Renwick został zamordowany w Afryce. Rok później zapalniczkę z wygrawerowanym napisem *R. Renwick* znaleziono w stanie Maine. Czy dotarła do USA w kieszeni zabójcy?

– Zechcesz mi powiedzieć, co się dzieje? – odezwał się Frost, gdy znów wystukiwała numer w komórce.

– Muszę kogoś wytropić.

Zajrzał przez jej ramię na ekran laptopa.

– Raport z Botswany? Co on ma wspólnego z...

Podniosła rękę, by go uciszyć, gdy usłyszała oschły jak zwykle głos męża:

– Gabriel Dean.

– Cześć, panie Specjalny Agencie. Możesz wyświadczyć mi przysługę?

– Niech zgadnę – odparł ze śmiechem. – Pewnie zabrakło nam mleka.

– Nie, to służbowa sprawa. Muszę odnaleźć pewną kobietę, a nie mam pojęcia, w której części świata może się znajdować. Znasz tego faceta z Interpolu w Republice Południowej Afryki. Henka jakiegoś tam.

– Henka Andriessena.

– Właśnie. Może on zdoła mi pomóc.

– To międzynarodowa sprawa?

– Wielokrotne zabójstwo w Botswanie. Wspominałam ci o tym. Turyści, którzy zaginęli na safari. Problem polega na tym, że to się zdarzyło sześć lat temu i nie jestem pewna, gdzie ta kobieta teraz przebywa. Domyślam się, że wróciła do Londynu.

– Jak się nazywa?

– Millie Jacobson. Tylko ona przeżyła.

Rozdział dwudziesty czwarty

REPUBLIKA POŁUDNIOWEJ AFRYKI

W ciągu ostatnich pięciu dni żołna karminowa przylatuje każdego ranka do drzewka kalistemonu. Gdy wychodzę z filiżanką kawy do ogrodu na tyłach domu, ptak siedzi niewzruszony, jak jaskrawoczerwona ozdoba wetknięta w barwny gąszcz krzewów i kwiatów. Ciężko pracowałam w tym ogrodzie, kopiąc go, nawożąc, odchwaszczając i podlewając, zamieniając zapuszczoną działkę w mój prywatny azyl. Ale w ten ciepły listopadowy dzień nie zauważam prawie kolorowych kwiatów ani odwiedzin żołny. Telefon, który odebrałam wczoraj wieczorem, zbytnio mną wstrząsnął, bym mogła myśleć o czymkolwiek innym.

Christopher dołącza do mnie i słychać zgrzyt kutego żelaza na kamiennych płytach dziedzińca, gdy siada z kawą przy ogrodowym stole.

– Co zamierzasz zrobić? – pyta.

Wdycham zapach kwiatów i wpatruję się w obrośnięty pnączami treliaż.

– Nie chcę wyjeżdżać – mówię.

– A więc już podjęłaś decyzję.

– Tak. – Wzdycham ciężko. – Nie.

– Mogę to załatwić. Powiem im, żeby dali ci spokój. Odpowiedziałaś na wszystkie ich pytania, więc czego jeszcze mogą oczekiwać?

– Może odrobiny odwagi – szepczę.

– Dobry Boże, Millie. Jesteś najdzielniejszą kobietą, jaką znam.

Rozbawia mnie to, bo wcale nie czuję się odważna. Jestem jak drżąca mysz, która boi się wyjść z norki zapewniającej bezpieczeństwo. Nie chcę jej opuszczać, bo wiem, co czyha na zewnątrz. Wiem, kto się tam czai, i trzęsą mi się ręce na samą myśl, że miałabym go znowu zobaczyć. A o to właśnie prosi policjantka, która dzwoniła z Bostonu. „Zna pani jego twarz. Wie pani, co myśli i jak poluje. Potrzebujemy pani pomocy, żeby go schwytać.

Zanim znowu zabije".

Christopher wyciąga ręce przez stół i dotyka mnie. Dopiero teraz zdaję sobie sprawę, jakie moje dłonie są zimne, a jego ciepłe.

– Śniły ci się ostatniej nocy koszmary, prawda?

– Zauważyłeś.

– Trudno nie zauważyć, gdy śpię obok ciebie.

– Te sny nie męczyły mnie od miesięcy. Myślałam, że już się skończyły.

– Cholerny telefon – mruczy Christopher. – Wiesz, że nie mają żadnych konkretów. To tylko teoria. Być może szukają zupełnie innej osoby.

– Znaleźli zapalniczkę Richarda.

– Nie ma pewności, że to ta sama zapalniczka.

– Innego R. Renwicka?

– To dość popularne nazwisko. Zresztą nawet jeśli byłaby to ta sama zapalniczka, to oznacza, że zabójca jest daleko. Przeniósł się na inny kontynent.

Dlatego właśnie chcę zostać tutaj, gdzie Johnny mnie nie znajdzie. Byłabym szalona, poszukując potwora. Dopijam kawę i wstaję, szurając krzesłem po kamieniach. Nie wiem, po co kupiłam meble ogrodowe z kutego żelaza. Może chodziło o ich trwałość, o poczucie, że wytrzymają długie lata, ale krzesła są ciężkie i trudno się je przesuwa. Wracając do domu, mam wrażenie, że dźwigam kolejne brzemię, ciążący jak żelazo strach, który przykuwa mnie do tego miejsca. Podchodzę do zlewu, by umyć filiżanki i spodki, i wycieram blat, który jest już nieskazitelnie czysty.

„Wie pani, co on myśli. I jak poluje".

Widzę nagle oczami wyobraźni twarz Johnny'ego Posthumusa tak wyraźnie, jakby stał za szybą i wpatrywał się w okno. Wzdrygam się i łyżka spada mi z brzękiem na podłogę. Myśl o nim ciągle mnie prześladuje. Gdy opuściłam Botswanę, byłam pewna, że pewnego dnia trafi na mój ślad. Tylko ja przeżyłam. Jestem jedynym świadkiem, którego nie zdołał zabić. Z pewnością nie zignoruje takiego wyzwania. Ale mijały miesiące i lata, a ja nie dostawałam żadnych wiadomości od policji z Botswany ani z Republiki Południowej Afryki, zaczęłam więc mieć nadzieję, że Johnny nie żyje. Że jego kości leżą rozrzucone gdzieś w buszu, jak szczątki Richarda i pozostałych. Tylko tak mogłam poczuć się znowu bezpieczna – wyobrażając sobie, że jest martwy. Przez sześć ostatnich lat słuch o nim zaginął, mogłam więc wierzyć, że zmarł i już mnie nie skrzywdzi.

Telefon z Bostonu zmienił wszystko.

Słychać tupot stóp na schodach i do kuchni tanecznym krokiem wchodzi nasza córka Violet. Ma cztery lata i niczego się jeszcze nie boi, ponieważ okłamaliśmy ją. Wmawiamy jej, że świat jest spokojnym, słonecznym miejscem, i nie wie, że potwory naprawdę istnieją. Christopher bierze ją na ręce, obraca w powietrzu i zanosi roześmianą do salonu, bo w każdy sobotni poranek oglądają razem kreskówki. Naczynia są pozmywane, dzbanek do kawy opłukany, wszystko jest tak, jak być powinno, ale ja chodzę po kuchni, szukając jakiegoś zajęcia, które pochłonęłoby moją uwagę.

Siadam do komputera i widzę e-maile, które pojawiły się w skrzynce od wczorajszego wieczoru. Od siostry z Londynu, od matek dzieci z przedszkolnej grupy Violet, od jakiegoś Nigeryjczyka, który chce przelać fortunę na mój rachunek bankowy, jeśli tylko mu go podam.

Jest też e-mail od detektyw Jane Rizzoli z Bostonu. Wysłany wczoraj wieczorem, zaledwie godzinę po naszej rozmowie telefonicznej.

Waham się, czy go otworzyć, bo przeczuwam, że potem nie będzie już odwrotu. Gdy przekroczę tę linię, nie będę mogła się wycofać za solidny mur odmowy. W sąsiednim pokoju Christopher i Violet śmieją się z kreskówki, a ja siedzę przed ekranem komputera, z dudniącym sercem i lodowatymi dłońmi.

Klikam myszką. Czuję się tak, jakbym zapaliła lont przy lasce dynamitu, ponieważ to, co pojawia się na ekranie, jest jak eksplozja prosto w twarz. Widzę zdjęcie srebrnej zapalniczki, którą policja znalazła w Maine, w torbie ze skradzionymi rzeczami. Nazwisko *R. Renwick* wygrawerowane jest czcionką Engraver's Bold, którą Richard tak bardzo lubił. Ale mój wzrok przyciąga rysa. Jest niewielka, ale wyraźnie widoczna, jak ślad pazura na gładkiej powierzchni, nad literą R. Przypominam sobie ten dzień, gdy zapalniczka wysunęła się Richardowi z kieszeni w Londynie i upadła na chodnik. Myślę o tym, jak często jej używał i jak się ucieszył, gdy dostał ją ode mnie na urodziny. Sam poprosił o taki pretensjonalny prezent, ale to był cały Richard. Zawsze pragnął zaznaczać swoje terytorium, nawet jeśli chodziło tylko o lśniącą srebrną zapalniczkę. Pamiętam, jak zapalał nią przy ognisku gauloises'y i jak dumnie z trzaskiem ją zamykał.

Nie mam wątpliwości, że to jego zapalniczka. W kieszeni zabójcy dotarła w jakiś sposób z delty Okawango przez ocean do Ameryki. Teraz proszą mnie, żebym ruszyła jego śladami.

Czytam wiadomość, którą detektyw Rizzoli dołączyła do fotografii. *Czy to ta sama zapalniczka? Jeśli tak, musimy pilnie o tym porozmawiać. Przyleci pani do Bostonu?*

Słońce świeci jasno za kuchennym oknem, a ogród jest w letnim rozkwicie. W Bostonie nadchodzi zima i wyobrażam sobie, jak tam teraz musi być mroźno i szaro, gorzej niż w Londynie. Ta kobieta nie ma pojęcia, o co mnie prosi. Twierdzi, że wie, co się wydarzyło, że zna fakty. Ale fakty, zimne i beznamiętne, są jak kawałki metalu, z których odlano posąg pozbawiony duszy. Ona nie jest w stanie zrozumieć, przez co przeszłam w delcie Okawango.

Wciągam głęboko powietrze i piszę odpowiedź. *Przepraszam, ale nie mogę przylecieć do Bostonu.*

Rozdział dwudziesty piąty

Jako komandos Gabriel opanował nieźle kilka sprawności niezbędnych do przetrwania, i jedną z nich, której Jane zazdrościła mężowi, była umiejętność zdrzemnięcia się na parę cennych godzin, gdy tylko nadarzała się po temu okazja. Zaledwie w kabinie samolotu przygasły światła, opuścił oparcie fotela, przymknął oczy i zapadł w sen. Jane siedziała w pełni przytomna, licząc godziny do lądowania i myśląc o Millie Jacobson.

Jedyna osoba, która ocalała z tragicznego safari, nie mieszkała teraz w Londynie, jak przypuszczała Jane, lecz w małym miasteczku w dolinie Hex River w Republice Południowej Afryki. Po dwóch koszmarnych tygodniach walki o przeżycie w buszu, podczas których była oblepiona błotem i żywiła się tylko trzcinami i trawą, pochodząca z Londynu właścicielka księgarni nie wróciła do swojego miasta, lecz wolała osiedlić się na kontynencie, na którym omal nie straciła życia.

Zdjęcia Millie Jacobson, zrobione po jej wyjściu z buszu,

świadczyły dobitnie o tym, jak bardzo schudła z powodu tego, co ją spotkało. Na fotografii w jej brytyjskim paszporcie widniała młoda brunetka o niebieskich oczach i trójkątnej twarzy, o zwyczajnym wyglądzie, ani brzydka, ani ładna. Zdjęcie, które zrobiono podczas jej rekonwalescencji w szpitalu, przedstawiało kobietę tak inną, że Jane nie mogła uwierzyć, iż to ta sama osoba. Gdzieś w buszu dawna Millie Jacobson zrzuciła skórę jak wąż i stała się kościstą, ogorzałą od słońca istotą o przerażonych oczach.

Gdy wszyscy na pokładzie samolotu wydawali się pogrążeni we śnie, Jane przejrzała ponownie policyjny raport na temat zabójstw podczas safari w Botswanie. W swoim czasie w Wielkiej Brytanii dużo pisano o tej sprawie, gdyż Richard Renwick był popularnym autorem powieści sensacyjnych. W USA nie zdobył sławy i Jane nie czytała nigdy jego książek, które recenzowano w „London Times" jako „przesycone napięciem" i „napędzane testosteronem". Artykuł w „Timesie" koncentrował się niemal całkowicie na Renwicku i poświęcił tylko dwa akapity mieszkającej z nim narzeczonej, Millie Jacobson. Ale to właśnie Millie skupiała teraz całą uwagę Jane, gdy wpatrywała się jak sparaliżowana w przesłane przez Interpol zdjęcie młodej kobiety. Zrobiono je wkrótce po tym, co Millie przeżyła w buszu, i w jej twarzy Jane zobaczyła odbicie siebie sprzed nie tak wielu lat. Obie doświadczyły lodowatego dotyku zabójcy i uszły z życiem. Tego dotyku nigdy się nie zapomina.

Gdy wylatywała z Gabrielem z Bostonu, wiał wiatr i padał deszcz ze śniegiem, a podczas przesiadki w Londynie pogoda była niewiele lepsza. Ku jej zaskoczeniu, kiedy kilka godzin później wysiadali z samolotu, Kapsztad przywitał ich letnim ciepłem. Przestawione pory roku. Na lotnisku wszystkie kobiety nosiły szorty i sukienki z krótkimi rękawami, a Jane nadal miała na sobie wełniany sweter z golfem, który włożyła w Bostonie. Zanim odebrali bagaż i przeszli przez odprawę, była zlana potem i marzyła, by rozebrać się do podkoszulka.

Zdejmowała właśnie golf, gdy usłyszała grzmiący męski głos:

– Nieustraszony Dean! Wreszcie dotarłeś do Afryki!

– Henk, dzięki, że po nas wyjechałeś – powiedział Gabriel.

Ściągnąwszy sweter, Jane zobaczyła, jak jej mąż i blondyn o posturze niedźwiedzia poklepują się po plecach, w tym szczególnym męskim geście powitania, który stanowi połączenie ataku i uścisku.

– Długi lot, co? – rzucił Henk. – Ale teraz nacieszycie się piękną pogodą. – Obdarzył Jane spojrzeniem, z powodu którego poczuła się niezręcznie w swoim cienkim podkoszulku. Na tle ogorzałej od słońca twarzy jego niebieskie oczy wydawały się nienaturalnie jasne. Widziała kiedyś takie u wilka. – A ty jesteś zapewne Jane. – Wyciągnął wilgotną silną dłoń. – Henk Andriessen. Miło mi poznać w końcu kobietę, która usidliła Nieustraszonego Deana. Nie sądziłem, że którejś się to uda.

Gabriel zaśmiał się.

– Jane nie jest zwykłą kobietą.

Gdy podali sobie ręce, czuła, jak Henk mierzy ją wzrokiem, i zastanawiała się, czy nie oczekiwał, że Nieustraszony Dean znajdzie sobie piękniejszą partnerkę, a nie taką, która wychodzi z samolotu, wyglądając jak wyżęta szmata.

– Ja też o tobie słyszałam – odparła. – Coś na temat zakrapianej nocy w Hadze dwanaście lat temu.

Henk zerknął na Gabriela.

– Mam nadzieję, że opowiedziałeś jej ocenzurowaną wersję.

– To znaczy, że było coś więcej niż „dwaj faceci wchodzą do baru"?

Henk zaśmiał się.

– Tyle ci wystarczy. – Sięgnął po jej walizkę. – Zaprowadzę was do samochodu.

Gdy opuścili terminal, Jane szła kilka kroków za mężczyznami, by mogli wymienić się informacjami, co nowego zdarzyło się w ich życiu. Gabriel przespał niemal cały lot z Londynu i maszerował energicznie, gotów stawić czoło trudom całego dnia. Jane wiedziała, że Henk jest o dobre dziesięć lat od niego starszy, że trzy razy już się rozwodził, że pochodzi z Brukseli, a przez ostatnią dekadę pracował dla Interpolu w Republice Południowej Afryki. Słyszała również, że dużo pije i jest kobieciarzem, i zastanawiała się, w jaką aferę wciągnął Gabriela tamtej pamiętnej nocy w Hadze. Z pewnością to Henk był prowodyrem, bo nie wyobrażała sobie, by jej porządny mąż wywołał awanturę. Przyglądając im się od tyłu, widziała, który z tych mężczyzn przestrzega dyscypliny. Gabriel miał szczupłą sylwetkę biegacza i poruszał się zdecydowanie, podczas gdy rozlazła tusza Henka świadczyła o jego nienasyconych apetytach.

Najwyraźniej jednak dobrze się rozumieli, a ich przyjaźń wykuwała się w ogniu prowadzonego wspólnie śledztwa w sprawie zabójstw w Kosowie.

Henk zaprowadził ich do srebrnego bmw, ulubionej maskotki każdego mężczyzny polującego na kobiety, i wskazał Jane miejsce obok siebie.

– Chciałabyś jechać z przodu?

– Nie, zostawię ten zaszczyt Gabrielowi. Musicie powspominać swoje szelmostwa.

– Z tyłu nie widać tak dobrze drogi – rzekł Henk, gdy zapięli pasy. – Ale gwarantuję, że będziesz zachwycona widokiem miejsca, do którego was zawiozę.

– A dokąd jedziemy?

– Zobaczyć Górę Stołową. Będziecie tu krótko, a to atrakcja, której nie możecie pominąć. Wasz pokój w hotelu pewnie i tak nie jest jeszcze gotowy, więc pojedźmy tam od razu.

Gabriel odwrócił się do Jane.

– Czujesz się na siłach?

Marzyła naprawdę tylko o prysznicu i łóżku. Bolała ją głowa od oślepiającego słońca i zaschło jej w ustach, ale skoro Gabriel potrafił się zmobilizować, by zacząć od razu zwiedzanie, to, do cholery, ona postara się dotrzymać kroku facetom.

– Jedźmy – powiedziała.

Półtorej godziny później zatrzymali się na parkingu przy dolnej stacji kolejki linowej kursującej na Górę Stołową. Jane wysiadła z samochodu i spojrzała na prowadzące na szczyt liny. Nie miała lęku wysokości, ale na myśl o tej podniebnej wyprawie poczuła skurcz w żołądku. Nagle opuściło ją zmęczenie. Myślała tylko o pękającej linie i upadku w kilkusetmetrową przepaść.

– To stamtąd jest widok, który wam obiecałem – oznajmił Henk.

– Chryste. Tam ze skały zwisają ludzie! – powiedziała Jane.

– Góra Stołowa to ulubione miejsce wspinaczek.

– Czy oni powariowali?

– Och, co roku kilku z nich ginie. W razie upadku z tej wysokości nie ma ratunku. Wydobywa się tylko ciało.

– I tam jedziemy? Na sam szczyt?

– Masz lęk wysokości? – Jasne wilcze oczy spojrzały na nią z rozbawieniem.

– Uwierz mi, Henk, nawet gdyby się bała, nie przyznałaby się do tego – powiedział ze śmiechem Gabriel.

I pewnego dnia ta duma mnie zabije, pomyślała Jane, gdy z kilkunastoma innymi turystami wciskali się do wagonika kolejki. Zastanawiała się, kiedy po raz ostatni dokonywano jej przeglądu. Obserwowała krytycznie personel, wypatrując, czy któryś z pracowników nie wygląda na alkoholika, narkomana lub psychopatę. Liczyła głowy, by się upewnić, czy nie przekroczono podanego na tabliczce limitu pasażerów, i miała nadzieję, że przewidziano obecność osób ważących tyle co Henk.

Potem wagonik poszybował w niebo i mogła się skupić już tylko na widoku.

– Twój pierwszy rzut oka na Afrykę. – Henk pochylił się, by szepnąć jej do ucha: – Zaskakuje cię?

Przełknęła ślinę.

– Nie tak ją sobie wyobrażałam.

– A jak? Biegające wszędzie lwy i zebry?

– Właśnie.

– Tak myśli większość Amerykanów. Oglądają zbyt wiele filmów przyrodniczych w telewizji i gdy wychodzą z samolotu, ubrani w myśliwskie kamizelki i spodnie khaki, zaskakuje ich widok nowoczesnego miasta, jakim jest Kapsztad. Zebry tam nie uświadczą, chyba że w zoo.

– Miałam nadzieję zobaczyć choć jedną.

– Więc powinniście polecieć na kilka dni do buszu.

– Chcielibyśmy – odparła z westchnieniem. – Ale nasze firmy krótko nas trzymają. Nie ma czasu na rozrywki.

Wagonik kolejki stanął i otworzyły się drzwi.

– Więc bierzmy się do roboty, dobrze? – zaproponował Henk. – Nie ma powodu, żebyśmy przy okazji nie podziwiali widoków.

Jane spoglądała zachwycona ze skraju płaskowyżu na szczycie Góry Stołowej, gdy Henk pokazywał im charakterystyczne miejsca w Kapsztadzie: skaliste zbocza zwane Turnią Diabła i Wzgórzem Sygnałowym, Zatokę Stołową i leżącą na północy wyspę Robben, na której przez prawie dwadzieścia lat więziono Nelsona Mandelę.

– Tyle tu historii. Wiele mógłbym ci o tym kraju opowiedzieć. – Henk odwrócił się do Jane. – Ale zajmijmy się pracą. Zabójstwami w Botswanie.

– Gabriel wspomniał, że uczestniczyłeś w śledztwie.

– Nie od razu, bo początkowo prowadzono je w Botswanie. Interpol zaangażowano dopiero wtedy, gdy tamtejsza policja dowiedziała się, że zabójca dotarł przez granicę do Republiki Południowej Afryki. Użył kart kredytowych dwóch ofiar w przygranicznych miasteczkach, w sklepach, w których nie musiał podawać PIN-u. Ciężarówkę, którą jechali uczestnicy safari, znaleziono porzuconą pod Johannesburgiem. Chociaż zbrodnie popełniono w Botswanie, Johnny Posthumus jest obywatelem Republiki Południowej Afryki. Sprawa obejmuje kilka krajów, dlatego do akcji włączono Interpol. Wydaliśmy nakaz aresztowania Posthumusa, ale nadal nie mamy pojęcia, gdzie przebywa.

– Czy odnotowano jakiś postęp w śledztwie?

– Nic istotnego. Musisz zrozumieć, jakie stają tu przed nami wyzwania. W tym kraju dziennie jest popełnianych około pięćdziesięciu zabójstw, sześć razy więcej niż w Stanach. Wiele spraw pozostaje niewyjaśnionych, policja jest przeciążona pracą, laboratoriom kryminalistycznym brakuje funduszy. Poza tym te zabójstwa miały miejsce w Botswanie, za granicą. Koordynacja działań stanowi dodatkowy problem.

– Ale jesteście pewni, że sprawcą był Johnny Posthumus – odezwał się Gabriel.

Andriessen zamilkł i tych kilka sekund ciszy miało większą wymowę niż jakiekolwiek słowa.

– Mam pewne... wątpliwości.

– Dlaczego?

– Poszperałem dokładnie w jego przeszłości. Johnny Posthumus urodził się w Republice Południowej Afryki jako syn farmera. W wieku osiemnastu lat zaczął pracę w ośrodku myśliwskim w Sabi Sands. Potem przeniósł się do Mozambiku i Botswany, a w końcu został samodzielnym przewodnikiem. Nie było na niego żadnych skarg. Cieszył się dobrą reputacją. Nie był notowany ani nie zachowywał się agresywnie, jeśli nie liczyć jednej rozróby pod wpływem alkoholu.

– Jednej, o której wiesz.

– To prawda, mogły zdarzyć się incydenty, których nie zgłoszono. Jeśli zabije się kogoś w buszu, ciała można nie odnaleźć. Zastanawia mnie tylko, że nie było żadnych sygnałów ostrzegawczych. Nic w jego wcześniejszym zachowaniu nie wskazywało, że pewnego dnia zabierze osiem osób w głąb delty i siedem z nich zamorduje.

– Według relacji kobiety, która ocalała, właśnie tak się stało – powiedziała Jane.

– Owszem – przyznał Henk. – Ona tak twierdzi.

– Masz co do tego wątpliwości?

– Zidentyfikowała Posthumusa jedynie na podstawie zrobionego dwa lata wcześniej zdjęcia paszportowego, które pokazała jej policja w Botswanie. Nie ma zbyt wielu innych jego fotografii. Większość zaginęła, gdy siedem lat temu spłonęła farma jego rodziców. Pamiętajcie, że pani Jacobson wyszła z buszu na pół żywa. Czy można być pewnym, że po takich przejściach rozpoznała na zdjęciu z paszportu właściwego człowieka?

– Jeśli sprawcą nie był Johnny Posthumus, to kto?

– Wiemy, że wykorzystał karty kredytowe ofiar. Zabrał im paszporty i przez kilka tygodni, zanim zgłoszono ich zaginięcie, mógł podszywać się pod te osoby. Mógł udawać którąkolwiek z nich i pojechać w dowolne miejsce na świecie. Także do Ameryki.

– A prawdziwy Johnny Posthumus? Sądzisz, że nie żyje?

– To tylko teoria.

– Masz coś na jej poparcie? Jakieś zwłoki? Szczątki?

– Mamy tysiące niezidentyfikowanych ludzkich szczątków z miejsc zbrodni w całym kraju. Brakuje nam środków, by je wszystkie zbadać. Laboratoria kryminalistyczne są przeciążone pracą i na identyfikację ofiar trzeba czekać miesiącami, a nawet latami. Posthumus może być jedną z nich.

– Albo żyje i mieszka teraz w Bostonie – zauważyła Jane. – Może nie być notowany tylko dlatego, że dopiero w Botswanie popełnił błąd.

– Masz na myśli Millie Jacobson.

– Pozwolił jej uciec.

Henk milczał przez chwilę, wpatrując się w dal z Góry Stołowej.

– Wątpię, by wówczas uważał to za problem.

– Że wymknęła mu się jedyna osoba, która mogła go zidentyfikować?

– Właściwie mógł uznać ją za zmarłą. Gdyby zostawić w buszu jakiegokolwiek innego turystę, kobietę czy mężczyznę, nie przeżyliby nawet dwóch dni, a co dopiero dwóch tygodni. Ona powinna była tam zginąć.

– Więc co ją ocaliło?

– Odwaga? Szczęście? – Wzruszył ramionami. – Cud.

– Poznałeś tę kobietę – odezwał się Gabriel. – Co o niej myślisz?

– Przesłuchiwałem ją kilka lat temu. Teraz nie nazywa się Jacobson, tylko DeBruin. Wyszła za mąż za obywatela

Republiki Południowej Afryki. Pamiętam ją jako... zupełnie zwyczajną osobę. Takie właśnie odniosłem wrażenie i szczerze mówiąc, byłem zaskoczony. Czytałem jej zeznania i wiedziałem, co podobno przeżyła. Spodziewałem się zobaczyć jakąś damską wersję supermana.

Jane uniosła brwi.

– Wątpisz w jej opowieści?

– O wędrówce wśród dzikich słoni? O tym, że szła dwa tygodnie przez busz bez jedzenia i broni? Że przeżyła, żywiąc się tylko trawą i łodygami papirusu? – Henk pokręcił głową. – Nic dziwnego, że policjanci z Botswany nie wierzyli początkowo w tę historię. Dopóki nie potwierdzili, że siedmioro cudzoziemców nie zgłosiło się na powrotne loty do swoich krajów. Rozmawiali z pilotem, który leciał z turystami do buszu, i pytali go, czemu nie poinformował o ich zaginięciu. Podobno dostał telefoniczną wiadomość, że wszyscy wracają do Maun drogą lądową. Dopiero po kilku dniach policjanci z Botswany pojęli w końcu, że Millie Jacobson mówi prawdę.

– A jednak ty nadal masz wątpliwości.

– Bo gdy ją poznałem, zrobiła na mnie wrażenie trochę... obłąkanej.

– W jakim sensie?

– Jest zamknięta w sobie. Nieprzystępna. Mieszka w małym miasteczku na prowincji, gdzie jej mąż ma farmę. Niemal nigdy nie rusza się z domu. Odmówiła przyjazdu do Kapsztadu na przesłuchanie. Musiałem odwiedzić ją w Touws River.

– Wybieramy się tam jutro – oznajmił Gabriel. – Tylko pod takim warunkiem zgodziła się na spotkanie.

– To piękna okolica. Cudowne góry, farmy i winnice. Ale trzeba przejechać kawał drogi. Jej mąż jest rosłym, surowym Afrykanerem, który trzyma wszystkich na dystans. Stara się chyba ją chronić, wyraźnie daje do zrozumienia, że nie życzy sobie, by policja niepokoiła jego żonę. Zanim z nią porozmawiacie, najpierw on musi wyrazić zgodę.

– Doskonale to rozumiem – rzekł Gabriel. – Każdy mąż by tak postąpił.

– Zamykając żonę na pustkowiu?

– Chroniąc ją, jak się da. Przy założeniu, że ona chce współpracować. – Spojrzał na Jane. – Bo, Bóg mi świadkiem, nie każda ma na to ochotę.

Henk zaśmiał się.

– Najwyraźniej borykaliście się z tym problemem.

– Jane za dużo ryzykuje.

– Jestem policjantką – odparła. – Jak mam chwytać bandytów, jeśli zamkniesz mnie w domu, żebym była bezpieczna? Zdaje się, że ten facet właśnie to zrobił. Ukrył ją na wsi.

– I będziecie musieli pomówić najpierw z nim – oznajmił Henk. – Wyjaśnić, jak bardzo potrzebujecie pomocy jego żony. Przekonać go, że nie narazicie jej na niebezpieczeństwo, bo tylko to się dla niego liczy.

– Nie przejmuje się, że Johnny Posthumus może właśnie zabijać kolejnych ludzi?

– Nie zna tych ofiar. Ochrania bliską mu osobę i musicie zdobyć jego zaufanie.

– Sądzisz, że Millie zechce z nami współpracować? – spytał Gabriel.

– Tylko do pewnych granic i trudno mieć jej to za złe. Pomyśl, ile ją kosztowało, by ocaleć w buszu. Człowiek bardzo się zmienia, kiedy przeżywa coś takiego.

– Niektórych ludzi to wzmacnia – zauważyła Jane.

– Ale niektórzy się załamują. – Henk pokręcił głową. – Obawiam się, że Millie jest teraz niemal jak duch.

Rozdział dwudziesty szósty

Mimo przeżytej w buszu udręki Millie Jacobson nie powróciła do wygodnego życia w Londynie, lecz osiedliła się w niewielkim miasteczku w dolinie Hex River w prowincji Western Cape. Gdyby Jane przetrwała dwa koszmarne tygodnie w dziczy, uciekając przed lwami i krokodylami, grzęznąc w błocie i żywiąc się korzonkami i trawą, chciałaby natychmiast znaleźć się w domu, we własnym łóżku, w znajomej okolicy, ze wszystkimi miejskimi udogodnieniami. Tymczasem Millie Jacobson, właścicielka londyńskiej księgarni, urodzona i wychowana w wielkim mieście, porzuciła wszystko, co znała, aby zamieszkać w prowincjonalnym miasteczku Touws River.

Wyglądając przez szybę samochodu, Jane widziała, co mogło przyciągnąć Millie do tego miejsca. Zobaczyła góry, rzeki i farmy, krajobraz zachwycający bujnymi barwami lata. Wszystko w tym kraju wydawało jej się odwrócone, od pory roku po świecące na północy słońce i gdy minęli zakręt, poczuła nagle zawrót głowy, jakby świat stanął na rękach. Zamknęła oczy, czekając, aż ziemia przestanie wirować.

– Wspaniały pejzaż. Nie ma się ochoty wracać do domu – powiedział Gabriel.

– Jesteśmy daleko od Bostonu – mruknęła Jane.

– Od Londynu także. Ale być może rozumiem, dlaczego wolała zostać tutaj.

Jane otworzyła oczy i spojrzała z ukosa na niezliczone rzędy winorośli z dojrzewającymi w słońcu kiśćmi winogron.

– Cóż, jej mąż pochodzi z tych stron. Ludzie robią z miłości szalone rzeczy.

– Na przykład pakują się i przeprowadzają do Bostonu? Spojrzała na Gabriela.

– Żałujesz tego? Że opuściłeś Waszyngton, żeby być ze mną?

– Daj mi pomyśleć.

– Gabrielu...

Zaśmiał się.

– Czy żałuję, że się ożeniłem i mam najcudowniejsze dziecko na świecie? Jak sądzisz?

– Myślę, że wielu mężczyzn nie byłoby stać na takie poświęcenie.

– Powtarzaj to sobie często. Nigdy nie zaszkodzi mieć wdzięczną żonę.

Spojrzała znów na winnice za szybą.

– Skoro mowa o wdzięczności, musimy wynagrodzić jakoś mamie, że zajęła się dzieckiem. Może poślemy jej skrzynkę wina z RPA? Wiesz, jak bardzo ona i Vince lubią... – Przerwała w pół zdania. Vince Korsak zniknął już z życia Angeli, skoro wrócił ojciec Jane. Westchnęła ciężko. – Nigdy nie przypuszczałam, że to powiem, ale tęsknię za Korsakiem.

– Najwyraźniej twoja mama także.

– Czy jestem złą córką, pragnąc, by tata wrócił do tej swojej laluni i zostawił nas w spokoju?

– Jesteś dobrą córką. Dla matki.

– Która nie chce mnie słuchać. Próbuje uszczęśliwić wszystkich oprócz siebie.

– Dokonała takiego wyboru, Jane. Musisz to uszanować, choćbyś tego nie rozumiała.

Podobnie jak nie rozumiała, dlaczego Millie Jacobson postanowiła osiedlić się w tym odległym zakątku kraju, daleko od wszystkiego, co znała. Powiedziała jej wyraźnie przez telefon, że nie poleci do Bostonu, by pomóc w śledztwie. Miała czteroletnią córeczkę i męża, którzy jej potrzebowali. Była to standardowa wymówka, którą może posłużyć się kobieta, gdy nie chce podać prawdziwego powodu: że boi się świata. Henk Andriessen nazwał Millie duchem i ostrzegł ich, że nie wyciągną jej z Touws River. Zresztą mąż Millie nigdy by na to nie pozwolił.

To on przywitał ich na ganku, gdy podjechali pod dom. Rzut oka na jego rumiane oblicze wystarczył Jane, by się zorientować, jakie czeka ich wyzwanie. Christopher DeBruin był – zgodnie z opisem Henka – krzepkim, budzącym respekt mężczyzną, starszym o dziesięć lat od Millie. Jego jasne włosy częściowo już posiwiały. Stał nieruchomo z założonymi rękami, jak zagradzający drogę najeźdźcom mur z bicepsów. Gdy Jane i Gabriel wysiedli z wypożyczonego auta, nie zszedł do nich po schodkach, lecz czekał, aż niepożądani goście podejdą do niego.

– Pan DeBruin? – spytał Gabriel.

Odpowiedział tylko skinieniem głowy.

– Jestem Gabriel Dean, agent specjalny FBI. A to detektyw Jane Rizzoli z bostońskiej policji.

– Wysłali was aż tutaj?

– To międzynarodowe dochodzenie. Bierze w nim udział wiele agencji.

– I, waszym zdaniem, tropy prowadzą do mojej żony.

– Sądzimy, że odgrywa kluczową rolę w tej sprawie.

– A co ja mam z tym wspólnego?

Dwaj mężczyźni i zbyt wiele cholernego testosteronu, pomyślała Jane. Zrobiła krok do przodu i DeBruin zmarszczył brwi, jakby nie był pewien, jak powstrzymać kobietę.

– Przyjechaliśmy z daleka, panie DeBruin – powiedziała spokojnie. – Czy możemy pomówić z pana żoną?

Przyglądał się jej przez chwilę.

– Pojechała po naszą córkę.

– Kiedy wróci?

– Niedługo. – Otworzył niechętnie drzwi. – Wejdźcie. Musimy najpierw wyjaśnić parę rzeczy.

Podążyli za nim do wnętrza domu i Jane zobaczyła podłogę z szerokich desek i solidne belki na suficie. To była zabytkowa budowla, poczynając od ciosanych ręcznie poręczy aż po stare holenderskie kafle na palenisku. DeBruin nie zaproponował im kawy ani herbaty, tylko obcesowym gestem wskazał kanapę. Sam usiadł w fotelu naprzeciwko.

– Millie czuje się tu bezpieczna – oznajmił. – Dobrze nam się żyje na tej farmie. Mamy córkę. Skończyła dopiero cztery lata. A wy chcecie wszystko zmienić.

– Pańska żona mogłaby nam bardzo pomóc w śledztwie – powiedziała Jane.

– Nie wiecie, czego od niej wymagacie. Nie sypia po nocach, odkąd pani do niej zadzwoniła. Budzi się z krzykiem. Nie opuszcza nawet tej doliny, a wy chcecie, żeby poleciała do Bostonu?

– Obiecuję, że bostońska policja się nią zaopiekuje. Będzie całkowicie bezpieczna.

– Bezpieczna? Czy macie pojęcie, jak trudno jej czuć się bezpiecznie nawet tutaj? – Prychnął pogardliwie. – Oczywiście, że nie. Nie wiecie, przez co przeszła w buszu.

– Czytaliśmy jej zeznania.

– Zeznania? Czy kilka stron maszynopisu może oddać to, co przeżyła? Widziałem ją w dniu, gdy wyszła z buszu. Mieszkałem w domku myśliwskim w delcie Okawango. Byłem na urlopie i obserwowałem słonie. Każdego popołudnia podawano nam herbatę na werandzie i mogliśmy się przyglądać, jak te zwierzęta piją wodę z rzeki. Tamtego dnia zobaczyłem istotę, jakiej nigdy przedtem nie widziałem w buszu. Była tak wychudzona, że wyglądała jak pęk gałązek oblepionych błotem. Gdy nie wierząc własnym oczom, patrzyliśmy, przeszła przez trawnik i wspięła się po schodach. Siedzieliśmy tam z wytwornymi filiżankami i talerzykami z porcelany, ciasteczkami i kanapkami. A ta istota podchodzi do mnie, patrzy mi w oczy i pyta: „Istnieje pan naprawdę? Czy jestem w niebie?". Odpowiedziałem jej, że jeśli to niebo, wysłano mnie w niewłaściwe miejsce. I wtedy osunęła się na kolana i zaczęła szlochać. Ponieważ wiedziała, że jej koszmar się skończył. Że jest bezpieczna. – DeBruin przeszył Jane spojrzeniem. – Przysiągłem, że będę ją chronić. Bez względu na wszystko.

– Bostońska policja także, proszę pana – zapewniła go Jane. – Jeśli da się pan przekonać i pozwoli jej...

– Nie mnie musicie przekonać, tylko moją żonę. – Wyjrzał przez okno, bo na podjeździe zatrzymał się właśnie samochód. – Już przyjechała.

Czekali w milczeniu, gdy w zamku zazgrzytał klucz, a potem rozległ się tupot stóp i do salonu wbiegła mała dziewczynka. Podobnie jak ojciec była korpulentna, miała blond włosy i zdrowe rumiane policzki dziecka, które dużo przebywa na słońcu. Zerknęła tylko na gości i pobiegła prosto w objęcia ojca.

– Jesteś, Violet! – powiedział DeBruin, sadzając córkę na kolanach. – Jak dzisiejsza jazda?

– Ugryzł mnie.

– Kucyk?

– Dałam mu jabłko, a on ugryzł mnie w palec!

– Na pewno niechcący. Dlatego ci mówię, żebyś trzymała dłoń płasko.

– Nie dam mu już więcej jabłek.

– Tak, to będzie dla niego nauczka, prawda? – Podniósł wzrok, uśmiechając się szeroko, lecz nagle znieruchomiał, zobaczywszy w progu żonę.

W przeciwieństwie do męża i córki, Millie miała ciemne włosy, związane w koński ogon, przez co jej twarz wydawała się zdumiewająco szczupła. Nad zapadniętymi policzkami widniały podkrążone niebieskie oczy. Uśmiechnęła się do gości, ale jej spojrzenie było pełne lęku.

– Millie, to ci państwo z Bostonu – powiedział DeBruin.

Jane i Gabriel wstali, by się przedstawić. Gdy ściskali dłoń Millie, jej palce były jak sople, sztywne i lodowate.

– Dziękujemy, że zechciała pani nas przyjąć – odezwała się Jane, kiedy ponownie usiedli.

– Była już pani kiedyś w Afryce? – spytała Millie.

– Jesteśmy oboje po raz pierwszy. Piękne miejsce. Podobnie jak pani dom.

– Ta farma należy od pokoleń do rodziny Chrisa. Powinien państwa później oprowadzić. – Millie zamilkła, jakby wyczerpał ją wysiłek podtrzymywania nawet tej banalnej rozmowy. Spojrzała na pusty stolik i zmarszczyła czoło. – Nie zaproponowałeś państwu herbaty, Chris?

DeBruin zerwał się natychmiast na równe nogi.

– Och, przepraszam. Zupełnie o tym zapomniałem. – Wziął córeczkę za rękę. – Violet, chodź, pomóż głupiutkiemu tatusiowi.

Millie patrzyła w milczeniu, jak jej mąż i córka wychodzą. Dopiero gdy usłyszała z kuchni ciche brzęknięcie czajnika i odgłos lecącej z kranu wody, oznajmiła:

– Nie zmieniłam zdania na temat wyjazdu do Bostonu. Chyba Chris państwu o tym powiedział.

– Bardzo dobitnie – odparła Jane.

– Obawiam się, że tracicie tylko czas. Przylatujecie z tak daleka, żebym powtórzyła wam to, co powiedziałam przez telefon.

– Musieliśmy się z panią spotkać.

– Po co? Żeby zobaczyć na własne oczy, że nie jestem wariatką? Że wszystko, co opowiedziałam sześć lat temu policji, zdarzyło się naprawdę? – Millie spojrzała na Gabriela, a potem ponownie na Jane. Dzięki kontaktom telefonicznym między tymi dwiema kobietami istniała już pewna więź, więc Gabriel milczał, pozwalając żonie prowadzić rozmowę.

– Nie wątpimy w pani relację – zapewniła ją Jane.

Millie popatrzyła na swoje splecione na kolanach dłonie i powiedziała cicho:

– Sześć lat temu policja mi nie uwierzyła. Nie od razu. Gdy leżąc w szpitalu, opowiedziałam im swoją historię, widziałam sceptycyzm w ich oczach. Dyletantka z miasta przeżyła samotnie dwa tygodnie w buszu? Sądzili, że oddaliłam się od jakiegoś domku myśliwskiego, zgubiłam się i miałam halucynacje z powodu upału. Powiedzieli, że pigułki, które brałam przeciw malarii, mogły wywołać zaburzenia psychiczne albo omamy. Że to często się przydarza turystom. Twierdzili, że moja historia nie brzmi prawdopodobnie, bo każdy na moim miejscu umarłby z głodu, zostałby rozszarpany przez lwy i hieny albo stratowany przez słonie. I skąd mogłam wiedzieć, że mam szansę przeżyć, jedząc łodygi papirusu, tak jak tubylcy? Nie potrafili uwierzyć, że przetrwałam szczęśliwym zbiegiem okoliczności. Ale tak właśnie było. Miałam szczęście, że poszłam w dół rzeki i trafiłam na ośrodek turystyczny. Że nie zatrułam się żadnymi dzikimi jagodami ani korą, lecz wybrałam do jedzenia najbardziej pożywne trzciny. Że po dwóch tygodniach spędzonych w buszu uszłam z życiem. Policjanci uznali, że to niemożliwe. – Wzięła głęboki oddech. – A jednak tak było.

– Chyba nie ma pani racji, Millie – powiedziała Jane. – Zawdzięcza pani ocalenie nie szczęściu, lecz sobie. Czytaliśmy pani relację o tym, co się wydarzyło. Jak spała pani co noc w gałęziach drzewa. Jak szła pani cały czas wzdłuż rzeki, mimo skrajnego wyczerpania. Znalazła pani w sobie siłę do przetrwania, gdy inni by się poddali.

– Nie – odparła cicho Millie. – To busz postanowił mnie ocalić. – Popatrzyła za okno, na majestatyczne drzewo, którego rozłożyste konary otaczały opieką każdego, kto pod nim stanął. – Ta ziemia żyje i oddycha. To ona decyduje, czy człowiek powinien umrzeć. Nocą, w ciemnościach, słyszałam jej puls, tak jak niemowlę słyszy bicie serca matki. Budząc się każdego ranka, zastanawiałam się, czy pozwoli mi przeżyć kolejny dzień. Tylko dlatego przetrwałam. Bo ona to zaakceptowała. Chroniła mnie. – Spojrzała na Jane. – Przed nim.

– Przed Johnnym Posthumusem.

Millie przytaknęła.

– Kiedy zaczęto go w końcu poszukiwać, było już za późno. Miał mnóstwo czasu, żeby zniknąć. Po kilku tygodniach znaleziono zaparkowaną w Johannesburgu ciężarówkę.

– Tę samą, która w buszu nie chciała ruszyć z miejsca.

– Tak. Mechanik wyjaśnił mi potem, jak to się robi. Jak czasowo unieruchomić samochód, by nikt nie potrafił określić przyczyny awarii. Majstrując przy bezpiecznikach i plastikowych przekaźnikach.

Jane spojrzała na Gabriela, a on skinął głową.

– Wystarczy odłączyć przekaźnik zapłonu albo pompy

paliwowej – wyjaśnił. – Niełatwo to wykryć. A da się szybko naprawić.

– Chciał, żebyśmy myśleli, że utknęliśmy w buszu – powiedziała Millie. – Wciągnął nas w pułapkę, żeby po kolei wszystkich pozabijać. Pierwszy był Clarence. Potem Isao. Elliot miał być następny. Najpierw zabijał mężczyzn, kobiety zostawił na koniec. Myśleliśmy, że jesteśmy na safari, ale tak naprawdę była to łowiecka wyprawa Johnny'ego. A my stanowiliśmy jego łup. – Millie zaczerpnęła tchu, nie mogąc opanować drżenia. – Tej nocy, gdy wszystkich zamordował, uciekłam. Nie miałam pojęcia, dokąd biegnę. Byliśmy wiele kilometrów od najbliższej drogi, daleko od lotniska. On wiedział, że nie mam szans na przeżycie, więc po prostu zwinął obóz i odjechał, zostawiając ciała, by pożarły je zwierzęta. Wszystko inne zabrał. Nasze portfele, aparaty fotograficzne, paszporty. Policja twierdzi, że skorzystał z karty kredytowej Richarda przy zakupie paliwa w Maun. A na kartę Elliota kupował zapasy w Gaborone. Potem przejechał przez granicę do Republiki Południowej Afryki i tam zniknął. Kto wie, dokąd wyruszył później. Z naszymi paszportami i kartami kredytowymi mógł ufarbować sobie włosy na ciemno i uchodzić za Richarda. Mógł polecieć do Londynu i przejść gładko przez kontrolę graniczną. – Millie skrzyżowała ręce na piersiach. – Mógł pojawić się w moim domu.

– Brytyjczycy nie odnotowali powrotu Richarda Renwicka do kraju – zauważył Gabriel.

– A jeśli Johnny zabił innych ludzi i zabrał im dokumenty? Mógł się udać, dokąd chciał, podszywać się pod kogokolwiek.

– Jest pani pewna, że waszym przewodnikiem był Johnny Posthumus?

– Policja pokazała mi jego zdjęcie paszportowe, zrobione dwa lata wcześniej. To był ten sam człowiek.

– Zachowało się bardzo niewiele jego uwierzytelnionych fotografii. Pani widziała tylko jedną.

– Sądzi pan, że się pomyliłam?

– Wie pani, że ludzie mogą wyglądać inaczej, czasem zupełnie inaczej, na różnych zdjęciach.

– Jeśli to nie był Johnny, kim mógł być ten człowiek?

– Oszustem.

Millie spojrzała na Gabriela, zaszokowana tą sugestią.

Usłyszeli brzęk porcelany, gdy DeBruin wracał z kuchni z herbatą na tacy. Zauważył, że wszyscy milczą, postawił ostrożnie tacę na stoliku do kawy i przyjrzał się uważnie żonie.

– Mogę nalać herbaty, mamusiu? – spytała Violet. – Obiecuję, że nie rozleję.

– Nie, kochanie. Tym razem mamusia to zrobi. A ty pójdziesz z tatusiem oglądać telewizję. – Spojrzała na męża błagalnym wzrokiem.

DeBruin wziął córeczkę za rękę.

– Chodź, zobaczymy, co tam ciekawego, hm? – powiedział i wyprowadził ją z salonu.

Po chwili w sąsiednim pokoju rozbrzmiały głośne dźwięki radosnej muzyki z telewizora. Choć taca z herbatą stała na stoliku przed Millie, nie rozlała jej do filiżanek, lecz siedziała ze skrzyżowanymi na piersi rękami, zaszokowana tym, co usłyszała od Amerykanów.

– Henk Andriessen z Interpolu powiedział nam, że przebywała pani jeszcze w szpitalu, gdy policja pokazała pani to zdjęcie. Była pani wciąż słaba, w trakcie rekonwalescencji. I minęło już wiele tygodni, odkąd widziała pani zabójcę.

– Uważa pan, że się pomyliłam – odezwała się cicho.

– Świadkom często się to zdarza – odparł Gabriel. – Mylą szczegóły albo zapominają twarze.

Jane przypomniała sobie różnych naocznych świadków, którzy w dobrej wierze i z pełnym przekonaniem wskazywali niewłaściwych podejrzanych albo podawali opisy wydarzeń, które okazywały się później wysoce nieprecyzyjne. Ludzki umysł potrafi doskonale uzupełniać brakujące szczegóły i tworzyć z nich fakty, choć czasem są one tylko wytworem wyobraźni.

– Chce pan, żebym nabrała wątpliwości – powiedziała Millie. – Ale to zdjęcie, które mi pokazali, przedstawiało Johnny'ego. Pamiętam każdy szczegół jego twarzy. – Zmierzyła wzrokiem Jane i Gabriela. – Może używa teraz innego nazwiska. Ale gdziekolwiek jest i jakkolwiek się nazywa, wiem, że o mnie nie zapomniał.

W sąsiednim pokoju Violet śmiała się radośnie, a z telewizora wciąż rozbrzmiewała wesoła muzyka. Ale w salonie panował taki chłód, że nie potrafiły go rozproszyć nawet wpadające przez okno promienie popołudniowego słońca.

– To dlatego nie wróciła pani do Londynu – powiedziała Jane.

– Johnny wiedział, gdzie mieszkam i pracuję. Wiedział, jak mnie znaleźć. Nie mogłam wrócić. – Millie spojrzała w kierunku, z którego dobiegał śmiech jej córeczki. – Poza tym pojawił się Christopher.

– Opowiedział nam, jak się poznaliście.

– Gdy ocalałam w buszu, został ze mną. Siedział codziennie przy moim łóżku w szpitalu. Przy nim czułam się bezpieczna. Tylko przy nim. – Spojrzała na Jane. – Po co miałam wracać do Londynu?

– Czy nie mieszka tam pani siostra?

– Ale teraz mam dom tutaj. Tu jest moje miejsce. – Popatrzyła za okno, na drzewo z rozłożystymi konarami. – Afryka mnie odmieniła. Skorupa, w której tkwiłam, kruszała kawałek po kawałku. Busz, jak kamień szlifierski, ściera z człowieka wszystko, co zbędne. Zmusza go, by zobaczył, kim naprawdę jest. Gdy się tam znalazłam, byłam tylko głupią dziewczyną. Zawracałam sobie głowę butami, torebkami i kremami do twarzy. Traciłam lata, czekając, aż Richard się ze mną ożeni. Sądziłam, że brakuje mi do szczęścia jedynie ślubnej obrączki. Ale potem, gdy myślałam, że umieram, odnalazłam siebie. Prawdziwą siebie. Dawna Millie została w buszu i wcale mi jej nie brakuje. Tu jest moje życie, w Touws River.

– Ale wciąż dręczą panią koszmary.

Millie zamrugała.

– Chris wam powiedział?

– Mówił, że budziła się pani z krzykiem.

– To z powodu pani telefonu. Wszystko zaczęło się od nowa, bo pani odgrzebała tę sprawę.

– To znaczy, że jest nadal aktualna. Wcale pani o niej nie zapomniała.

– Dobrze sobie radziłam.

– Czyżby? – Jane rozejrzała się po pokoju, spoglądając na półki z poukładanymi starannie książkami i wazon z kwiatami, postawiony dokładnie na środku kominka. – A może ukrywa się tu pani po prostu przed światem?

– Czy na moim miejscu nie postąpiłaby pani tak samo?

– Chciałabym znów poczuć się bezpieczna. Ale by to osiągnąć, trzeba odnaleźć tego człowieka i wsadzić go za kratki.

– To pani zadanie, pani detektyw, nie moje. Pomogę, na ile będę mogła. Obejrzę zdjęcia, które pani przywiozła. Odpowiem na wszystkie pytania. Ale nie polecę do Bostonu. Nie opuszczę swojego domu.

– I w żaden sposób nie zdołamy pani przekonać?

Millie spojrzała jej w oczy.

– Absolutnie.

Rozdział dwudziesty siódmy

Nocują dzisiaj w naszej sypialni dla gości. Obecność policjantki i agenta FBI pod moim dachem powinna dać mi poczucie bezpieczeństwa, a jednak znów nie mogę zasnąć. Chris leży obok mnie, oddychając głęboko. Jego ciepła, masywna postać dodaje mi otuchy. Jaki to luksus spać tak mocno każdej nocy i budzić się rano rześkim, nieoplątanym pajęczynami sennych koszmarów.

Nie rusza się, gdy wychodzę z łóżka, sięgam po szlafrok i wymykam się z sypialni.

W holu na dole mijam pokój gościnny, gdzie zatrzymali się detektyw Rizzoli i jej mąż. O dziwo, nie zorientowałam się od razu, że są małżeństwem, dopóki nie spędziłam z nimi całego popołudnia. Pokazywali mi na laptopie kolejne zdjęcia ewentualnych podejrzanych. Twarze wielu mężczyzn. Gdy nadeszła pora kolacji, wszystkie fotografie już mi się mieszały. Zaczęłam przecierać zmęczone oczy i kiedy ponownie je otworzyłam, zobaczyłam, jak agent Dean trzyma rękę na ramieniu detektyw Rizzoli. Nie było to przyjacielskie poklepywanie, lecz pieszczotliwy gest mężczyzny, który okazuje troskę kobiecie. Potem dostrzegłam też inne szczegóły: takie same obrączki, fakt, że jedno z nich dokańczało zdanie, które drugie rozpoczęło, i że podając partnerce kawę, Dean wsypał jej bez pytania do filiżanki łyżeczkę cukru.

Początkowo zachowywali profesjonalny dystans, zwłaszcza powściągliwy i chłodny Gabriel Dean. Ale przy kolacji, po kilku kieliszkach wina, zaczęli mówić o swoim małżeństwie, córce i wspólnym życiu w Bostonie. Skomplikowanym życiu, jak sądzę, zważywszy na wymogi ich pracy. Pracy, która przywiodła ich teraz aż do odległego zakątka prowincji Western Cape.

Skradam się na palcach do kuchni obok zamkniętych drzwi pokoju gościnnego i nalewam sobie do szklanki solidną porcję szkockiej. Wystarczającą, bym była senna, ale nie pijana. Wiem z doświadczenia, że trochę whisky pomoże mi zasnąć, ale jeśli wypiję jej zbyt dużo, obudzę się za kilka godzin z koszmarami. Sadowię się na krześle przy kuchennym stole i sączę powoli drinka; słyszę głośne tykanie zegara ściennego. Gdyby Chris nie spał, poszlibyśmy z drinkami do ogrodu i siedzielibyśmy razem w świetle księżyca, delektując się zapachem jaśminu. Sama nigdy nie wychodzę w nocy. Chris powtarza, że jestem najdzielniejszą kobietą, jaką zna, ale to nie odwaga utrzymała mnie przy życiu w Botswanie. Nawet prymitywne istoty nie chcą umierać i walczą o przetrwanie, nie jestem więc wcale odważniejsza niż byle królik czy wróbel.

Hałas za moimi plecami sprawia, że wyprostowuję się na

krześle. Odwracam się i widzę detektyw Rizzoli, która wchodzi boso do kuchni. Jej nieuczesane włosy wyglądają jak czarna korona z ciernistych gałęzi. Ma na sobie luźny podkoszulek i męskie bokserki.

– Przepraszam, jeśli panią przestraszyłam – mówi. – Przyszłam tylko po szklankę wody.

– Mogę zaproponować coś mocniejszego.

Patrzy na moją whisky.

– Cóż, nie chciałabym, żeby piła pani sama. – Nalewa sobie szkocką, dodaje drugie tyle wody i siada na krześle naprzeciwko mnie. – Często pani to robi?

– Co?

– Pije pani samotnie.

– To mi pomaga zasnąć.

– Ma pani z tym problem?

– Wie pani, że tak. – Sączę kolejny łyk, ale nie pomaga mi się to odprężyć, bo Rizzoli wpatruje się we mnie ciemnymi, przenikliwymi oczami. – A dlaczego pani nie śpi? – pytam.

– Z powodu zmiany czasu. W Bostonie jest teraz szósta wieczorem i mój organizm nie daje się oszukać. – Pociąga łyk szkockiej i wcale się nie krzywi z powodu jej ostrego smaku. – Dziękuję raz jeszcze za gościnę.

– Nie mogliśmy pozwolić, żebyście jechali nocą z powrotem do Kapsztadu, po tylu godzinach spędzonych ze mną. Mam nadzieję, że nie musicie lecieć od razu do Stanów. Byłoby szkoda, gdybyście nie zwiedzili trochę tego kraju.

– Zostajemy jeszcze na jedną noc w Kapsztadzie.

– Tylko jedną?

– I tak z trudem przekonałam szefa, żeby zgodził się na tę podróż. W dzisiejszych czasach wszyscy tną koszty. Nie daj Bóg, żebyśmy się dobrze bawili za publiczne pieniądze.

Spoglądam na whisky, która lśni jak płynny bursztyn.

– Lubi pani swoją pracę? – pytam.

– Zawsze chciałam zajmować się czymś takim.

– Tropieniem zabójców? – Kręcę głową. – Nie sądzę, żebym potrafiła to znieść. Oglądać to, co pani. Stawać codziennie twarzą w twarz z tym, do czego zdolni są ludzie.

– Sama pani już tego doświadczyła.

– I nie chcę nigdy więcej. – Wlewam do ust resztę whisky i połykam ją jednym haustem. Stwierdzam nagle, że wypiłam za mało, by ukoić nerwy. Wstaję, by dolać sobie jeszcze.

– Ja też miewałam koszmary – mówi Rizzoli.

– Nic dziwnego, zważywszy na charakter pani pracy.

– Odzyskałam równowagę. Pani też może.

– W jaki sposób?

– Tak jak ja. Trzeba zabić potwora. Zesłać go tam, gdzie nie skrzywdzi już pani ani nikogo innego.

Śmieję się, zakorkowując butelkę.

– Czy ja wyglądam na policjantkę? – pytam.

– Wygląda pani na kobietę, która boi się nawet pójść spać.

Odstawiam butelkę na kuchenny blat i odwracam się do Rizzoli.

– Nie przeżyła pani tego co ja. Poluje pani na zabójców, ale oni nie polują na panią.

– To nieprawda, Millie – mówi cicho. – Wiem dokładnie, co pani czuje. Ponieważ na mnie też polowano. – Patrzy mi w oczy, gdy opadam z powrotem na krzesło.

– Co się wydarzyło? – pytam.

– Parę lat temu, mniej więcej w tym czasie, gdy poznałam męża, szukałam człowieka, który zamordował kilka kobiet. Biorąc pod uwagę, jak z nimi postąpił, nie jestem pewna, czy powinnam go nazwać człowiekiem... Raczej osobnikiem innego gatunku. To stwór, który żywił się cudzym bólem i strachem. Rozkoszował się tym, że budzi przerażenie. Im bardziej się bałaś, tym bardziej cię pożądał. – Rizzoli podnosi szklankę do ust i wypija duży haust whisky. – A wiedział, że się boję.

Dziwi mnie, że ta kobieta, która wydaje się nieustraszona, się do tego przyznaje. Przy kolacji opowiadała, jak pierwszy raz wyważyła kopniakiem drzwi, jak ścigała zabójców po dachach i ciemnych alejkach. Teraz, siedząc w podkoszulku i bokserkach, z rozczochranymi czarnymi włosami, wygląda jak zwyczajna kobieta. Drobna, bezbronna. Łatwa do pokonania.

– Polował na panią? – pytam.

– Tak. Miałam to szczęście.

– Dlaczego?

– Bo już raz złapał mnie w pułapkę. Tak jak sobie zaplanował. – Podnosi ręce i pokazuje mi blizny na nadgarstkach. – On to zrobił. Skalpelem.

Zauważyłam u niej wcześniej dziwnie usytuowane blizny, wyglądające jak ślady po ukrzyżowaniu. Patrzę na nie z przerażeniem, bo teraz wiem, jak te rany zadano.

– Nawet gdy trafił do więzienia, kiedy wiedziałam, że nie może mnie dopaść, miałam koszmarne sny. Jak mogłam o nim zapomnieć, skoro mam na rękach takie pamiątki? Koszmary z czasem jednak ustały. Po roku przestał mi się śnić i na tym sprawa powinna była się zakończyć. Ale tak się nie stało.

– Czemu?

– Ponieważ uciekł z więzienia. – Napotyka moje spojrzenie i widzę w jej oczach odbicie własnego strachu. Widzę kobietę, która wie, co znaczy być na celowniku zabójcy, nie mając pojęcia, kiedy pociągnie za spust. – I wtedy moje koszmary zaczęły się od nowa.

Wstaję i sięgam po butelkę szkockiej. Przynoszę ją do stołu i stawiam między nami.

– Za koszmary – proponuję.

– Nie można utopić ich w whisky, Millie. Bez względu na to, ile wychleje się butelek.

– Więc co mam zrobić?

– To samo co ja. Zapolować na potwora, który ściga panią w snach. Poćwiartować go i zakopać. Dopiero wtedy będzie pani znów spokojnie spała.

– A pani się to udaje?

– Tak. Ale tylko dlatego, że zrezygnowałam z uciekania i ukrywania się. Wiedziałam, że nie zaznam spokoju, dopóki on mnie tropi. Więc stałam się myśliwym. Gabriel rozumiał, że narażam się na ryzyko, i próbował odsunąć mnie od tej sprawy, ale ja musiałam brać udział w śledztwie. Dla zdrowia psychicznego musiałam walczyć, a nie ukrywać się za zamkniętymi drzwiami, czekając na atak.

– Mąż nie starał się pani powstrzymać?

– Nie byliśmy wtedy małżeństwem, więc nie mógł tego zrobić. – Śmieje się. – Teraz zresztą też nie dałby rady. Choć stara się, jak może, utrzymać mnie w ryzach.

Myślę o Chrisie, chrapiącym spokojnie w naszym łóżku. O tym, jak ściągnął mnie na farmę, żeby zapewnić mi bezpieczeństwo.

– Mój mąż też próbuje to robić.

– Trzymać panią za zamkniętymi drzwiami?

– Żeby mnie chronić.

– A jednak nie czuje się pani bezpieczna. Nawet po sześciu latach.

– Nie żyłam tu w poczuciu zagrożenia. Przynajmniej dotychczas. Dopóki pani nie przypomniała mi o wszystkim.

– Wykonuję tylko swoją pracę, Millie. Proszę nie mieć mi tego za złe. Nie przeze mnie dręczą panią koszmary. To nie ja uczyniłam z pani więźnia.

– Nie jestem więźniem.

– Czyżby?

Patrzymy na siebie przez stół. Rizzoli ma ciemne, błyszczące oczy. I niebezpieczne spojrzenie, które potrafi przenikać przez czaszkę w najgłębsze zakamarki mojego umysłu, w których ukrywam swoje lęki. Nie mogę zaprzeczyć jej słowom. Jestem więźniem. Nie tylko unikam świata, ale kulę się przed nim.

– Nie musi tak być – mówi Rizzoli.

Początkowo nie odpowiadam. Wpatruję się w szklankę, którą obejmuję dłońmi. Chcę napić się jeszcze whisky, ale wiem, że to ukoi mój strach tylko na parę godzin. Jak znieczulenie, w końcu przestanie działać.

– Proszę mi opowiedzieć, jak to się stało, że stawiła mu pani opór – mówię.

Wzrusza ramionami.

– W końcu nie miałam wyjścia.

– Wybrała pani walkę.

– Nie, to naprawdę nie był mój wybór. Kiedy ten człowiek uciekł z więzienia, wiedziałam, że muszę do dopaść. Gabriel i moi koledzy z bostońskiej policji próbowali trzymać mnie od tej sprawy z daleka, ale nie dałam się od niej odsunąć. Znałam tego zabójcę lepiej niż ktokolwiek. Patrzyłam mu w oczy i widziałam w nim bestię. Rozumiałam go. Potrafiłam powiedzieć, co go podnieca, czego pragnie, jak tropi ofiarę. Żeby móc znów spokojnie spać, musiałam go schwytać. Problem polegał na tym, że równocześnie on polował na mnie. Byliśmy wrogami, którzy zwarli się w śmiertelnym pojedynku, i jedno z nas musiało zginąć. – Rizzoli milknie i wypija łyk szkockiej. – On uderzył pierwszy.

– Jak to się stało?

– Osaczył mnie, kiedy najmniej się tego spodziewałam. Zabrał do miejsca, w którym nikt by mnie nigdy nie odnalazł. A co najgorsze, nie był sam. Miał przyjaciela.

Mówi tak cicho, że muszę się nachylać, by ją usłyszeć. W ogrodzie brzęczą nocne owady, ale w kuchni zalega grobowe milczenie. Odczuwam dwa razy większy lęk, jakby ścigało mnie dwóch Johnnych. Nie wiem, jak ta kobieta może spokojnie tu siedzieć i opowiadać mi swoją historię.

– Zaciągnęli mnie tam, dokąd chcieli – mówi. – Nikt nie mógł przyjść mi z pomocą i ocalić od śmierci. Byłam zdana na siebie. – Zaczerpnęła tchu i wyprostowała się na krześle. – I wygrałam. Pani też się uda, Millie. Może pani zabić potwora.

– Pani to zrobiła?

– Właściwie nie żyje. Pocisk uszkodził mu kręgosłup i ten potwór został uwięziony w miejscu, z którego nigdy nie ucieknie, we własnym ciele. Jest sparaliżowany od szyi w dół. A jego przyjaciel gnije w grobie. – Jej uśmiech dziwnie nie pasuje do tego, co powiedziała, ale gdy pokonało się potwory, ma się prawo do satysfakcji ze zwycięstwa. – A tamtej nocy spałam lepiej niż przez cały poprzedni rok.

Garbię się nad stołem, nic nie mówiąc. Wiem, oczywiście, po co opowiada mi tę historię, ale nie działa to na mnie. Nie można zmusić kogoś do bohaterstwa, jeśli ten ktoś nie ma w sobie odwagi. Przeżyłam tylko dlatego, że potwornie bałam się umrzeć, więc tak naprawdę jestem tchórzem. Kobietą, która po prostu szła przed siebie, pośród słoni i krokodyli, kobietą, którą los obdarzył mocnymi nogami i nadzwyczajnym fartem.

Rizzoli ziewa i wstaje z krzesła.

– Chyba wrócę do łóżka. Mam nadzieję, że jutro jeszcze porozmawiamy.

– Nie zmienię zdania. Nie polecę do Bostonu.

– Mimo że wiele mogłaby pani zdziałać? Zna pani zabójcę lepiej niż ktokolwiek.

– A on zna mnie. To ja mu uciekłam i on mnie poszukuje. Jestem jego jednorożcem, istotą skazaną na zagładę.

– Obiecuję, że zapewnimy pani bezpieczeństwo.

– Sześć lat temu, w buszu, poczułam, jak się umiera. – Kręcę głową. – Niech mnie pani nie prosi, żebym umierała po raz drugi.

▫ ▫ ▫

Mimo że wypiłam sporo whisky, a może właśnie z tego powodu, znów śni mi się Johnny.

Stoi przede mną, wyciągając ręce i błagając, bym do niego podbiegła. Okrążają nas lwy i muszę dokonać wyboru. Jakże pragnę mu zaufać, tak jak ufałam mu kiedyś! Nigdy naprawdę nie uwierzyłam, że jest zabójcą, a teraz widzę go przed sobą, barczystego i złotowłosego. „Chodź do mnie, Millie. Ochronię cię". Biegnę do niego radośnie, spragniona jego dotyku. Ale gdy wpadam mu w ramiona, jego usta zamieniają się w szeroko otwarte szczęki z zakrwawionymi kłami, gotowe mnie pożreć.

Budzę się z krzykiem.

Siadam na skraju łóżka, chowając twarz w dłoniach. Chris masuje mi plecy, próbując mnie uspokoić. Czuję na skórze zimny pot, a serce dudni mi w piersiach. „Wszystko dobrze, Millie, jesteś bezpieczna", mruczy Chris, ale ja wiem, że to nieprawda. Jestem jak pęknięta porcelanowa lalka, która może się rozpaść przy najlżejszym uderzeniu. Nie pozbierałam się od sześciu lat i widzę wyraźnie, że nigdy mi się to nie uda. Dopóki Johnny nie trafi do więzienia... albo nie umrze.

Podnoszę głowę i patrzę na Chrisa.

– Nie mogę tak dłużej żyć. Oboje nie możemy.

Chris wzdycha ciężko.

– Wiem.

– Muszę to zrobić, chociaż nie chcę.

– Więc polecimy do Bostonu razem z tobą. Nie będziesz sama.

– Nie. Nie. Chcę, żeby Violet trzymała się od niego

z daleka. Niech zostanie tutaj, gdzie wiem, że jest bezpieczna. I tylko ty zapewnisz jej należytą opiekę.

– A kto zaopiekuje się tobą?

– Oni. Słyszałeś, jak mówili, że nie pozwolą, by coś mi się stało.

– I ufasz im?

– A dlaczego nie?

– Ponieważ jesteś dla nich jedynie narzędziem, środkiem potrzebnym do osiągnięcia celu. Nic ich nie obchodzisz. Chcą tylko schwytać jego.

– Ja także. Mogę im w tym pomóc.

– Pozwalając mu wywęszyć twój trop? A jeśli nie zdołają go dopaść? Jeśli role się odwrócą i doścignie cię tutaj?

Takiej możliwości nie rozważałam. Przypominam sobie koszmar, z którego właśnie się ocknęłam. Johnny przyzywa mnie i obiecuje bezpieczeństwo, a potem rozwiera szeroko szczęki. Podświadomość ostrzega mnie, bym trzymała się od niego z daleka. Ale jeśli tak zrobię, nic się nie zmieni, rany się nie zabliźnią. Pozostanę na zawsze tą pękniętą porcelanową lalką.

– Nie mam wyboru – mówię. – Muszę im zaufać.

– Możesz tam nie jechać.

Dotykam jego dłoni. Dużej i szorstkiej dłoni farmera, wystarczająco silnej, żeby powalić na ziemię owcę, i dość delikatnej, by czesać włosy małej dziewczynki.

– Muszę to dokończyć, kochanie. Lecę do Bostonu.

□ □ □

Christopher ma listę żądań i z ogniem w oczach przedstawia ją detektyw Rizzoli i agentowi Deanowi.

– Macie być ze mną w codziennym kontakcie, żebym wiedział, że wszystko w porządku – rozkazuje im. – Chcę wiedzieć, czy jest cała i zdrowa, czy tęskni za domem, czy nie ma kataru.

– Proszę, Chris... – Wzdycham. – Nie lecę na Księżyc.

– Tam byłoby bezpieczniej.

– Przyrzekam, że się zaopiekujemy pańską żoną, panie DeBruin – mówi detektyw Rizzoli. – Nie prosimy, żeby zakładała kaburę. Będzie tylko konsultantką naszej ekipy detektywów i policyjnego psychologa. Wyjeżdża na tydzień, najwyżej dwa.

– Nie chcę, żeby przesiadywała w pokoju hotelowym. Powinna mieć kogoś do towarzystwa, w normalnym mieszkaniu, gdzie nie czułaby się osamotniona.

Detektyw Rizzoli zerka na męża.

– Na pewno coś zorganizujemy.

– Gdzie?

– Muszę najpierw zadzwonić. Dowiem się, czy mieszkanie, o którym myślę, będzie dostępne.

– Kto tam mieszka?

– Ktoś, komu ufam. Przyjaciółka.

– Niech mi pani to potwierdzi, zanim Millie wsiądzie do samolotu.

– Załatwimy wszystko przed wyjazdem z Kapsztadu.

Chris wpatruje się przez chwilę w ich twarze, doszukując się powodów, by im nie ufać. Mój mąż jest z natury podejrzliwy. Był wychowywany przez nieodpowiedzialnego ojca, a matka porzuciła go, gdy miał siedem lat. Zawsze się boi, że straci ludzi, których kocha, a teraz boi się stracić mnie.

– Wszystko będzie dobrze, kochanie – zapewniam, choć wcale nie jestem o tym przekonana. – Oni dokładnie wiedzą, co robią.

Rozdział dwudziesty ósmy

BOSTON

Maura postawiła na toaletce wazon z żółtymi różami i rozejrzała się ostatni raz po pokoju gościnnym. Biała kołdra była świeżo wyprana, turecki dywan został dokładnie odkurzony, a łazienka – wyposażona w puszyste białe ręczniki. W tym pokoju nie spał nikt od sierpnia, gdy odwiedził ją podczas letnich wakacji siedemnastoletni Julian Perkins. Od jego wyjazdu prawie tam nie zaglądała. Teraz zlustrowała to pomieszczenie krytycznym okiem, aby się upewnić, że wszystko jest gotowe na przyjęcie gościa. Okno wychodziło na ogród na tyłach domu, ale w to listopadowe popołudnie widziała przez nie tylko nagie zarośla i zbrązowiałą trawę. Jasny wiosenny akcent stanowiły przynajmniej wiszący nad łóżkiem obraz bujnych różowych piwonii i wazon z żółtymi różami na toaletce. Miały powitać radośnie gościa, który przybywał z ponurą misją.

Kiedy Jane przysłała jej e-mail, w którym wyjaśniała sytuację, Maura przeczytała zeznania Millie, wiedziała więc, czego się spodziewać. Ale gdy rozległ się dzwonek u drzwi i zobaczyła tę kobietę po raz pierwszy, była zaskoczona jej mizernym wyglądem. Podróż z Kapsztadu trwała długo i Jane również wydawała się wyczerpana, ale Millie przypominała ducha; miała zapadnięte oczy, a jej wychudzona sylwetka ginęła niemal w zbyt obszernym swetrze.

– Witam w Bostonie – powiedziała Maura, gdy weszły do domu i Jane wniosła walizkę Millie. – Przepraszam za pogodę.

Millie zdobyła się na nikły uśmiech.

– Nie spodziewałam się takiego zimna. – Spojrzała z zażenowaniem na swój monstrualny sweter. – Kupiłam go na lotnisku. Myślę, że zmieściłaby się w nim jeszcze druga osoba.

– Pewnie jest pani wykończona. Napije się pani herbaty?

– Z przyjemnością, ale najpierw muszę skorzystać z toalety.

– Pani pokój jest w głębi korytarza, po prawej. Ma pani tam własną łazienkę. Proszę się spokojnie rozgościć. Herbata może zaczekać.

– Dziękuję. – Millie wzięła walizkę. – Będę gotowa za parę minut.

Maura i Jane zaczekały, aż zamkną się za nią drzwi. Dopiero wtedy Jane zapytała:

– Na pewno nie masz nic przeciwko temu? Próbowałam znaleźć inne rozwiązanie, ale nasze mieszkanie jest za małe.

– Wszystko jest w najlepszym porządku, Jane. Powiedziałaś, że chodzi tylko o jeden tydzień, a nie możesz przecież zostawić tej biedaczki w hotelu.

– Doceniam twoją pomoc. Jedyną alternatywą było mieszkanie mojej mamy, ale tam jest teraz dom wariatów, bo tata doprowadza ją do szału.

– Jak układa się twojej matce?

– Oprócz tego, że jest w depresji? – Jane pokręciła głową. – Czekam, aż zdobędzie się na odwagę i wykopie go z domu. Niestety, stara się tak usilnie wszystkich uszczęśliwiać, że całkiem zapomina o sobie. – Jane westchnęła ciężko. – Mam mamę, która jest świętą.

Moja nigdy nie będzie, pomyślała Maura. Przypomniała sobie ostatnią wizytę u Amalthei w więzieniu. Jej bezduszne, wyrachowane spojrzenie. Już wówczas musiał wykluwać się w niej nowotwór, zło wewnątrz zła, jak zatruta matrioszka. Czy umierając na raka, czuła wyrzuty sumienia? Czy dla kogoś takiego istniało w ogóle odkupienie? Za kilka miesięcy, najwyżej sześć, ona na wieki zamknie oczy, a ja będę się zawsze zastanawiała, pomyślała Maura.

Jane spojrzała na zegarek.

– Muszę iść. Powiedz Millie, że zabiorę ją jutro około dziesiątej na zebranie naszego zespołu. Poprosiłam policję z Brookline, żeby przysyłali tu co jakiś czas patrol i mieli wszystko na oku.

– Czy to konieczne? Nikt nie wie, że ona tu jest.

– Chodzi o to, żeby czuła się bezpieczna. Z trudem ją tutaj ściągnęłam, Mauro. Uważa, że sprowadziliśmy ją prosto do jaskini bestii.

– To może być prawdą.

– Ale jest nam potrzebna. Musimy tylko zapewnić jej spokój, żeby nie chciała wracać natychmiast do domu.

– Nie mam nic przeciwko gościom – oznajmiła Maura, spoglądając na kota, który postanowił właśnie wskoczyć na stolik. – Chociaż tego akurat chętnie bym się pozbyła. – Złapała kota i postawiła go na podłodze.

– Jeszcze się nie zaprzyjaźniliście?

– Och, on jak najbardziej znalazł przyjaciela. Mój otwieracz do puszek. – Maura otrzepała z odrazą ręce z kociej sierści. – Więc co o niej sądzisz?

Jane spojrzała w głąb korytarza i odparła cicho:

– Jest przerażona i nie mogę mieć jej tego za złe. Tylko ona ocalała i może zidentyfikować sprawcę w sądzie. Jeszcze po sześciu latach dręczą ją koszmary.

– Nietrudno to zrozumieć. Ty i ja byłyśmy w podobnej sytuacji. – Maura nie musiała mówić nic więcej. Obie wiedziały, co znaczy być ściganym i nasłuchiwać podczas bezsennych nocy, czy ktoś nie wybija szyby albo nie chwyta za klamkę. Należały do grona tych nieszczęsnych kobiet, które upatrzył sobie zabójca.

– Będzie musiała odpowiedzieć jutro na wiele pytań, powrócić do bolesnych wspomnień – powiedziała Jane. – Zadbaj, żeby dobrze się wyspała. – Gdy wychodziła już, zadzwoniła jej komórka, przystanęła więc w progu, by odebrać telefon. – Hej, Tam, właśnie dotarliśmy. Jadę dalej, żeby nadrobić... – Znieruchomiała nagle. – Co? Jesteś pewien?

Maura zobaczyła, że przyjaciółka się rozłącza i wpatruje w komórkę, jakby ta ją zdradziła.

– Co się stało?

Jane odwróciła się do niej.

– Mamy problem. Pamiętasz naszą NN?

– Kości znalezione za domem?

– Przekonywałaś mnie, że zabił ją Człowiek-Pantera.

– Nadal tak uważam. Miała na czaszce ślady pazurów. Usunięto jej wnętrzności. Była skrępowana nylonową linką. Wszystko pasuje.

– Problem polega na tym, że została właśnie zidentyfikowana na podstawie badań DNA. Nazywała się Natalie Toombs, miała dwadzieścia lat. Studiowała w Curry College. Biała kobieta, niecałe sto sześćdziesiąt centymetrów wzrostu.

– To odpowiada parametrom szkieletu, który badałam. Na czym polega problem?

– Natalie zaginęła czternaście lat temu.

Maura wpatrywała się w Jane.

– Czternaście lat? Czy wiemy, gdzie był wtedy Johnny Posthumus?

– Pracował w domku myśliwskim w Republice Południowej Afryki. – Jane pokręciła głową. – Nie mógł zabić Natalie.

□ □ □

– Teraz, Rizzoli, można wysłać do wszystkich diabłów pani niezbitą teorię o Człowieku-Panterze – powiedział Darren Crowe. – Czternaście lat temu, gdy Natalie Toombs zaginęła w Bostonie, ten facet pracował w Sabi Sands w RPA. Dokumentuje to raport Interpolu. Jest tam świadectwo jego zatrudnienia, rejestr godzin pracy i kwity wypłat wynagrodzeń. Najwyraźniej nie on zabił Natalie. Co oznacza, że niepotrzebnie sprowadziła pani świadka aż z RPA.

Jane, jeszcze oszołomiona po źle przespanej nocy, próbowała skupić uwagę na swoim laptopie. Obudziła się tego ranka zdezorientowana, wypiła dwie filiżanki kawy, żeby dać kopa mózgowi przed zebraniem zespołu, ale z trudem nadążała za lawiną nowych informacji. Czuła na sobie wzrok pozostałej trójki detektywów, gdy otwierała kolejne strony, potwierdzające to, co Tam powiedział jej wczoraj przez telefon. Natalie Toombs, którą nazywali wcześniej NN, była dwudziestoletnią brytyjską studentką ostatniego roku w Curry College, znajdującego się zaledwie trzy kilometry od miejsca, w którym odkopano jej kości. Mieszkała w wynajętym domu poza kampusem, z dwiema innymi studentkami, które opisały ją jako towarzyską, wysportowaną dziewczynę i miłośniczkę przyrody. Po raz ostatni widziano ją w sobotnie popołudnie, gdy wychodziła z plecakiem pełnym książek, żeby uczyć się razem z niejakim Tedem, którego jej współlokatorki nigdy nie spotkały.

Następnego dnia zgłosili, że zniknęła.

Od czternastu lat sprawa figurowała w krajowej bazie danych osób zaginionych, razem z tysiącami innych niewyjaśnionych przypadków. Matka Natalie, która już nie żyła, dostarczyła FBI próbkę swojego DNA, na wypadek gdyby odnaleziono kiedyś szczątki jej córki. Właśnie to DNA umożliwiło teraz dokonanie identyfikacji kości odkopanych na placu budowy.

Jane popatrzyła na Frosta, a on pokręcił współczująco głową.

– Trudno polemizować z faktami – powiedział zbolałym głosem. Zawsze cierpiał, kiedy musiał przyznać rację Crowe'owi.

– Zmarnowała pani sporo pieniędzy bostońskiej policji, fundując temu świadkowi lot z RPA – rzekł Crowe. – Dobra robota, Rizzoli.

– Istnieje jednak dowód, łączący co najmniej jedno z tych zabójstw z Botswaną – przypomniała mu. – Zapalniczka. Wiemy, że należała do Richarda Renwicka. Jak trafiła z Afryki do Maine, jeśli nie przywiózł jej sprawca?

– Nie wiadomo, przez ile rąk przeszła w ciągu minionych sześciu lat. Mogła dotrzeć tu w kieszeni nieświadomego niczego turysty, który znalazł ją Bóg wie gdzie. Jakkolwiek na to spojrzeć, widać wyraźnie, że Natalie Toombs nie zabił Johnny Posthumus. Zginęła prawie dziesięć lat wcześniej niż pozostałe ofiary. Zamykam wspólne dochodzenie. Niech pani szuka dalej swojego Człowieka-Pantery, Rizzoli, a my tropimy naszego sprawcę. Ponieważ nie sądzę, by między tymi zabójstwami istniał jakiś związek – powiedział, po czym zwrócił się do swego partnera: – Idziemy, Tam.

– Millie DeBruin przyleciała aż z Kapsztadu – rzuciła Jane. – Czeka teraz z doktorem Zuckerem. Proszę jej przynajmniej wysłuchać.

– Po co?

– A jeśli jest tylko jeden sprawca? Jeśli przemieszcza się między stanami i przekracza granice państw, zmieniając tożsamość?

– Chwileczkę. Czy to jakaś nowa teoria? – Crowe zaśmiał się. – Oszust, który zabija, podszywając się pod kogoś?

– Henk Andriessen, nasz kontakt w Interpolu, pierwszy zasugerował taką możliwość. Nie dawał mu spokoju fakt, że Johnny Posthumus nie miał kryminalnej przeszłości, nie zachowywał się agresywnie. Cieszył się reputacją doskonałego przewodnika, koledzy go cenili. A jeśli to wcale nie Johnny zabrał do buszu tych siedmioro turystów? Nie znali go wcześniej. Afrykański tropiciel też z nim nigdy wcześniej nie pracował. Ktoś mógł się za niego podawać.

– Oszust? Więc gdzie jest prawdziwy Johnny?

– Zapewne nie żyje.

Przy stole zaległo milczenie, gdy troje jej kolegów rozważało tę nową opcję.

– Powiedziałbym, że to oznacza powrót do punktu wyjścia – rzekł Crowe. – Szuka pani zabójcy o nieznanym nazwisku i tożsamości. Powodzenia!

– Może nie znamy jego nazwiska, ale wiemy, jak wygląda – odparła Jane. – I mamy świadka, który go widział.

– Ta kobieta zidentyfikowała Johnny'ego Posthumusa.

– Na podstawie jednego zdjęcia paszportowego. Wszyscy wiemy, że zdjęcia mogą kłamać.

– Podobnie jak świadkowie.

– Millie nie jest kłamcą – odparowała Jane. – Przeżyła piekło i nie chciała nawet tu przyjechać. Ale siedzi teraz w pokoju obok z doktorem Zuckerem. Może jej pan przynajmniej wysłuchać.

– Okay. – Crowe westchnął ciężko, opierając się plecami o krzesło. – Niech tak będzie. Posłucham, co ma do powiedzenia.

Jane podeszła do interkomu.

– Doktorze Zucker, może pan przyprowadzić Millie?

Po chwili Zucker pojawił się z nią w sali konferencyjnej. Miała na sobie wełnianą garsonkę i zapinaną bluzkę, ale wszystko było o numer za duże, jakby ostatnio straciła na wadze; wyglądała jak dziewczynka, która przebrała się w garderobę matki. Usiadła pokornie na krześle podsuniętym przez Zuckera, ale wpatrywała się w stół, zbyt onieśmielona, by spojrzeć na detektywów, którzy ją obserwowali.

– To moi koledzy z wydziału zabójstw – przedstawiła ich Jane. – Detektywi Crowe, Tam i Frost. Przeczytali raport i orientują się, co spotkało panią w delcie Okawango. Ale chcą wiedzieć więcej.

Millie uniosła brwi.

– Więcej?

– Na temat Johnny'ego. Człowieka, którego znała pani pod tym imieniem.

– Proszę powtórzyć im to wszystko, co przed chwilą opowiedziała pani mnie – zaproponował doktor Zucker. – Pamięta pani, jak mówiłem, że każdy zabójca ma swoje metody, zostawia charakterystyczne ślady? Detektywi chcą wiedzieć, co wyróżnia Johnny'ego. Jak działa, jak rozumuje. Może poda im pani jakiś szczegół, który pozwoli go schwytać.

Millie zastanawiała się nad tym przez chwilę.

– Ufaliśmy mu – odezwała się w końcu cicho. – Do tego wszystko się sprowadzało. Wierzyliśmy... a przynajmniej wierzyłam... że się nami zaopiekuje. W buszu śmierć czyha na każdym kroku. Gdy tylko wyjdzie się z jeepa albo z namiotu, można zginąć. W takim miejscu człowiek musi zdać się na przewodnika. Doświadczonego człowieka z bronią. Mieliśmy wszelkie powody, by mu ufać. Zanim Richard zarezerwował tę wycieczkę, zebrał o nim informacje. Mówił, że Johnny ma osiemnaście lat doświadczenia. I dobre referencje od innych podróżników. Ludzi z całego świata.

– Znalazł to wszystko w internecie? – spytał Crowe, unosząc brew.

– Tak. – Millie zaczerwieniła się. – Kiedy jednak dotarliśmy do delty Okawango, wszystko wydawało się w idealnym porządku. Odebrał nas na lotnisku. Namioty były prymitywne, ale wygodne. A okolica wyglądała pięknie. Prawdziwa dzika przyroda. Aż trudno było uwierzyć, że taka jeszcze istnieje. – Przerwała, wpatrzona w przestrzeń, pogrążona we wspomnieniach z tamtego miejsca. Zaczerpnęła tchu. – Przez pierwsze dwa dni wyprawa przebiegała zgodnie z planem. Rozbijanie obozu, posiłki, wyjazdy na safari. A potem... wszystko się zmieniło.

– Gdy zginął wasz tropiciel – wtrąciła Jane.

Millie skinęła głową.

– O świcie znaleźliśmy ciało Clarence'a. A raczej... jego szczątki. Rozszarpały go hieny i tak niewiele z niego zostało, że nie mieliśmy pojęcia, co się wydarzyło. Byliśmy już wtedy w głębi buszu, zbyt daleko, by korzystać z radia. Zresztą nie działało. Podobnie jak ciężarówka. – Przełknęła z trudem ślinę. – Utknęliśmy w dziczy.

W pokoju zaległa cisza. Nawet Crowe powstrzymał się od swoich przemądrzałych uwag. Wszyscy byli pod wrażeniem przerażającej opowieści Millie.

– Chciałam wierzyć, że po prostu prześladuje nas pech. Śmierć Clarence'a. Awaria ciężarówki. Richard nadal uważał, że to wspaniała przygoda, którą będzie mógł opisać w swojej książce. Jego bohater, Jackman Tripp, uwięziony w buszu, przeżyje wbrew wszelkim przeciwnościom losu. Wiedzieliśmy, że w końcu nas uratują. Że przyślą po nas samolot. Więc postanowiliśmy nie marnować czasu i dobrze się bawić. – Znów przełknęła ślinę. – Ale potem zginął pan Matsunaga i przygoda się skończyła. Zaczął się koszmar.

– Czy podejrzewaliście, że stoi za tym Johnny? – spytał Frost.

– Wtedy jeszcze nie. Przynajmniej ja tak nie sądziłam. Zwłoki pana Matsunagi leżały na drzewie, jak zdobycz pantery. Wyglądało to na kolejny pechowy wypadek. Ale inni zaczęli już szeptać, że to może być sprawka Johnny'ego. Obiecał zapewnić nam bezpieczeństwo, a dwóch ludzi zginęło. – Millie spojrzała na blat stołu. – Powinnam była ich słuchać i pomóc im unieszkodliwić Johnny'ego, ale nie wierzyłam w jego winę. Nie chciałam uwierzyć, ponieważ... – Przerwała.

– Z jakiego powodu? – spytał cicho doktor Zucker.

Millie zamrugała, by powstrzymać łzy.

– Ponieważ prawie się w nim zakochałam – wyszeptała.

Zakochana w człowieku, który próbował ją zabić. Jane rozejrzała się po zdumionych twarzach siedzących wokół stołu kolegów, ale sama nie była wcale zaszokowana wyznaniem Millie. Ile kobiet zostało zamordowanych przez mężów i narzeczonych, przez mężczyzn, których uwielbiały? Zakochana kobieta źle ocenia charakter człowieka. Nic dziwnego, że ta sprawa wciąż prześladowała Millie; zdradził ją nie tylko Johnny, ale także jej własne serce.

– Nigdy dotąd się do tego nie przyznałam. Nawet sama przed sobą – oświadczyła Millie. – Ale tam, w buszu, wszystko było takie inne. Piękne i niezwykłe. Dźwięki nocy, zapach powietrza. Człowiek budzi się o świcie trochę przestraszony. Czujny. Podekscytowany. – Spojrzała na Zuckera. – To był świat Johnny'ego. I dzięki niemu czułam się tam bezpiecznie.

Najsilniejszy afrodyzjak. W obliczu zagrożenia najbardziej pożądaną osobą jest obrońca, pomyślała Jane. Dlatego kobiety zakochują się w policjantach i ochroniarzach, a piosenkarki wyśpiewują: *Someone To Watch Over Me**. W afrykańskim buszu najbardziej upragnionym partnerem jest ten, kto potrafi zachować cię przy życiu.

– Wszyscy mówili, żeby obezwładnić Johnny'ego i odebrać mu broń. Nie chciałam się na to zgodzić. Uważałam, że poszaleli. A Richard ich podjudzał, grając bohatera, bo był

---

* Niech ktoś się mną zaopiekuje, tytuł piosenki Elli Fitzgerald.

zazdrosny o Johnny'ego. Wokół krążyły zwierzęta, które mogły nas pożreć, ale prawdziwa walka rozgrywała się wewnątrz obozu. Johnny i ja byliśmy wrogami wszystkich pozostałych. Przestali mi ufać i wyjawiać swoje plany. Myślałam, że jakoś przez to wszyscy przebrniemy do czasu, aż nadejdzie pomoc, a wtedy przekonają się, jacy byli żałośni. Sądziłam, że musimy po prostu się uspokoić i przeczekać. I wówczas... – Przełknęła ślinę. – On próbował zabić Elliota.

– Wąż w namiocie – znów wtrąciła Jane.

Millie skinęła głową.

– W tym momencie zrozumiałam, że muszę dokonać wyboru. Ale i wtedy nie mogłam uwierzyć, że winien jest Johnny. Nie chciałam w to wierzyć.

– Bo mu pani ufała – stwierdził Zucker.

Millie przetarła oczy i odparła ochrypłym głosem:

– On tak właśnie postępuje. Wzbudza zaufanie. Wybiera osobę, która chce mu wierzyć. Może szuka samotnej, bardzo przeciętnej kobiety. Albo takiej, którą zostawił chłopak. Doskonale je rozpoznaje. Uśmiecha się do niej i dziewczyna po raz pierwszy w życiu czuje, że żyje. – Millie ponownie przetarła oczy. – Byłam najsłabszą gazelą w stadzie. On o tym wiedział.

– Wcale nie najsłabszą – powiedział cicho Tam. – Tylko pani przeżyła.

– I tylko pani może go zidentyfikować – dodała Jane. – Nieważne, jak się naprawdę nazywa. Mamy jego rysopis. Wiemy, że ma około stu osiemdziesięciu pięciu centymetrów wzrostu i jest blondynem o niebieskich oczach i muskularnej budowie. Mógł zmienić kolor włosów, ale wzrostu nie ukryje.

– Ani oczu – dodała Millie. – Ma charakterystyczne spojrzenie.

– Proszę je opisać.

– Zagląda człowiekowi w głąb duszy. Odczytuje wszystkie marzenia i lęki. Jakby widział dokładnie, kim jesteś.

Jane przypomniała sobie oczy innego mężczyzny, w które kiedyś patrzyła, przygotowując się na śmierć, i poczuła na rękach gęsią skórkę. Obie poznałyśmy wzrok zabójcy, pomyślała. Tyle że ja byłam tego świadoma, a Millie nie. Jej opuszczone ramiona i głowa świadczyły o tym, że wstydzi się swojej naiwności.

Rozległ się przenikliwy i poruszający dźwięk komórki Jane. Wstała i wyszła z pokoju, by odebrać telefon.

Dzwoniła kryminolog Erin Volchko.

– Pamięta pani te próbki sierści, które znaleziono na niebieskim szlafroku Jodi Underwood?

– Kocie włosy – odparła Jane.

– Tak, dwa z nich pochodzą niewątpliwie od kota domowego. Ale trzeciego nie potrafiłam zidentyfikować. Posłałam go do laboratorium w Oregonie. Dostaliśmy właśnie wynik badania keratyny.

– Pantera śnieżna?

– Niestety, nie. Należy do gatunku *Panthera tigris tigris*.

– Czyli to tygrys?

– Ściślej mówiąc, tygrys bengalski. Co jest dla mnie kompletnym zaskoczeniem. Może umie mi pani wyjaśnić, skąd na szlafroku ofiary wziął się włos tygrysa.

Jane miała już odpowiedź.

– Dom Leona Gotta był jak arka Noego z wypchanymi zwierzętami. Jeśli dobrze pamiętam, na ścianie wisiała głowa tygrysa, ale nie mam pojęcia, czy to był tygrys bengalski.

– Może mi pani dostarczyć kilka próbek z tej głowy? Kiedy je zbadamy, dowiemy się, czy sierść na szlafroku Jodi Underwood pochodziła z domu Gotta.

– Dwie ofiary, ten sam zabójca.

– Wszystko zaczyna na to wskazywać.

Rozdział dwudziesty dziewiąty

On jest tutaj, gdzieś w tym mieście. Gdy tkwimy w popołudniowym korku, spoglądam przez szybę na przechodniów, którzy spieszą przed siebie z pochylonymi głowami, chroniąc się przed wiatrem hulającym między budynkami. Mieszkam już tak długo na farmie, że zapomniałam, jak wygląda życie w mieście. Nie podoba mi się w Bostonie. Jest tu zimno i szaro, a wieżowce zasłaniają niebo, rzucając wieczny cień. Ludzie są opryskliwi, zbyt bezpośredni i obcesowi. Detektyw Rizzoli, która prowadzi samochód, wydaje się rozkojarzona i nie próbuje nawiązać rozmowy, więc siedzimy w milczeniu. Na zewnątrz słychać kakofonię klaksonów i odległych syren i widać tłumy ludzi. Tu też jest jak w buszu, gdzie jeden niewłaściwy krok – nieostrożne zejście z krawężnika albo wymiana zdań z agresywnym człowiekiem – może okazać się zabójczy.

W jakim zakątku tego gigantycznego labiryntu miasta zaszył się Johnny?

Gdziekolwiek spojrzę, wydaje mi się, że go widzę. Zauważam górującego nad tłumem blondyna o szerokich ramionach, i serce podchodzi mi do gardła. Mężczyzna odwraca się i okazuje się, że to nie Johnny. Nie jest nim także następny jasnowłosy przechodzień, który przyciąga moje spojrzenie. Johnny jest równocześnie wszędzie i nigdzie.

Zatrzymujemy się na kolejnych światłach, tkwiąc między dwoma rzędami samochodów. Detektyw Rizzoli patrzy na mnie.

– Muszę załatwić po drodze jedną sprawę, zanim zawiozę panią do Maury. Pozwoli pani?

– Oczywiście. Dokąd jedziemy?

– Na miejsce zbrodni. Do domu Leona Gotta.

Mówi to tak od niechcenia, ale w końcu na tym polega jej praca. Jeździ do miejsc, gdzie znajdowane są ciała. Jest jak Clarence, nasz tropiciel w buszu, który szukał zawsze śladów zwierzyny. Detektyw Rizzoli poluje na tych, którzy zabijają.

Wydostajemy się w końcu z zatłoczonego centrum miasta i docieramy do o wiele spokojniejszej dzielnicy willowej. Rosną tu drzewa, lecz listopad pozbawił je liści, które leżą jak brązowe konfetti na ulicach. Dom, przed którym przystajemy, ma opuszczone wszystkie rolety, a na pniu drzewa trzepocze fragment policyjnej taśmy, jedyny kolorowy akcent w jesiennej szarzyźnie.

– Zajmie mi to tylko kilka minut – mówi Rizzoli. – Może pani zaczekać w samochodzie.

Rozglądam się po opustoszałej ulicy i dostrzegam w jednym z okien czyjąś sylwetkę. Ktoś nas obserwuje. To oczywiste. W okolicy pojawił się zabójca i ludzie niepokoją się, czy nie wróci.

– Wejdę z panią – mówię. – Nie chcę siedzieć tu sama.

Idąc za nią w kierunku ganku, denerwuję się, co tam zobaczę. Nigdy nie odwiedzałam domu, w którym kogoś zamordowano, i wyobrażam sobie obryzgane krwią ściany i wyrysowany kredą na podłodze kontur postaci. Ale gdy wchodzimy do środka, nie widzę krwi ani śladów przemocy – jeśli nie liczyć upiornej kolekcji głów zwierząt. Na ścianach wiszą ich dziesiątki. Zdają się na mnie patrzeć. Są jak galeria ofiar o oskarżycielskich spojrzeniach. Przenikliwy zapach środków dezynfekujących drażni mi oczy i nos.

Rizzoli dostrzega mój grymas i mówi:

– Pewnie wyszorowano cały dom cloroxem. I tak zapach jest teraz o wiele znośniejszy niż przedtem.

– Czy to się stało... w tym pokoju?

– Nie, w garażu. Nie muszę tam wchodzić.

– Czego właściwie szukamy?

– Polujemy na tygrysa. – Przygląda się trofeom zawieszonym na ścianach. – I mamy go. Wiedziałam, że tu jest.

Gdy przesuwa krzesło, by dosięgnąć łba tygrysa, wyobrażam sobie, jak dusze tych martwych zwierząt rozmawiają ze sobą szeptem, osądzając nas. Lew afrykański wygląda jak żywy i niemal się boję do niego zbliżyć, ale magnetycznie mnie przyciąga. Przypominam sobie prawdziwe lwy, które oglądałam w buszu, pamiętam ich mięśnie pulsujące pod płową skórą. Myślę o Johnnym, złotowłosym i równie silnym, i widzę oczami wyobraźni jego głowę, która patrzy na mnie z góry. Jest najbardziej niebezpiecznym drapieżnikiem na tej ścianie.

– Johnny powiedział, że prędzej zabije człowieka, niż zastrzeli wielkiego kota.

Rizzoli przestaje pobierać próbki włosów z głowy tygrysa i spogląda na mnie.

– A więc w tym domu zdecydowanie by się wkurzył. Tyle kotów zabitych dla sportu. W dodatku Leon Gott przechwalał się tym w wywiadzie. – Wskazuje na galerię zdjęć wiszących na przeciwległej ścianie. – To ojciec Elliota.

Na wszystkich fotografiach widzę tego samego mężczyznę w średnim wieku, pozującego ze strzelbą obok różnych trofeów. Jest również oprawiony w ramkę artykuł z czasopisma: *Mistrz trofeów. Wywiad z bostońskim taksydermistą*.

– Nie miałam pojęcia, że ojciec Elliota był myśliwym.

– Elliot nigdy o tym nie wspominał?

– Ani słowem. W ogóle nie mówił o ojcu.

– Pewnie dlatego, że się go wstydził. Kiedyś często się sprzeczali. Leon lubił strzelać do zwierząt, a Elliot chciał ratować delfiny, wilki i myszy polne.

– Wiem, że kochał ptaki. Podczas safari zawsze nam je pokazywał i próbował identyfikować ich gatunki. – Patrzę na zdjęcia Leona Gotta z jego martwymi trofeami i kręcę głową. – Biedny Elliot. Był dla wszystkich chłopcem do bicia.

– W jakim sensie?

– Richard stale go wyszydzał i ośmieszał. Mężczyźni przez ten swój testosteron zawsze ze sobą rywalizują. Richard musiał być królem i odbierać hołdy od Elliota. Żeby zaimponować blondynkom.

– Tym dwóm dziewczynom z RPA?

– Tak, Sylvii i Vivian. Elliot je adorował, a Richard nie przepuścił żadnej okazji, żeby pokazać, że jest bardziej męski.

– Chyba wciąż to panią boli – zauważa cicho Jane.

Sama jestem tym zaskoczona. Po sześciu latach nadal ciężko mi wspominać tamte noce przy ognisku, gdy Richard skupiał całą uwagę na blondynkach.

– A jak zachowywał się Johnny podczas tej batalii o męską dominację? – pyta Rizzoli.

– To dziwne, ale się w nią nie angażował. Stał z boku i obserwował przebieg dramatu, jakby te nasze banalne rozgrywki i sceny zazdrości go nie obchodziły.

– Może dlatego, że był zaabsorbowany czym innym. Na przykład planami, jakie miał wobec was.

Czy myślał o tym, gdy siedział obok mnie przy ognisku? Czy wyobrażał sobie, co będzie czuł, przelewając moją krew i patrząc, jak w moich oczach gaśnie życie? Nagle robi mi się zimno. Krzyżuję ręce na piersiach, oglądając zdjęcia Leona Gotta i upolowanych przez niego zwierząt.

Rizzoli podchodzi do mnie.

– Podobno był dupkiem – mówi, wpatrując się w fotografię Gotta. – Ale nawet dupki zasługują na sprawiedliwość.

– Nic dziwnego, że Elliot nigdy o nim nie wspominał.

– A mówił coś o swojej dziewczynie?

Patrzę na nią.

– Dziewczynie?

– Jodi Underwood. Byli ze sobą przez dwa lata.

Jestem zaskoczona.

– Był tak zajęty blondynkami, że nigdy nie wspomniał o żadnej dziewczynie. Poznała ją pani? Jaka ona jest?

Rizzoli milczy przez chwilę. Zwleka z odpowiedzią, najwyraźniej czymś zaniepokojona.

– Jodi Underwood nie żyje. Została zamordowana tej samej nocy co Leon Gott.

Wpatruję się w nią.

– Nic mi pani nie powiedziała. Dlaczego?

– Dochodzenie jest w toku, więc nie wszystko mogę pani wyjawić, Millie.

– Sprowadziła mnie pani z tak daleka, żebym pani pomogła, a zataja pani przede mną ważne informacje. O tym powinnam wiedzieć.

– Nie wiemy, czy te sprawy coś łączy. Zabójstwo Jodi miało prawdopodobnie motyw rabunkowy i zginęła w zupełnie inny sposób niż Leon. Dlatego przyjechałam tutaj po próbki sierści. Szukamy materialnego dowodu związku między tymi zabójstwami.

– Czyż to nie oczywiste? Dowodem jest Elliot. – Uświadamiam sobie ten fakt z taką mocą, że przez chwilę nie mogę mówić ani nawet oddychać. – Dowodem jestem ja – szepczę.

– W jakim sensie?

– Po co się ze mną skontaktowaliście? Dlaczego uznaliście, że mogę wam pomóc?

– Podążaliśmy po śladach. Doprowadziły nas do sprawy zabójstw w Botswanie. I do pani.

– Właśnie. Doprowadziły was do mnie. Od sześciu lat ukrywam się w Touws River, żyjąc pod zmienionym nazwiskiem. Trzymam się z dala od Londynu, bo boję się, że Johnny mnie odnajdzie. Waszym zdaniem, jest tutaj, w Bostonie. Teraz ja także tu jestem. – Przełykam z trudem ślinę. – Dokładnie w tym miejscu, w którym on chce, żebym była.

Widzę w jej oczach odbicie mojego strachu.

– Chodźmy – mówi cicho. – Zabieram panią z powrotem do Maury.

Gdy wychodzimy z domu Gotta, czuję się bezbronna jak gazela na odsłoniętej sawannie. Wyobrażam sobie, że dziesiątki oczu obserwują mnie ze wszystkich domów i przejeżdżających samochodów. Zastanawiam się, ile osób wie, że jestem w Bostonie. Przypominam sobie zatłoczone lotnisko, na którym wczoraj wylądowaliśmy, i myślę o ludziach, którzy mogli mnie widzieć w siedzibie bostońskiej policji, na korytarzu, w kafejce albo przy windzie. Czy zauważyłabym Johnny'ego, gdyby tam był?

Czy też jestem jak gazela, która nie dostrzega lwa, dopóki jej nie zaatakuje?

Rozdział trzydziesty

– Stał się w jej wyobraźni mitycznym potworem – stwierdziła Maura. – Od sześciu lat ma obsesję na jego punkcie. To naturalne, że, jej zdaniem, poluje tylko na nią.

Jane słyszała z salonu odgłos wody lecącej z prysznica w łazience obok pokoju gościnnego. Korzystały z tego, że Millie się kąpie, by pomówić o niej w cztery oczy, i Maura skwapliwie wyraziła swoją opinię.

– Pomyśl, Jane, jak absurdalna jest jej teoria. Uważa, że obdarzony nadludzką mocą Johnny zabił ojca Elliota i jego dziewczynę, a co więcej, przewidział w cudowny sposób pięć lat temu, że powinien podrzucić jako dowód srebrną zapalniczkę. Wszystko po to, by wywabić ją z ukrycia? – Maura pokręciła głową. – To zbyt wyrafinowana zagrywka nawet dla mistrza szachowego.

– Możliwe jednak, że chodzi właśnie o nią.

– Gdzie dowód, że Jodi Underwood i Leona Gotta zabił ten sam sprawca? Gott został powieszony i pozbawiony wnętrzności. Jodi napadnięto znienacka i błyskawicznie uduszono. Jeśli badanie DNA nie wykaże, że ta kocia sierść...

– Włos tygrysa to dość przekonujący dowód.

– Jaki włos tygrysa?

– Zanim tu przyjechałyśmy, zadzwonili do mnie z laboratorium kryminalistyki. Pamiętasz ten niezidentyfikowany trzeci włos na niebieskim szlafroku Jodi? Pochodził od tygrysa bengalskiego. – Jane wyjęła z kieszeni foliowy woreczek na materiał dowodowy. – Leon Gott miał na ścianie wypchaną głowę tygrysa. Jakie jest prawdopodobieństwo, że dwaj różni zabójcy mieli kontakt z tym gatunkiem zwierzęcia?

Maura uniosła brwi na widok włosów w foliowej torebce.

– Cóż, twoja teoria staje się o wiele bardziej przekonująca. Poza ogrodem zoologicznym nie znajdziemy raczej... – Przerwała i spojrzała na przyjaciółkę. – W zoo jest tygrys bengalski. A może ten włos pochodził od żywego zwierzęcia?

Zoo.

Jane coś sobie nagle przypomniała. Klatka pantery. Debra Lopez, okaleczona i krwawiąca u jej stóp. I weterynarz, doktor Oberlin, przykucnięty nad ciałem Debry i uciskający jej klatkę piersiową, aby przywrócić akcję serca. Wysoki blondyn z niebieskimi oczami. Zupełnie jak Johnny Posthumus.

Wyjęła telefon komórkowy.

□ □ □

Pół godziny później oddzwonił do niej doktor Alan Rhodes.

– Nie wiem, po co to pani potrzebne, ale udało mi się znaleźć zdjęcie Grega Oberlina. Nie jest zbyt dobre. Zrobiono je kilka tygodni temu podczas naszej imprezy charytatywnej. A o co właściwie chodzi?

– Nie wspomniał pan o tym doktorowi Oberlinowi? – upewniła się Jane.

– Zgodnie z pani życzeniem. Szczerze mówiąc, czuję się niezręcznie, działając za jego plecami. Czy policja prowadzi jakieś śledztwo?

– Nie mogę ujawnić szczegółów, doktorze Rhodes. To poufna sprawa. Może pan wysłać mi to zdjęcie e-mailem?

– Natychmiast?

– Tak, proszę – odparła Jane i zawołała: – Mauro, muszę skorzystać z twojego komputera. Doktor Rhodes przesyła nam fotografię.

– Jest w moim gabinecie.

Zanim Jane usiadła przy biurku Maury i weszła w swoją pocztę, miała już zdjęcie w skrzynce. Rhodes powiedział, że zostało zrobione podczas imprezy charytatywnej w zoo, i najwyraźniej było to eleganckie przyjęcie. Zobaczyła kilku uśmiechniętych gości z kieliszkami w rękach, pozujących w sali balowej. Doktor Oberlin był widoczny na brzegu fotografii, częściowo odwrócony, gdyż sięgał w tym momencie do tacy z kanapkami.

– Okay, właśnie oglądam to zdjęcie – powiedziała do słuchawki. – Nie bardzo go tu widać. Nie ma pan innych?

– Musiałbym się rozejrzeć. Albo poprosić jego.

– Nie. Tego proszę nie robić.

– Zechce mi pani zdradzić, o co tu chodzi? Chyba nie podejrzewacie o nic Grega? Jest kryształowo uczciwy.

– Wie pan, czy był kiedykolwiek w Afryce?

– A co to ma do rzeczy?

– Czy podróżował do Afryki?

– Z pewnością. Jego matka pochodzi z Johannesburga. Niech pani zapyta Grega. To dla mnie niezręczna sytuacja.

Jane usłyszała kroki i obróciwszy się na krześle, zobaczyła, że stoi za nią Millie.

– Jak pani sądzi? – spytała Jane. – Czy to on?

Millie nie odpowiedziała. Stała wpatrzona w zdjęcie, zaciskając dłonie na oparciu fotela Jane. Milczała tak długo, że ekran komputera wygasł i Jane musiała go aktywować.

– Czy to Johnny? – spytała ponownie.

– Mo... możliwe – wyszeptała Millie. – Nie jestem pewna.

– Doktorze Rhodes – powiedziała Jane do słuchawki. – Potrzebuję lepszego zdjęcia.

Usłyszała jego westchnienie.

– Spytam doktora Mikovitza. Może jego sekretarka ma coś w zbiorach public relations.

– Nie, nie powinniśmy angażować tylu ludzi.

– Nie wiem, jak inaczej zdobyć dla pani to zdjęcie. Chyba że przyjedzie tu pani z własnym aparatem.

Jane spojrzała na Millie, która nie odrywała wzroku od widocznej na ekranie postaci doktora Gregory'ego Oberlina. W końcu oznajmiła:

– Tak właśnie zrobię.

Rozdział trzydziesty pierwszy

Obiecuje, że nic mi nie grozi. Mówi, że nie spotkam się z nim twarzą w twarz, bo nagrają wszystko na wideo, a na miejscu będzie wielu policjantów. Siedzę z detektywem Frostem w jego samochodzie na parkingu obok ogrodu zoologicznego i obserwuję stamtąd rodziny z dziećmi wchodzące do środka. Wydają się szczęśliwe i podekscytowane perspektywą spędzenia dnia w zoo. Mamy sobotę, świeci wreszcie słońce i wszystko wygląda inaczej – jest czysto, jasno i rześko. Czuję tę różnicę także w sobie. Owszem, jestem zdenerwowana i przestraszona, ale po raz pierwszy od sześciu lat myślę, że i w moim życiu wkrótce wzejdzie wreszcie słońce i znikną wszystkie cienie.

Detektyw Frost odbiera telefon.

– Tak, jesteśmy wciąż na parkingu. Zaraz ją przyprowadzę. – Patrzy na mnie. – Rizzoli rozmawia z doktorem Oberlinem w klinice dla zwierząt. To południowa część zoo i nie będziemy się tam zbliżać. Nie musi się pani o nic martwić. – Otwiera drzwi samochodu. – Idziemy, Millie.

Jest tuż obok mnie, gdy kierujemy się do wejścia. Bileterzy nie mają pojęcia, że trwa policyjna operacja, i zachowujemy się tak jak wszyscy – okazujemy bilety i przechodzimy przez obrotowe bramki. Kiedy widzę jezioro z flamingami, myślę o mojej córce Violet, która widziała stada tysięcy flamingów w ich naturalnym środowisku. Współczuję tym dzieciom z miasta, które znają tylko widok kilkunastu osowiałych ptaków w wybetonowanym stawie. Nie mam możliwości obejrzenia innych zwierząt, bo detektyw Frost prowadzi mnie wprost do budynku administracji.

Czekamy w sali konferencyjnej. Jest tam długi stół z drewna tekowego, kilkanaście wygodnych foteli i szafka na kółkach ze sprzętem wideo. Na ścianach wiszą oprawione w ramki dyplomy i wyróżnienia dla zoo w Suffolku i jego personelu. ZA WYBITNE OSIĄGNIĘCIA W PREZENTACJI RÓŻNORODNOŚCI GATUNKÓW. ZA WYBITNE OSIĄGNIĘCIA W DZIEDZINIE MARKETINGU. NAGRODA MARLINA PERKINSA. NAJLEPSZA EKSPOZYCJA PÓŁNOCNEGO WSCHODU. To miejsce uświadamia gościom, z jak szacowną instytucją mają do czynienia.

Na przeciwległej ścianie widzę biogramy różnych członków personelu i odnajduję od razu wzrokiem dane osobowe doktora Oberlina. Czterdzieści cztery lata. Licencjat na uniwersytecie w Vermoncie. Doktorat z weterynarii na uniwersytecie Cornell. Brak zdjęcia.

– To może chwilę potrwać, więc musimy być cierpliwi – mówi detektyw Frost.

– Czekałam sześć lat – odpowiadam. – Mogę zaczekać jeszcze trochę.

Rozdział trzydziesty drugi

Doktor Gregory Oberlin, niebieskooki blondyn, mający prawie metr dziewięćdziesiąt wzrostu, był uderzająco podobny do człowieka ze zdjęcia paszportowego Johnny'ego Posthumusa. Miał taką samą kwadratową szczękę i szerokie czoło, zmarszczone teraz ze zdziwienia, gdy patrzył, jak Jane włącza kamerę wideo.

– Naprawdę musi pani to nagrywać? – spytał.

– Chcę mieć dokładny zapis. Poza tym uwalnia mnie to od robienia notatek, więc mogę się skupić na wywiadzie. – Jane uśmiechnęła się i usiadła. Przeszkadzały im hałasy dochodzące z klatek kliniki weterynaryjnej obok gabinetu doktora Oberlina, ale to miejsce musiało jej wystarczyć. Chciała, żeby jej rozmówca był w znanym sobie otoczeniu i czuł się swobodnie. Przesłuchanie w komendzie z pewnością by go zdenerwowało.

– Cieszę się, że prowadzicie dochodzenie w związku ze śmiercią Debry – powiedział. – Niepokoi mnie ta sprawa. Bardzo.

– Co w szczególności? – spytała Jane.

– Taki wypadek nie powinien był się zdarzyć. Debra i ja współpracowaliśmy od lat. Nie była lekkomyślną osobą i umiała postępować z wielkimi kotami. Nie wyobrażam sobie, by zapomniała o czymś tak podstawowym jak zamknięcie nocnej klatki pantery.

– Doktor Rhodes twierdzi, że zdarzało się to nawet doświadczonym pracownikom zoo.

– Cóż, to prawda. I w bardzo dobrych ogrodach zoologicznych. Ale Debra była typem człowieka, który nie wychodzi z domu bez sprawdzenia, czy zakręcił gaz i zamknął okna.

– Więc co się stało, pańskim zdaniem? Ktoś otworzył klatkę?

– Chyba to pani podejrzewa, prawda? Zakładam, że dlatego chciała pani ze mną rozmawiać.

– Czy Debra mogła być tego dnia z jakiegoś powodu nieostrożna? – spytała Jane. – Mogło ją coś rozpraszać?

– Zerwaliśmy ze sobą kilka miesięcy wcześniej, ale najwyraźniej dobrze to znosiła. Nie miała chyba żadnych problemów.

– Wspomniał pan, że to ona chciała się rozstać.

– Tak. Ja chcę mieć dzieci, a ona nie. Trudno w tej sprawie o kompromis. Nie mieliśmy do siebie pretensji i nigdy nie przestało mi na niej zależeć. Dlatego muszę się dowiedzieć, czy czegoś nie przeoczyliśmy.

– Jeśli nie zostawiła otwartej furtki, kto, pańskim zdaniem, to zrobił?

– Właśnie nie wiem! Obszar dla personelu jest poza

polem widzenia zwiedzających, więc teoretycznie każdy mógł się tam wślizgnąć niezauważony.

– Czy Debra miała wrogów?

– Nie.

– A nowego chłopaka?

Oberlin milczał przez chwilę.

– Nie sądzę.

– Nie jest pan zbyt pewny.

– Ostatnio niewiele rozmawialiśmy, tylko o pracy. Wiem, że tego dnia, gdy uśpiłem Kovo, była przygnębiona, ale naprawdę nie miałem innego wyjścia. Utrzymywaliśmy go przy życiu, jak długo się dało. Dalsze pozwalanie na cierpienia byłoby okrucieństwem.

– Więc jednak Debra czymś się martwiła.

– Tak. I była wkurzona, że Kovo ma zostać wypchany i powieszony na ścianie u jakiegoś bogatego dupka. Zwłaszcza gdy się dowiedziała, że chodzi o Jerry'ego O'Briena.

– Przypuszczam, że nie jest pan jego fanem.

– Ten facet uważa Afrykę za swoją osobistą rzeźnię. Przechwala się tym w audycjach radiowych. Owszem, Debra była wkurzona i ja też jestem. Częścią naszej misji jest ochrona dzikiej przyrody. W przyszłym miesiącu mam jechać do Johannesburga na konferencję na temat zagrożonych gatunków. A tutaj zawieramy pakt z diabłem. Wszystko dla pieniędzy.

– A więc leci pan do Afryki – powiedziała Jane. – Był pan tam już kiedyś?

– Tak. Moja matka pochodzi z Johannesburga i mamy tam rodzinę.

– A Botswana? Wybieram się do tego kraju. Zna go pan?

– Tak. Zdecydowanie polecam.

– Kiedy pan tam był?

– Nie pamiętam. Siedem, może osiem lat temu. To piękne miejsce, jeden z ostatnich dziewiczych obszarów na Ziemi.

Jane wyłączyła kamerę.

– Dziękuję. Na razie nie potrzebuję chyba więcej informacji.

Oberlin uniósł brwi.

– Tylko tyle chciała pani wiedzieć?

– Jeśli będę miała dalsze pytania, skontaktuję się.

– Będzie pani kontynuowała dochodzenie, prawda? – spytał, gdy pakowała kamerę wideo. – Niepokoi mnie, że automatycznie uznano tę sprawę za wypadek.

– Na razie, doktorze Oberlin, trudno sklasyfikować ją inaczej. Wszyscy mi powtarzają, że wielkie koty są niebezpieczne.

– Proszę dać mi znać, gdyby pani jeszcze czegoś ode mnie potrzebowała. Zrobię wszystko, by pomóc.

Już pan pomógł, pomyślała, wychodząc z kamerą z jego gabinetu. Słoneczna pogoda i sobota ściągnęły do zoo tłumy ludzi, musiała więc przeciskać się między nimi po zatłoczonej ścieżce. Teraz wszystko mogło nabrać przyspieszenia. Czterej policjanci w cywilu czekali już na jej sygnał, by aresztować Oberlina. Technicy szykowali się do przejęcia jego komputera i plików elektronicznych, a Maura pobierała próbki sierści tygrysa bengalskiego do badań laboratoryjnych. Zasadzka była gotowa, Millie musiała tylko potwierdzić tożsamość tego człowieka.

Gdy Jane wchodziła do sali konferencyjnej w budynku administracji, gdzie czekali na nią Frost i Millie, przeniknął ją dreszcz. Jak myśliwy, który wytropił zdobycz, czuła już w powietrzu zapach krwi swej ofiary.

Podłączyła kamerę wideo do monitora i odwróciła się do Millie, która stała, zaciskając kurczowo dłonie na oparciu krzesła, tak napięte, jakby zaraz miały pęknąć jej ścięgna. Dla Jane było to jedynie polowanie. Dla Millie mogła to być chwila, gdy skończą się jej koszmary; wpatrywała się więc w monitor jak więzień błagający o ułaskawienie.

– Zaczynamy – powiedziała Jane i włączyła odtwarzanie.

Ekran ożył i pojawił się na nim doktor Oberlin; marszczył czoło przed kamerą.

„Naprawdę musi pani to nagrywać?

Chcę mieć dokładny zapis. Poza tym uwalnia mnie to od robienia notatek, więc mogę się skupić na wywiadzie".

Gdy odtwarzali taśmę, Jane nie spuszczała wzroku z Millie. W sali słychać było jedynie nagrane na kasecie pytania Jane i odpowiedzi Oberlina. Millie stała wyprostowana, nadal trzymając się kurczowo krzesła, jakby stanowiło jej jedyne oparcie. Nie poruszała się, zdawała się nawet nie oddychać.

– Millie? – odezwała się Jane. Wcisnęła pauzę i twarz Gregory'ego Oberlina zastygła na ekranie. – Czy to on? Czy to Johnny?

Millie spojrzała na nią.

– Nie – wyszeptała.

– Ale wczoraj widziała pani jego zdjęcie. I powiedziała pani, że to może być on.

– Myliłam się. To nie on. – Ugięły się pod nią nogi i osunęła się na krzesło. – To nie Johnny.

Jej odpowiedź jakby wyssała z sali całe powietrze. Jane była pewna, że złapali zabójcę w pułapkę. Teraz wyglądało na to, że zamiast Człowieka-Pantery schwytali jelonka Bambi. To była jej nagroda za postawienie wszystkiego na niepewnego świadka z zawodną pamięcią.

– Jezu – mruknęła. – Więc znów zaczynamy od zera.

– Daj spokój, Rizzoli – rzucił Frost. – Millie od początku nie była pewna, że to on.

– Marquette już siedzi mi na karku z powodu podróży do Kapsztadu. A teraz to.

– A czego się pani spodziewała? – odezwała się Millie. Spojrzała na Jane z nagłą złością. – Dla pani to tylko łamigłówka i sądziła pani, że mam jej brakujący fragment. A jeśli nie mam?

– Posłuchajcie, jesteśmy wszyscy zmęczeni – wtrącił się Frost, jak zwykle pełniąc rolę mediatora. – Myślę, że powinniśmy wziąć głęboki oddech. I może coś zjeść.

– Zrobiłam to, o co prosiliście. Nie wiem, w czym jeszcze mogę wam pomóc! – powiedziała Millie. – A teraz chcę wracać do domu.

Jane westchnęła.

– Okay. Wiem, że to był dla pani ciężki dzień. Radiowóz zawiezie panią z powrotem do Maury.

– Nie, miałam na myśli mój dom. W Touws River.

– Proszę posłuchać. Przykro mi, że do pani burknęłam. Jutro jeszcze raz wszystko przeanalizujemy. Może jest coś...

– Skończyłam już z tym. Tęsknię za rodziną. Wracam do domu. – Millie odsunęła krzesło i wstała. Jej oczy pałały dzikością, jakiej Jane dotąd u niej nie widziała. Była teraz tą kobietą, która przeżyła w buszu wbrew wszelkim przeciwnościom, która nie chciała paść na kolana i umrzeć. – Jutro wyjeżdżam.

Zadzwoniła komórka Jane.

– Możemy pomówić o tym później.

– Nie ma o czym rozmawiać. Jeśli nie zarezerwuje mi pani lotu, zrobię to sama. Mam już tego dość – oświadczyła Millie i wyszła z pokoju.

– Niech pani zaczeka! – zawołał Frost, podążając za nią na korytarz. – Ktoś panią odwiezie.

Jane sięgnęła po dzwoniącą komórkę.

– Słucham, Rizzoli.

– Zdaje się, że źle trafiłam – powiedziała kryminolog Erin Volchko.

– Owszem, to parszywy moment. Ale proszę mówić. Co się dzieje?

– Może poprawi to pani nastrój, a może nie. Chodzi o te próbki sierści, które pobrała pani z wypchanego tygrysa bengalskiego w rezydencji Gotta.

– Co pani stwierdziła?

– Są kruche i słabe, mają cienki zanikający naskórek. Podejrzewam, że tego tygrysa zabito i wypchano kilkadziesiąt lat temu, gdyż włosy wykazują zmiany spowodowane upływem czasu i promieniowaniem ultrafioletowym. I to stanowi problem.

– Dlaczego?

– Włos tygrysa znaleziony na szlafroku Jodi Underwood nie wykazuje oznak degradacji. Jest świeży.

– To znaczy, że pochodzi z żywego tygrysa? – Jane westchnęła. – Fatalnie. Właśnie skreśliliśmy weterynarza z zoo z listy podejrzanych.

– Wspominała pani, że tamtego dnia w rezydencji Gotta było jeszcze dwóch innych pracowników zoo, którzy przywieźli zwłoki pantery. Mieli pewnie na odzieży całe mnóstwo zwierzęcej sierści. Może za ich pośrednictwem trafiła na ubranie zabójcy. Wyjaśniałoby to, w jaki sposób włos tygrysa znalazł się na szlafroku Jodi.

– Mogłoby więc nadal chodzić w obu przypadkach o tego samego sprawcę.

– Tak. To dobra nowina czy zła?

– Nie wiem. – Jane rozłączyła się, ciężko wzdychając. Nie mam pieprzonego pojęcia, jak to wszystko dopasować, pomyślała. Sfrustrowana, odłączyła kamerę wideo od monitora, zwinęła kable i wcisnęła wszystko do torby. Zastanawiała się, na jakie pytania będzie musiała odpowiadać na jutrzejszym zebraniu i jak ma uzasadniać swoje decyzje, nie mówiąc już o kosztach. Crowe rzuci się na nią jak sęp – i co mu wtedy powie?

„Przynajmniej miałam dzięki temu wycieczkę do Kapsztadu”?

Przesunęła ruchomą szafkę ze sprzętem wideo z powrotem pod ścianę, tam, skąd ją wzięła. Nagle coś przykuło jej uwagę. Na ścianie wisiała tablica z nazwiskami i kwalifikacjami pracowników ogrodu zoologicznego w Suffolku: doktora Mikovitza, weterynarzy i różnych ekspertów od ptaków, naczelnych, płazów i dużych ssaków. Zainteresował ją biogram Alana Rhodesa.

DR ALAN T. RHODES.

LICENCJAT W CURRY COLLEGE. DOKTORAT NA UNIWERSYTECIE W TUFTS.

W Curry College studiowała również Natalie Toombs.

Alan Rhodes musiał być studentem ostatniego roku, gdy Natalie zaginęła. Wyszła z domu, by uczyć się z kimś o imieniu Ted, i nigdy więcej jej nie widziano. Czternaście lat później odnaleziono zawinięty w brezent szkielet Natalie, z kostkami przewiązanymi pomarańczową nylonową żyłką.

Jane wybiegła z sali konferencyjnej i popędziła po schodach do pomieszczeń biurowych zoo.

Gdy wpadła jak burza do jednego z pokoi, sekretarka podniosła wzrok, unosząc brew.

– Jeśli szuka pani doktora Mikovitza, wyszedł na całe popołudnie.

– Gdzie jest doktor Rhodes? – spytała Jane.

– Mogę pani podać numer jego komórki. – Sekretarka otworzyła szufladę i wyjęła spis telefonów. – Zaraz go znajdę.

– Nie, chcę wiedzieć, gdzie teraz jest. Jeszcze na terenie zoo?

– Tak. Prawdopodobnie poszedł na wybieg tygrysa. Tam umówił się na spotkanie.

– Z kim?

– Z tą kobietą z Biura Medycyny Sądowej. Potrzebowała włosów tygrysa do jakichś badań.

– O Boże! – powiedziała Jane. Maura.

Rozdział trzydziesty trzeci

– Jest piękny – powiedziała Maura, patrząc na wybieg.

Zza krat przyglądał jej się tygrys bengalski, machając ogonem. Był idealnie zamaskowany i niemal niewidoczny. Dostrzegała w trawie tylko jego czujne oczy i falujący ogon.

– To prawdziwy ludożerca – rzekł Alan Rhodes. – Na świecie pozostało już tylko kilka tysięcy osobników tego gatunku. Wdarliśmy się tak głęboko w ich naturalne środowisko, że zdarza im się czasem zabijać ludzi. Kiedy patrzy się na tego kota, łatwo zrozumieć, dlaczego myśliwi tak bardzo je cenią. Nie tylko ze względu na skórę. Pokonanie takiego groźnego drapieżnika to nie lada wyzwanie. Brzmi perwersyjnie, prawda? Chcemy zabijać zwierzęta, które najbardziej podziwiamy.

– Mnie całkowicie wystarczy podziwiać go z daleka.

– Nie musimy wcale podchodzić bliżej. Jak każdy kot, zrzuca mnóstwo sierści. – Spojrzał na Maurę. – Po co jest pani potrzebna?

– Do badań laboratoryjnych. Potrzebują próbki włosa tygrysa bengalskiego, a ja znam akurat kogoś, kto może ją dostarczyć. Przy okazji, dziękuję za pomoc.

– Chodzi o sprawę kryminalną? To nie ma chyba nic wspólnego z Gregiem Oberlinem?

– Przepraszam, ale nie mogę na ten temat rozmawiać. Rozumie pan.

– Oczywiście. Umieram z ciekawości, ale pani musi zająć się pracą. Chodźmy do wejścia dla personelu. Powinna pani znaleźć te włosy w nocnej klatce. Chyba że pani zamierzała wyrwać je tygrysowi z grzbietu. W takim przypadku, pani doktor, musi poradzić pani sobie sama.

Maura zaśmiała się.

– Nie, wystarczy sierść, którą niedawno zrzucił.

– Ulżyło mi, bo zdecydowanie nie powinna pani do niego podchodzić. To dwieście pięćdziesiąt kilogramów mięśni i kłów.

Rhodes poprowadził ją ścieżką z napisem TYLKO DLA PERSONELU. Ukryta za gęstymi zaroślami przed wzrokiem zwiedzających, przebiegała jak wąwóz między murami sąsiadujących ze sobą wybiegów tygrysa i pumy. Zwierzęta nie były zza tych murów widoczne, ale Maura czuła niemal ich przenikającą przez beton energię i zastanawiała się, czy koty również wyczuwają jej obecność. Czy ją śledzą. Chociaż Rhodes wydawał się całkowicie spokojny, spoglądała ciągle w górę, spodziewając się niemal, że zobaczy tam wlepioną w siebie parę żółtych oczu.

Gdy dotarli do tylnego wejścia na wybieg tygrysa, Rhodes otworzył furtkę.

– Mogę wprowadzić panią do nocnej klatki. Albo zaczeka pani tutaj, a ja wezmę dla pani próbki sierści.

– Muszę zrobić to sama. Chodzi o dowód w sprawie.

Rhodes wszedł na wybieg i otworzył wewnętrzną furtkę prowadzącą do klatki.

– Proszę bardzo. Jeszcze tu nie sprzątano, więc powinna pani znaleźć mnóstwo włosów. Zaczekam na zewnątrz.

Maura weszła do nocnej klatki. Było to zamknięte pomieszczenie o rozmiarach cztery na cztery metry, z wbudowanym poidłem i betonową półką do spania. Głębokie ślady pazurów na leżącym w kącie pniu świadczyły o sile tygrysa. Przykucnąwszy nad pniem, Maura przypomniała sobie równoległe zadrapania na ciele Leona Gotta, bardzo podobne do tych. Do pnia przywierała kępka sierści, sięgnęła więc do kieszeni po pęsetę i foliową torebkę.

W tym momencie zadzwoniła jej komórka.

Pozwoliła, by włączyła się poczta głosowa i skupiła się na swoim zadaniu. Pobrała pierwszą próbkę sierści, zamknęła torebkę i rozejrzała się po klatce. Zauważyła kolejne kłaki na betonowej półce.

Telefon zadzwonił ponownie.

Gdy pobierała drugą próbkę, jego natarczywego sygnału nie dało się już zignorować. Zapakowała kolejny włos do oddzielnej torebki i sięgnęła po komórkę. Ledwie zdążyła powiedzieć „Halo?", gdy Jane jej przerwała.

– Gdzie jesteś?

– Pobieram próbki sierści tygrysa.

– Czy doktor Rhodes jest z tobą?

– Czeka poza klatką. Chcesz z nim porozmawiać?

– Nie. Posłuchaj. Musisz trzymać się od niego z daleka.

– Co? Dlaczego?

– Zachowaj spokój, bądź miła. Niech się nie zorientuje, że coś podejrzewasz.

– Co się dzieje?

– Już do ciebie jadę i wezwałam resztę ekipy. Będziemy na miejscu najpóźniej za kilka minut. Po prostu uciekaj przed Rhodesem.

– Jane...

– Rób, co mówię!

– Okay, okay. – Maura wzięła głęboki oddech, ale to jej nie uspokoiło. Gdy zakończyła rozmowę, trzęsły jej się ręce. Spojrzała na foliową torebkę, którą trzymała w dłoni. Pomyślała o Jodi Underwood i włosie tygrysa na jej niebieskim szlafroku. Włosie, który przeniósł na ubraniu napastnik. Ktoś, kto pracował z wielkimi kotami, kto wiedział, jak polują i jak zabijają.

– Doktor Isles? Wszystko w porządku?

Rhodes był szokująco blisko. Wszedł do klatki tak cicho, że nie zorientowała się, kiedy stanął tuż za nią. Wystarczająco blisko, by słyszeć jej rozmowę z Jane. By zauważyć, że drżą jej ręce, gdy wsuwała telefon z powrotem do kieszeni.

– Wszystko gra. – Zdobyła się na uśmiech. – Już skończyłam.

Wpatrywał się w nią tak intensywnie, że czuła, jak jego wzrok przenika przez czaszkę w głąb jej mózgu. Ruszyła do wyjścia, ale Rhodes stał między nią a drzwiami do klatki i nie mogła przecisnąć się obok niego.

– Mam już to, czego potrzebuję – oznajmiła.

– Na pewno?

– Jeśli pan pozwoli, chciałabym już wyjść.

Wydawało się, że przez chwilę rozważał swoje możliwości, po czym odsunął się na bok i Maura wyślizgnęła się z klatki, ocierając się o niego ramieniem. Musiał czuć zapach jej strachu. Nie spojrzała mu w oczy i nie odważyła się obejrzeć, gdy opuszczała wybieg. Szła przed siebie ścieżką dla personelu, z sercem podchodzącym do gardła. Czy ruszył za nią? Czy szykował się do ataku?

– Mauro! – To był głos Jane, wołającej ją zza ściany zarośli. – Gdzie jesteś?

Pobiegła w kierunku tego głosu. Przecisnąwszy się przez gąszcz krzaków, zobaczyła Jane i Frosta w otoczeniu policjantów. Wszyscy unieśli równocześnie broń i Maura zatrzymała się, widząc kilka wycelowanych w siebie luf.

– Mauro, nie ruszaj się! – rozkazała Jane.

– Co wy robicie, do cholery?

– Podejdź do mnie. Powoli. Nie biegnij.

Nadal mieli broń wymierzoną w jej kierunku, ale nie skupiali wzroku na niej. Wpatrywali się w coś za jej plecami. Poczuła, że jeżą jej się włosy na karku.

Odwróciwszy się, zobaczyła bursztynowe ślepia. Przez kilka sekund ona i tygrys przyglądali się sobie. Drapieżnik i ofiara zwarli się spojrzeniami. Nagle Maura spostrzegła, że nie tylko ona na niego patrzy. Jane podeszła do przodu, by stanąć między nią a tygrysem.

Zwierzę, zdezorientowane pojawieniem się nowego agresora, cofnęło się o krok.

– Teraz, doktorze Oberlin! – wrzasnęła Jane. – Teraz!

Rozległ się strzał. Tygrys zachwiał się, gdy strzałka ze środkiem usypiającym przebiła mu skórę. Nie uciekł, lecz stał w miejscu, świdrując oczami Jane.

– Niech pan strzeli jeszcze raz! – rozkazała Jane.

– Nie – odparł Oberlin. – Nie chcę go zabić! Narkotyk zaraz zadziała.

Tygrys przechylił się na bok i zaczął się zataczać.

– Już opada z sił! – powiedział Oberlin. – Jeszcze kilka sekund i... – Przerwał, gdyż na ścieżce dla zwiedzających rozległy się krzyki. Ludzie biegli, rozpierzchając się w panice.

– Puma! – wrzeszczał ktoś. – Puma uciekła z klatki!

– Co tu się, kurwa, dzieje? – spytała Jane.

– To Rhodes – odparła Maura. – Wypuszcza na wolność koty!

Oberlin przeładował energicznie broń z nabojami usypiającymi.

– Zabierzcie stąd wszystkich! Musimy się ewakuować!

Zwiedzających nie trzeba było zachęcać. Rozhisteryzowani rodzice z krzyczącymi dziećmi pędzili już w popłochu w kierunku wyjść. Tygrys bengalski leżał obezwładniony, wyglądając jak zwał futra. Ale gdzie była puma?

– Idź do wyjścia, Mauro – rozkazała Jane.

– A ty?

– Zostaję z Oberlinem. Musimy znaleźć tego kota. Ruszaj!

Dołączywszy do uciekinierów, Maura wciąż oglądała się przez ramię. Pamiętała, jak intensywnie puma przyglądała jej się podczas ostatniej wizyty, a teraz mogła tropić ją albo kogoś innego. Omal nie potknęła się o krzyczące dziecko, które leżało na chodniku. Chwyciwszy je, zaczęła szukać wzrokiem jego matki i zauważyła młodą kobietę trzymającą niemowlę i torbę z pieluchami i rozpaczliwie rozglądającą się w tłumie.

– Mam go! – zawołała Maura.

– O mój Boże, tu jesteś! O mój Boże...

– Poniosę go. Niech pani ucieka!

Wyjście było zatłoczone ludźmi przeciskającymi się przez obrotowe bramki i przeskakującymi przez barierki. Potem jeden z pracowników zoo otworzył na oścież bramę i tłum zaczął się wylewać na parking jak fala przypływu. Maura oddała dziecko matce i została przy bramkach, by poczekać na wiadomości od Jane.

Pół godziny później zadzwonił jej telefon.

– Jesteś cała? – spytała Jane.

– Stoję przy wyjściu. Co z pumą?

– Obezwładniona. Oberlin musiał strzelić do niej dwa razy, ale jest już z powrotem w klatce. Jezu, co za kataklizm. – Jane zamilkła na chwilę. – Rhodes uciekł. W tym zamieszaniu wmieszał się w tłum.

– Skąd wiedziałaś, że to on?

– Czternaście lat temu studiował na tej samej uczelni co Natalie Toombs. Nie mam jeszcze dowodów, ale domyślam się, że ona była jedną z jego pierwszych ofiar. Może nawet pierwszą. Ty na to wpadłaś, Mauro.

– Zauważyłam tylko...

– Szerszą perspektywę. Wszystko sprowadza się do schematu działania sprawcy. Zabójstwo Leona Gotta, Natalie Toombs, biwakowiczów, myśliwych. Boże, powinnam była cię posłuchać.

Maura pokręciła głową zdezorientowana.

– A co z zabójstwami w Botswanie? Rhodes zupełnie nie przypomina Johnny'ego Posthumusa. Co łączy te sprawy?

– Chyba nic.

– A Millie? Czy ma z tym w ogóle coś wspólnego?

Maura usłyszała w słuchawce westchnienie Jane.

– Może nie. Może cały czas się myliłam.

Rozdział trzydziesty czwarty

– Wybij szybę – powiedziała Jane do Frosta.

Odłamki szkła rozsypały się z brzękiem po wyłożonej kafelkami podłodze. W ciągu kilku sekund weszli przez drzwi do kuchni Alana Rhodesa. Trzymając w ręce broń, Jane obrzuciła wzrokiem wstawione do suszarki talerze, wyszorowany idealnie blat i lodówkę ze stali nierdzewnej. Wszystko było uporządkowane i czyste – zbyt czyste.

Poszli korytarzem do salonu, Jane z przodu. Rozglądając się w lewo i w prawo, nie dostrzegła żadnego ruchu, żadnych oznak życia. Zobaczyła półki z książkami, kanapę i stolik. Nic nie leżało poza swoim miejscem, nawet pojedyncze czasopismo. To był dom kawalera z nerwicą natręctw.

Stanęła u stóp schodów i spojrzała w górę, próbując usłyszeć coś przez dudnienie swojego serca. Na piętrze było cicho jak w grobie.

Gdy zaczęli się wspinać po schodach, Frost przejął prowadzenie. Choć w domu było zimno, Jane miała już bluzkę mokrą od potu. Najniebezpieczniejsze jest osaczone zwierzę, a Rhodes musiał już zdawać sobie sprawę, że gra skończona. Na piętrze były drzwi do trzech pokoi. Zerknąwszy za pierwsze, Jane zobaczyła sypialnię, prawie bez mebli. Żadnego kurzu, żadnego bałaganu. Czy naprawdę w tym domu ktoś mieszkał? Podeszła do szafy ściennej i otworzyła ją na oścież. Na drążku wisiały puste wieszaki.

Z powrotem na korytarz, obok łazienki, do ostatnich drzwi.

Nim jeszcze przeszła przez próg, wiedziała już, że Rhodesa tam nie ma. Prawdopodobnie już nigdy nie wróci. Stojąc w jego sypialni, rozejrzała się po nagich ścianach. Szerokie łóżko przykrywała biała narzuta. Na pustej komodzie nie było śladu kurzu. Pomyślała o tej, którą miała w domu, zagraconej kluczami, monetami, skarpetkami i stanikami. Wiele można powiedzieć o ludziach na podstawie tego, co mają na swoich komodach. Alan Rhodes wydawał się człowiekiem bez tożsamości. Kim jesteś?

Spojrzała z okna sypialni na ulicę, gdzie pojawił się właśnie kolejny radiowóz z Danvers. Ten obszar nie podlegał jurysdykcji bostońskiej policji, ale chcąc schwytać jak najszybciej Rhodesa, Jane i Frost nie tracili czasu na czekanie, aż przyjadą miejscowi detektywi. Teraz miało się rozpętać biurokratyczne piekło.

– Tu jest u góry klapa – oznajmił Frost, stojąc w szafie ściennej.

Jane przecisnęła się obok niego i spojrzała na sufit, z którego zwisała lina. Wyjście prowadziło zapewne na strych, gdzie gromadzi się nieotwierane nigdy pudła z rzeczami, które żal wyrzucić. Frost pociągnął za linę i klapa otworzyła się. Zobaczyli składaną drabinkę i mroczną przestrzeń nad sobą. Wymienili pełne napięcia spojrzenia, po czym Frost się wspiął.

– Wszystko w porządku! – zawołał. – Kupa rupieci.

Jane weszła za nim na strych i włączyła kieszonkową latarkę. Dostrzegła w mroku rząd kartonowych pudeł, w jakich leżą często na poddaszu sterty archiwalnych dokumentów i rozliczeń podatkowych, które trzyma się na wypadek wizyty urzędnika kontroli skarbowej. Otworzyła jedno z nich i zobaczyła wyciągi bankowe i umowy kredytowe. Zajrzała do kilku następnych. Znalazła egzemplarze kwartalnika „Biodywersyfikacja i Ochrona Przyrody". Stare prześcieradła i ręczniki. I mnóstwo książek. Nie było tam niczego, co by świadczyło o udziale Rhodesa w jakimkolwiek przestępstwie, a zwłaszcza zabójstwie.

Czy popełniliśmy kolejny błąd?

Zeszła po drabince do sypialni z nagimi ścianami i wygładzoną narzutą. Poczuła rosnący niepokój, gdy na podjeździe pojawił się kolejny radiowóz. Wysiadł z niego detektyw Crowe i kiedy ruszył w kierunku domu, Jane skoczyło ciśnienie. Po kilku sekundach rozległo się łomotanie do drzwi. Zeszła na dół i zobaczyła Crowe'a, który szczerzył się do niej z ganku.

– Słyszę, Rizzoli, że Boston jest już dla pani za mały? Wyważa pani teraz drzwi na przedmieściach? – Wszedł do środka i zaczął się przechadzać leniwie po salonie. – Co macie na tego Rhodesa?

– Nadal szukamy.

– Zabawne, bo ma czyste konto. Żadnych aresztowań ani wyroków. Jest pani pewna, że tropicie właściwego człowieka?

– On uciekł, panie Crowe. Wypuścił z klatek dwa duże koty, żeby wmieszać się w tłum, i więcej go nie widziano. Śmierć Debry Lopez coraz mniej wygląda na wypadek.

– Zabójstwo przy użyciu pantery? – Crowe posłał jej sceptyczne spojrzenie. – Po co zabijałby pracownicę zoo?

– Nie wiem.

– Dlaczego zabił Gotta? I Jodi Underwood?

– Nie mam pojęcia.

– Dużo tych niewiadomych.

– Mamy dowód łączący go ze sprawą Jodi Underwood. Włos tygrysa na jej szlafroku. Wiemy również, że studiował w Curry College w tym samym czasie, gdy zaginęła Natalie Toombs, więc tu także istnieje związek. Pamięta pan, że gdy Natalie widziano po raz ostatni, szła się uczyć z kimś o imieniu Ted? Theodore to drugie imię Rhodesa. Według jego biogramu w zoo, zanim zaczął studia, przebywał rok w Tanzanii. Może tam zetknął się z kultem pantery.

– Wiele domysłów. – Crowe wskazał ręką na wyglądający sterylnie salon. – Muszę przyznać, że nie widzę tu niczego, co wskazywałoby na obecność Człowieka-Pantery.

– Może właśnie to jest istotne. Nie ma tu niemal niczego. Żadnych zdjęć, obrazów, nawet płyt DVD ani CD, które świadczyłyby o jego gustach. Wszystkie książki i czasopisma dotyczą pracy. Jedynym lekarstwem w łazience jest aspiryna. I wie pan, czego brakuje?

– Czego?

– Luster. Jest tylko jedno lusterko do golenia w łazience na górze.

– Może on nie dba o wygląd. Czy chce mi pani wmówić, że jest wampirem?

Odwróciła się, słysząc śmiech Crowe'a.

– Jego dom to gigantyczna próżnia. Jakby próbował uczynić z niego sterylną przestrzeń, miejsce na pokaz.

– A może jest dokładnie kimś takim. Całkowicie bezbarwnym facetem, który nie ma nic do ukrycia.

– Tu musi coś być. Po prostu jeszcze tego nie znaleźliśmy.

– A jeśli nie znajdziecie?

Nie brała pod uwagę takiej możliwości, bo wiedziała, że ma rację. Musiała mieć rację.

Gdy jednak minęło popołudnie i nastał wieczór, a ekipa dochodzeniowa nadal przetrząsała dom w poszukiwaniu dowodów, żołądek zaczął podchodzić jej do gardła w poczuciu niepewności. Nie mogła uwierzyć, że popełniła błąd, ale wszystko na to wskazywało. Wtargnęli do domu człowieka, który nie miał kryminalnej przeszłości. Wybili szybę, przeszukali jego dom i nie znaleźli niczego, co łączyłoby go z zabójstwami, nawet fragmentu nylonowej linki. Przyciągnęli też uwagę wścibskich sąsiadów, którzy nie mogli powiedzieć nic złego na temat Alana Rhodesa, choć żaden z nich dobrze go nie znał. „Był spokojny i uprzejmy. Nie spotykał się z kobietami. Lubił pracować w ogrodzie, ciągle zwoził do domu worki ze ściółką".

Ta ostatnia uwaga skłoniła Jane, by zajrzeć ponownie do ogrodu za domem. Zdążyła już wcześniej obejść całą posiadłość, która miała jakieś ćwierć hektara powierzchni i graniczyła z lasem. Poświeciła w mroku latarką, omiatając snopem światła zarośla i trawę. Dotarła w głąb działki, gdzie płot oznaczał granicę posesji. Był tam stromy pagórek, obsadzony różami, których łodygi były teraz nagie i kolczaste. Przyglądała się, marszcząc brwi, temu dziwnemu elementowi krajobrazu. Pagórek wyrastał na płaskim dziedzińcu jak wulkan na równinie. Była tak skoncentrowana na tym dziwnym kopcu, że nie zauważyła, jak podchodzi do niej Maura, aż do chwili, gdy ta zaświeciła jej latarką w oczy.

– Znalazłaś coś? – spytała przyjaciółka.

– Nie ma w każdym razie żadnych zwłok, które mogłabyś obejrzeć. – Jane spojrzała na Maurę nachmurzona. – Co cię tu sprowadza?

– Nie potrafię trzymać się z daleka.

– Musisz zorganizować sobie jakieś życie towarzyskie.

– To jest właśnie moje życie towarzyskie. – Maura zamilkła. – Żałosna sprawa.

– Cóż, tu się nic nie dzieje – rzuciła z niechęcią Jane. – Crowe ciągle mi to wypomina.

– Rhodes na pewno jest winien, Jane. Wiem, że to on.

– Na jakiej podstawie? Znów mówisz o przeczuciach? Bo nie mam żadnego dowodu do przedstawienia w sądzie.

– Musiałby dokonać zabójstwa Natalie Toombs, mając zaledwie dwadzieścia lat. Mogła być jego jedyną ofiarą w Bostonie, dopóki nie zabił Gotta. Trudno nam było dostrzec, według jakiego działa schematu, ponieważ jest zbyt inteligentny, by polować w tym samym miejscu. Wolał rozszerzyć swoje terytorium na Maine, Nevadę i Montanę. Dzięki temu niełatwo było powiązać te zbrodnie.

– Jak wyjaśnimy przypadki Leona Gotta i Jodi Underwood? To były zuchwałe zabójstwa, dokonane tego samego dnia. W odległości piętnastu kilometrów.

– Może przyspiesza. Traci kontrolę.

– W jego domu nic o tym nie świadczy. Rozejrzałaś się w środku? Wszystko jest w idealnym porządku. Ani śladu potwora.

– Więc może ma inne miejsce. Jaskinię, w której mieszka.

– To jedyna posiadłość Rhodesa, a nie możemy tu znaleźć nawet kawałka linki. – Jane kopnęła ze złością ściółkę na pagórku i spojrzała ze zdziwieniem na krzak róży, który przechylił się na bok. Gdy go pociągnęła, korzenie prawie nie stawiały oporu. – Został niedawno posadzony.

– Dziwna jest ta sterta ziemi. – Maura omiotła światłem latarki ogród: trawnik, krzewy i żwirową ścieżkę. – Nie ma tu żadnych innych nowych roślin. Tylko te róże.

Jane spojrzała na pagórek i przeszedł ją nagle dreszcz, gdy zrozumiała, co kryje. Ziemia. Skąd ona się wzięła?

– Mamy pod stopami jego kryjówkę – powiedziała. Przeszła na trawnik, szukając jakiegoś otworu, szczeliny, czegoś, co by zdradzało prowadzący pod ziemię właz, ale ogród pogrążony był w mroku. Przekopanie go mogło zająć im wiele dni, a co by było, gdyby niczego nie znaleźli? Wyobrażała sobie, jak Crowe by się z tego naigrywał.

– Potrzebujemy georadaru – oznajmiła Maura. – Jeśli jest tu pod ziemią jakieś pomieszczenie, w ten sposób najszybciej je zlokalizujemy.

– Sprawdzę w dochodzeniówce. Może dostarczą nam rano ten sprzęt. – Jane wróciła do budynku i przeszła właśnie przez próg, gdy usłyszała sygnał oznaczający nadejście wiadomości.

Przysłał ją Gabriel, który był w Waszyngtonie i miał wrócić do domu dopiero następnego dnia. SPRAWDŹ POCZTĘ. RAPORT INTERPOLU.

Była tak zaabsorbowana przeszukiwaniem domu Rhodesa, że przez całe popołudnie nie zajrzała do poczty e-mailowej. Przeglądała teraz skrzynkę, wypełnioną bzdurnymi i irytującymi wiadomościami, zanim natrafiła na tę właściwą. Nadeszła przed trzema godzinami, a przesłał ją Henk Andriessen.

Spojrzała zmrużonymi oczami na gęsty tekst na ekranie. Przeglądając pobieżnie dokument, wyłapywała pojedyncze słowa. *Odnaleziono szkielet... przedmieścia Kapsztadu... biały mężczyzna... wielokrotne złamania kości czaszki... zgodność DNA...*

Wpatrywała się w nazwisko zidentyfikowanej właśnie ofiary. To nie ma sensu, pomyślała. To nie może być prawdą.

Zadzwonił jej telefon. Usłyszała głos Gabriela.

– Czytałaś to? – spytał.

– Nie rozumiem tego raportu. To musi być błąd.

– Dwa lata temu odnaleziono szczątki mężczyzny. Pozostał tylko szkielet, więc kości mogły tam leżeć o wiele dłużej. Trochę potrwało, zanim przeprowadzili w końcu badania DNA i zidentyfikowali tego człowieka, ale teraz nie ma już wątpliwości, kto to był. Elliot Gott nie zginął podczas safari. Został zamordowany. W Kapsztadzie.

Rozdział trzydziesty piąty

Policja przestała się mną interesować. Zabójcą, którego ścigają, nie jest Johnny, lecz niejaki Alan Rhodes, mieszkaniec Bostonu. To właśnie powiedziała mi doktor Isles, zanim wyszła z domu dziś wieczorem, aby dołączyć do detektyw Rizzoli na miejscu zbrodni. W jak odmiennym świecie żyją ci ludzie, w pokręconej rzeczywistości, o której zwykły człowiek nie ma pojęcia, dopóki nie przeczyta artykułu w gazecie albo nie obejrzy wiadomości w telewizji. Gdy większość z nas zajmuje się codziennymi sprawami, ktoś gdzieś dopuszcza się niewiarygodnych czynów.

I wtedy Rizzoli i Isles przystępują do pracy.

Czuję ulgę, że uciekam z ich świata. Chciały czegoś ode mnie, ale nie mogłam im tego dostarczyć, więc jutro wracam do domu. Do rodziny i Touws River. Do moich koszmarów.

Pakuję się na poranny lot, wpychając buty w kąt walizki i składając wełniane swetry, których nie będę potrzebowała, gdy wyląduję w Kapsztadzie. Jakże tęskniłam za jasnymi barwami domu i zapachem kwiatów. Czułam się tu jak zahibernowana, opatulona w swetry i kurtki z powodu zimna i mroku. Przykrywam swetry spodniami, a gdy składam drugą ich parę, nagle do walizki wskakuje szary kot. Podczas całego pobytu kompletnie mnie ignorował. A teraz mruczy i przewraca się na grzbiet na moich rzeczach, jakby chciał, żebym zabrała go ze sobą. Podnoszę go i upuszczam na podłogę. Wspina się z powrotem na walizkę i zaczyna miauczeć.

– Jesteś głodny? Czy o to chodzi? – Oczywiście, że tak. Doktor Isles tak szybko wyszła z domu, że nie miała szansy go nakarmić.

Idę do kuchni, a on nie odstępuje mnie na krok; ociera się o moją nogę, kiedy otwieram puszkę z kocim jedzeniem i napełniam jego miskę. Gdy połyka kawałki kurczaka w smakowitym sosie, zdaję sobie sprawę, że też jestem głodna. Doktor Isles pozwoliła mi korzystać ze wszystkiego w swoim domu, ruszam więc do spiżarni i przeszukuję półki, by szybko coś przekąsić. Znajduję spaghetti i przypominam sobie, że widziałam w lodówce boczek, jajka i parmezan. Carbonara będzie idealnym daniem na zimny wieczór.

W chwili gdy biorę z półki spaghetti, kot wydaje nagle głośny syk. Widzę przez uchylone drzwi spiżarni, że wpatruje się w coś, czego nie mam w zasięgu wzroku. Wyprężył grzbiet i nastroszył sierść. Nie wiem, co go zaniepokoiło. Wiem tylko, że przeszły mnie ciarki.

Na podłogę sypią się jak grad kryształki szkła z rozbitej szyby. Jeden jej fragment lśni jak łza tuż przy progu.

Gaszę natychmiast światło w spiżarni i stoję drżąca w ciemności.

Kot ucieka z wrzaskiem. Chcę także się wymknąć, ale słyszę odgłos otwieranych drzwi i chrzęst ciężkich kroków na szkle.

Ktoś jest w kuchni. Znalazłam się w pułapce.

Rozdział trzydziesty szósty

Jane poczuła nagle, że pokój zawirował jej przed oczami. Nie jadła od południa, od wielu godzin była na nogach i odebrawszy wiadomość, musiała wesprzeć się o ścianę, by nie upaść.

– W tym raporcie musi być błąd – powtórzyła.

– Analiza DNA nie kłamie – powiedział Gabriel. – Szczątki znalezione w pobliżu Kapsztadu porównano z próbkami w bazie danych Interpolu. Z materiałem, który Leon Gott dostarczył im sześć lat temu, gdy zaginął jego syn. To kości Elliota. Na podstawie stwierdzonych urazów uznano, że został zamordowany.

– I znaleziono je dwa lata temu?

– W parku na przedmieściach. Nie potrafią określić dokładnie daty zgonu, więc mógł zginąć przed sześciu laty.

– Wiemy, że wtedy jeszcze żył. Millie była z nim na safari w Botswanie.

– Jesteś tego całkowicie pewna? – spytał cicho Gabriel.

Jane zamilkła. Czy mamy pewność, że Millie mówiła

prawdę? Przyłożyła dłoń do skroni, czując zamęt w głowie. Millie nie mogła kłamać, bo jej słowa potwierdzały fakty. Pilot dostarczył na lądowisko w delcie Okawango siedmioro turystów, wśród nich pasażera z paszportem wystawionym na nazwisko Elliot Gott. Kilka tygodni później Millie wyszła z buszu i opowiedziała o potwornej masakrze. Część zwłok rozszarpały zwierzęta, a kości czterech ofiar – Richarda, Sylvii, Keiko i Elliota – nie znaleziono.

Ponieważ prawdziwy Elliot Gott już wtedy nie żył. Został zamordowany w Kapsztadzie, zanim rozpoczęło się safari.

– Jane? – odezwał się ponownie Gabriel.

– Millie nie kłamała. Po prostu się myliła. Johnny nie był zabójcą, lecz ofiarą, tak jak pozostali. Zabił go człowiek, który podczas safari podawał się za Elliota. A gdy wszystko się skończyło, gdy nasycił się polowaniem w buszu, wrócił do domu. Stał się znów tym, kim naprawdę był.

– Alanem Rhodesem.

– Ponieważ podróżował z paszportem Elliota, nie odnotowano jego wjazdu do Botswany ani uczestnictwa w safari. – Jane skupiła uwagę na salonie, w którym się znajdowała. Na nagich ścianach i bezosobowej kolekcji książek. – Przypomina pustą skorupę, jak ten dom – powiedziała cicho. – Nie może ujawnić, że jest potworem, więc wciela się w innych ludzi. Kradnąc ich tożsamość.

– I pozostaje nierozpoznany.

– Ale w Botswanie popełnił błąd. Jedna z jego ofiar uciekła i może zidentyfikować... – Jane odwróciła się nagle do Maury, która właśnie weszła i mierzyła ją pytającym spojrzeniem. – Millie jest całkiem sama.

– Tak. Pakuje się, żeby wrócić do domu.

– O Boże! Zostawiłyśmy ją bez opieki.

– A jakie to ma znaczenie? – spytała Maura. – Czy ona ma teraz cokolwiek wspólnego z tą sprawą?

– Okazuje się, że jest kluczowym świadkiem. Tylko ona może zidentyfikować Alana Rhodesa.

Maura pokręciła głową ze zdumieniem.

– Przecież nigdy go nie spotkała.

– Owszem. W Afryce.

Rozdział trzydziesty siódmy

Kroki się zbliżają. Siedzę skulona za drzwiami spiżarni, a serce bije mi głośno jak bęben. Nie widzę, kto włamał się do domu. Wiem tylko, że intruz chodzi po kuchni. Przypominam sobie nagle, że zostawiłam na blacie torebkę, i słyszę, jak ją otwiera i monety wysypują się na podłogę. O Boże, niech to będzie złodziej. Niech zabierze portfel i odejdzie.

Chyba znalazł to, czego chciał, bo rzuca torebkę na blat. Błagam, wyjdź. Wyjdź.

Ale on zostaje. Przechodzi przez kuchnię. Będzie musiał minąć spiżarnię, by dostać się do wnętrza domu. Stoję jak skamieniała w mroku, nie ośmielając się oddychać. Przez szczelinę w drzwiach dostrzegam jego plecy, kręcone ciemne włosy, barczyste ramiona i kwadratową głowę. Wydaje mi się szokująco znajomy, ale to niemożliwe. Nie, tamten człowiek nie żyje, a jego kości leżą rozrzucone gdzieś w delcie Okawango. W tym momencie intruz odwraca się i widzę jego twarz. Wszystko, w co wierzyłam przez tych ostatnich sześć lat, wszystko, co rzekomo wiedziałam, okazuje się pomyłką.

Elliot żyje. Biedny, niezdarny Elliot, który wzdychał do blondynek, z trudem radził sobie w buszu i był zawsze przedmiotem drwin Richarda. Elliot, który twierdził, że znalazł w namiocie węża, choć nikt inny go nie widział. Wracam pamięcią do ostatniej nocy życia moich towarzyszy. Przypominam sobie ciemność, panikę, strzały. I krzyk kobiety: „O Boże, on ma broń!".

To nie był Johnny. Nie on to zrobił.

Intruz mija spiżarnię i jego kroki cichną w oddali. Gdzie jest? Czy stoi spokojnie, ukryty gdzieś, czekając, aż się pokażę? Czy zauważy mnie, jeśli wyjdę ze spiżarni i spróbuję wyślizgnąć się przez kuchenne drzwi? Próbuję gorączkowo odtworzyć w myślach wygląd ogrodu za domem. Otacza go płot, ale gdzie jest furtka? Nie pamiętam. Mogę wpaść w śmiertelną pułapkę.

Ale jeśli zostanę w spiżarni, w końcu mnie znajdzie.

Sięgam po słoik stojący na półce. Dżem z malin. Wydaje mi się wystarczająco ciężki. To moja jedyna broń. Wychylam się zza drzwi spiżarni i wyglądam na zewnątrz.

Nie ma tam nikogo.

Skradam się do jasno oświetlonej kuchni, gdzie jestem widoczna jak na dłoni. Tylne drzwi są w odległości dziesięciu kroków, ale na podłodze leżą odłamki szkła.

Dzwonek telefonu rozdziera ciszę jak krzyk. Zastygam w miejscu i słyszę, że włącza się automatyczna sekretarka. Odzywa się głos detektyw Rizzoli: *Millie, proszę, niech pani odbierze. Jest pani tam? To ważne...*

Wyczuwam w jej głosie napięcie. Nasłuchuję rozpaczliwie, czy z domu dochodzą jakieś inne dźwięki, ale intruz zachowuje ciszę.

Teraz. Ruszaj.

Bojąc się zdradzić swoją obecność, stąpam na palcach pomiędzy odłamkami szyby. Dziewięć kroków do drzwi. Osiem. Jestem w połowie drogi przez kuchnię, gdy wpada tam kot i poślizgnąwszy się na kafelkach, roztrąca z hałasem kawałki szkła.

Hałas zwabia intruza i ciężkie kroki zmierzają w moim kierunku. Jestem na otwartej przestrzeni i nie mam się gdzie ukryć. Rzucam się do drzwi. Gdy chwytam za klamkę, ktoś łapie mnie za sweter i ciągnie do tyłu.

Odwracam się, uderzając napastnika na oślep słoikiem. Trafiam go w skroń. Słoik rozpryskuje się i wycieka z niego dżem malinowy, czerwony jak krew.

Napastnik ryczy z wściekłości i rozluźnia uścisk. Przez chwilę jestem wolna i znów rzucam się do drzwi. Prawie udaje mi się uciec.

Chwyta mnie i oboje upadamy na podłogę, poślizgnąwszy się na szkle i dżemie z malin. Z przewróconego pojemnika na odpadki wysypują się brudne opakowania i fusy po kawie. Dźwigam się na kolana i czołgam rozpaczliwie po rozrzuconych śmieciach.

Linka zaciska się na mojej szyi i szarpie mi głowę do tyłu.

Chwytam ją, ale jest tak mocno napięta, że wrzyna mi się w ciało jak ostrze. Słyszę, jak napastnik dyszy z wysiłku. Nie mogę poluzować linki. Nie mogę oddychać. Ciemnieje mi w oczach. Nogi odmawiają posłuszeństwa. A więc tak umrę, daleko od domu. Od wszystkich, których kocham.

Osuwając się do tyłu, czuję pod ręką coś ostrego. Zaciskam palce wokół przedmiotu, którego nie rozpoznaję dotykiem, bo wszystko mi drętwieje. Violet. Christopher. Nie powinnam była was opuszczać.

Wymierzam mu cios w twarz.

Tracąc już niemal przytomność, słyszę jego krzyk. Linka na mojej szyi nagle wiotczeje. Robi mi się jaśniej przed oczami. Kaszląc i krztusząc się, puszczam przedmiot, który trzymałam w dłoni. Upada z brzękiem na ziemię. To otwarta puszka po jedzeniu dla kota. Jej wieko jest ostre jak brzytwa.

Podźwigam się na nogi i mam przed sobą blat z kuchennymi nożami. Napastnik zbliża się. Odwracam się, by stawić mu czoło. Krew spływa obfitym strumieniem z jego rozciętej brwi, zalewając mu oczy. Rzuca się na mnie, wyciągając ręce w kierunku mojej szyi. Oślepiony częściowo z powodu krwawiącej rany, nie widzi, co trzymam w dłoni. Co unoszę, gdy zwierają się nasze ciała.

Rzeźnicki nóż wbija mu się w brzuch.

Ręce obejmujące moją szyję nagle bezwładnie opadają. Osuwa się na kolana i przez chwilę jeszcze trwa w tej pozycji. Ma otwarte oczy, a jego zakrwawiona twarz wyraża zdumienie. Po chwili przewraca się na bok. Zaciskam powieki, gdy pada na podłogę.

Czuję nagle, że cała drżę. Idę na chwiejnych nogach, depcząc po krwi i potłuczonym szkle, i opadam na krzesło. Ukrywam twarz w dłoniach i przez dudnienie krwi w uszach słyszę jakiś dźwięk. Wycie syreny. Nie mam siły, by unieść głowę. Słyszę kołatanie do frontowych drzwi i krzyki: „Policja!”. Ale nie jestem w stanie się ruszyć. Dopiero gdy wchodzą tylnymi drzwiami i komuś wyrywa się stłumione przekleństwo, podnoszę w końcu wzrok.

Dwaj policjanci stają przede mną, wpatrując się w krwawą jatkę.

– Pani Millie? – pyta jeden z nich. – Millie DeBruin?

Przytakuję.

Policjant mówi przez radio:

– Detektyw Rizzoli, ona tu jest – mówi policjant przez radio. – Żyje. Ale nie uwierzy pani, co widzę.

Rozdział trzydziesty ósmy

Następnego dnia odnaleźli jego kryjówkę.

Gdy georadar wykrył w ogrodzie za domem Alana Rhodesa podziemne pomieszczenie, w ciągu kilku minut odkopali prowadzący do niego drewniany właz, ukryty pod kilkucentymetrową warstwą ziemi.

Jane zeszła pierwsza po schodach do cuchnącego wilgotną glebą zimnego lochu. Stanąwszy na betonowej podłodze, zobaczyła w świetle latarki zawieszoną na ścianie skórę pantery śnieżnej. Obok wisiały na haku stalowe pazury – ostre jak brzytwa, lśniące tipsy. Przypomniała sobie trzy równoległe zadrapania na torsie Leona Gotta. I trzy rysy na czaszce Natalie Toombs. Miała przed oczami narzędzie, które pozostawiało takie ślady na ciele i kościach.

– Co tam widzisz?! – zawołał Frost.

– Człowieka-Panterę – odparła cicho.

Frost zszedł po schodach i stanęli obok siebie, tnąc ciemność światłami latarek jak szablami.

– Jezu... – Oświetlił przeciwległą ścianę. Wisiało tam

ponad dwadzieścia przyczepionych do korkowej tablicy praw jazdy i zdjęć paszportowych. – Są z Nevady, Maine, Montany...

– To jego trofea – powiedziała Jane. Podobnie jak Leon Gott i Jerry O'Brien, Alan Rhodes miał również ekspozycję swoich zdobyczy, ale przeznaczoną tylko dla niego. Zauważyła wyrwaną z paszportu kartkę z imieniem i nazwiskiem Millie Jacobson. Rhodes włączył ją przedwcześnie do swojej kolekcji. Obok zdjęcia Millie były inne twarze i nazwiska. Isao i Keiko Matsunaga. Richard Renwick. Sylvia Van Ofwegen. Vivian Kruiswyk. Elliot Gott.

I Johnny Posthumus, przewodnik z buszu, który walczył, by ich ocalić. Miał szczere spojrzenie i Jane dostrzegła w nim człowieka gotowego zrobić wszystko, co należy, bez strachu, bez wahania. Człowieka, który w dziczy stawiłby czoło każdej bestii. Ale Johnny nie zdawał sobie sprawy, że najbardziej niebezpieczną istotą, jaką kiedykolwiek napotka, będzie uśmiechający się do niego klient.

– Jest tutaj laptop – oznajmił Frost, przykucając nad kartonowym pudłem. – MacBook Air. Myślisz, że należał do Jodi Underwood?

– Włącz go.

Frost, który miał włożone rękawiczki, podniósł komputer i wcisnął przełącznik.

– Padła bateria.

– Jest kabel?

Sięgnął głębiej do pudła.

– Nie widzę. Znalazłem jakieś potłuczone szkło.

– Skąd się tam wzięło?

– Z oprawionej w ramkę fotografii. – Wyjął ją i oświetlił latarką. Przez chwilę oboje milczeli, uświadomiwszy sobie znaczenie tego zdjęcia.

Przedstawiało stojących obok siebie dwóch mężczyzn, których twarze były wyraźnie widoczne w jaskrawych promieniach słońca. Wyglądali jak bracia. Obaj mieli ciemne włosy i ostre rysy. Mężczyzna po lewej uśmiechał się do obiektywu, natomiast jego towarzysz został uchwycony znienacka w chwili, gdy odwrócił się twarzą do aparatu.

– Kiedy zrobiono to zdjęcie? – spytał Frost.

– Sześć lat temu.

– Skąd wiesz?

– Bo poznaję to miejsce. Byłam tam. To Góra Stołowa w Kapsztadzie. – Spojrzała na Frosta. – Elliot Gott i Alan Rhodes się znali.

Rozdział trzydziesty dziewiąty

Detektyw Rizzoli stoi z laptopem przy drzwiach mieszkania doktor Isles.

– Mam tu ostatni fragment łamigłówki, Millie – mówi. – Myślę, że zechce to pani zobaczyć.

Minął niemal tydzień, odkąd uniknęłam śmierci z rąk Alana Rhodesa. Choć zniknęły ślady krwi oraz odłamki szkła i wstawiono nową szybę, nadal niechętnie wchodzę do kuchni. Wspomnienia są zbyt żywe, a na szyi wciąż mam siniaki, idziemy więc do salonu. Sadowię się na kanapie między doktor Isles i detektyw Rizzoli, dwiema kobietami, które ścigały potwora i próbowały mnie przed nim uchronić. Ale w końcu musiałam pokonać go sama. Musiałam umierać dwa razy, aby powrócić do życia.

Szary kot przysiada na stoliku i przygląda się niepokojąco inteligentnym wzrokiem, jak Rizzoli otwiera laptop i podłącza pendrive.

– To zdjęcia z komputera Jodi Underwood – mówi. – Z ich powodu Alan Rhodes ją zabił. Opowiadają pewną historię, nie mógł więc dopuścić, by ktokolwiek je zobaczył. Ani Leon Gott, ani Interpol. A już z pewnością nie pani.

Ekran wypełniają miniaturowe fotografie, zbyt małe, by dostrzec na nich jakieś szczegóły. Rizzoli otwiera kliknięciem pierwszą z nich i ich oczom ukazuje się podobizna uśmiechniętego ciemnowłosego mężczyzny w wieku około trzydziestu lat, ubranego w dżinsy i kamizelkę fotografa, z przerzuconym przez ramię plecakiem. Stoi w kolejce do odprawy na lotnisku. Ma szerokie czoło i łagodne spojrzenie. Emanuje radosną niewinnością owieczki, która nie ma pojęcia, że jest prowadzona na rzeź.

– To Elliot Gott – wyjaśnia Rizzoli. – Prawdziwy Elliot Gott. To zdjęcie zrobiono sześć lat temu, zanim wsiadł do samolotu w Bostonie.

Przyglądam się jego rysom, kędzierzawym włosom, kształtowi twarzy.

– Przypomina tak bardzo...

– ...Alana Rhodesa. Być może dlatego Rhodes postanowił go zabić. Wybrał podobną do siebie ofiarę, by móc się za nią podawać. Używał nazwiska Elliota Gotta, gdy poznał w nocnym klubie w Kapsztadzie Sylvię i Vivian. Wykorzystał paszport i karty kredytowe Elliota, aby zarezerwować lot do Botswany.

I tam go spotkałam. Przypominam sobie dzień, gdy zobaczyłam po raz pierwszy człowieka, który przedstawiał się jako Elliot. Było to na terminalu lotniska w Maund, gdzie czekaliśmy całą siódemką, aby polecieć do delty Okawango. Pamiętam, jak się denerwowałam perspektywą podróży małym samolotem. Richard narzekał, że brakuje mi ducha przygody i powinnam okazywać więcej entuzjazmu, jak te urocze blondynki chichoczące na ławce. To pierwsze spotkanie z Elliotem pamiętam jak przez mgłę, bo koncentrowałam się wtedy wyłącznie na Richardzie. Na tym, że go tracę. Że wydawał się mną znudzony. Safari dawało mi ostatnią nadzieję na ocalenie naszego związku, więc nie zwracałam niemal uwagi na niezdarnego faceta, który kręcił się wokół blondynek.

Rizzoli pokazuje kolejną fotografię. To selfie zrobione na pokładzie samolotu. Prawdziwy Elliot uśmiecha się szeroko z fotela, a siedząca po jego prawej pasażerka unosi w toaście kieliszek wina.

– To zdjęcia z komórki, które Elliot przesyłał w e-mailach swojej dziewczynie, Jodi. Rejestrował dzień po dniu, co widział i kogo spotkał – mówi Rizzoli. – Nie mamy tekstów, które do nich dołączał, alc i tak dokumentują jego podróż. A zrobił ich sporo. – Klika na następne zdjęcia. Pokazują posiłek na pokładzie, wschód słońca za oknem samolotu. Na kolejnym selfie Elliot wychyla się z fotela z głupkowatym uśmiechem, by pokazać, kto siedzi za nim. Twarz tego człowieka jest wyraźnic widoczna.

To Alan Rhodes.

– Lecieli tym samym samolotem – mówi Rizzoli. – Może poznali się podczas lotu. A może wcześniej, w Bostonie. Wiemy w każdym razie, że gdy Elliot dotarł do Kapsztadu, miał już towarzysza podróży.

Po chwili ekran wypełnia kolejne zdjęcie. Elliot i Rhodes stoją razem na Górze Stołowej.

– To ostatnia zachowana fotografia Elliota. Jodi Underwood oprawiła ją w ramkę i podarowała jego ojcu. Przypuszczamy, że wisiała w domu Leona w dniu, gdy Alan Rhodes dostarczył tam panterę śnieżną. Leon rozpoznał go ze zdjęcia. Zapewne zapytał, jak poznał Elliota i jak to się stało, że byli razem w Kapsztadzie. Potem zadzwonił do paru osób. Poprosił Jodi Underwood o wszystkie zdjęcia z podróży Elliota. Próbował skontaktować się z Henkiem Andriessenem z Interpolu. Ta fotografia okazała się katalizatorem późniejszych wydarzeń: zabójstw Leona Gotta i Jodi Underwood, być może nawet Debry Lopez z ogrodu zoologicznego, bo była w domu Gotta i słyszała całą rozmowę. Ale najbardziej Rhodes obawiał się pani.

Wpatruję się w ekran laptopa.

– Ponieważ tylko ja wiedziałam, który z tych dwóch mężczyzn naprawdę brał udział w safari.

Rizzoli przytakuje.

– Nie mógł pozwolić, by zobaczyła pani kiedykolwiek to zdjęcie.

Nagle nie mogę już znieść widoku Rhodesa i odwracam głowę.

– Johnny. – Wypowiadam szeptem tylko to jedno słowo. Johnny. Mam przed oczami jego twarz w promieniach słońca, z włosami płowymi jak grzywa lwa. Przypominam sobie, jak stał niczym drzewo zakorzenione mocno w afrykańskiej ziemi. Jak prosił, żebym mu zaufała, i przekonywał, że muszę uwierzyć w siebie. Myślę o tym, jak patrzył na mnie, gdy siedzieliśmy przy ognisku, w blasku płomieni. Szkoda, że nie posłuchałam wtedy głosu serca. Że nie zaufałam człowiekowi, któremu chciałam wierzyć.

– A więc teraz zna pani prawdę – mówi łagodnie doktor Isles.

– Wszystko mogło wyglądać inaczej. – Mrugam i po policzku spływa mi łza. – Walczył, żeby nas uratować. A my zwróciliśmy się przeciw niemu.

– W pewnym sensie, Millie, ocalił pani życie.

– W jaki sposób?

– Z powodu strachu przed Johnnym ukryła się pani w Touws River, gdzie Alan Rhodes nie mógł pani znaleźć. – Doktor Isles zerka na Rizzoli. – Aż my, niestety, sprowadziłyśmy panią do Bostonu.

– Nasz błąd – przyznaje Rizzoli. – Miałyśmy na oku niewłaściwego człowieka.

Podobnie jak ja. Myślę o tym, jak Johnny prześladował mnie w snach, choć to nie jego powinnam była się bać. Teraz te koszmary przestają mnie dręczyć. Minionej nocy spałam lepiej niż przez ostatnich sześć lat. Potwór zniknął i sama go pokonałam. Kilka tygodni temu usłyszałam od detektyw Rizzoli, że tylko pod takim warunkiem będę mogła spokojnie zasypiać, i jestem przekonana, że koszmary wkrótce całkowicie znikną.

Rizzoli zamyka laptop.

– A więc jutro może pani lecieć do domu, wiedząc, że już naprawdę po wszystkim. Mąż z pewnością ucieszy się z pani powrotu.

Kiwam głową.

– Chris wydzwania do mnie trzy razy dziennie. Mówi, że trafiłam do gazet.

– Wróci pani jako bohaterka.

– Jestem po prostu szczęśliwa, że lecę do domu.

– Przedtem chciałam pani coś jeszcze przekazać. – Sięga do etui laptopa i wyciąga dużą kopertę. – Dostałam to e-mailem od Henka Andriessena i wydrukowałam dla pani.

Otwieram kopertę i wyjmuję z niej fotografię. Ściska mnie w gardle i przez chwilę nie mogę wydobyć głosu. Wpatruję się w zdjęcie Johnny'ego. Stoi po kolana w trawie, ze strzelbą przy boku. Jego włosy złoci słońce, a lekki uśmiech marszczy mu kąciki oczu. To ten Johnny, w którym się zakochałam, prawdziwy Johnny, którego chwilowo przesłonił mi cień potwora. Takiego muszę go zapamiętać. Zadomowionego w buszu.

– To jedno z niewielu jego dobrych zdjęć, które Henk zdołał odnaleźć. Zrobił je jakieś osiem lat temu inny przewodnik. Pomyślałam, że się pani spodoba.

– Skąd pani wiedziała?

– Bo rozumiem, jak musiała zaszokować panią wiadomość, że Johnny Posthumus okazał się oszustem. Zasługuje, by pamiętać, kim naprawdę był.

– Tak – szepczę, dotykając czule uśmiechniętej twarzy na zdjęciu. – Takiego go zapamiętam.

Rozdział czterdziesty

Christopher odbierze mnie na lotnisku. Violet też tam będzie, niemal na pewno z wielkim bukietem kwiatów. Uściskam ich, a potem pojedziemy do domu, do Touws River, gdzie wieczorem ma być powitalne przyjęcie. Chris już mnie przed tym ostrzegł, bo wie, że nie lubię niespodzianek i nie przepadam za imprezami. Ale czuję, że w końcu czas poświętować, bo zaczynam nowe życie. Powracam do świata.

Podobno zjawi się połowa miasteczka, ponieważ wszystkich pali ciekawość. Dopóki nie przeczytali o mnie w gazetach, niewiele osób miało pojęcie, co przeżyłam i dlaczego byłam takim odludkiem. Nie mogłam się ujawniać. Teraz wszyscy już wiedzą i jestem nową lokalną celebrytką – zwyczajną mamuśką, która poleciała do Ameryki i pokonała seryjnego zabójcę.

– To będzie czyste szaleństwo – usłyszałam od Chrisa przez telefon, zanim wsiadłam do samolotu. – Dzwonią bez przerwy z gazety i z telewizji. Powiedziałem im, żeby zostawili nas w spokoju, ale musisz być na to przygotowana.

Za pół godziny mój samolot wyląduje. Jeszcze tylko przez chwilę mam szansę na odrobinę samotności. Gdy zaczynamy zniżać lot nad Kapsztadem, wyjmuję po raz ostatni fotografię.

Minęło sześć lat, odkąd widziałam go po raz ostatni. Z każdym rokiem jestem starsza, ale Johnny nigdy się nie zmieni. Będzie stał zawsze wyprostowany, smukły, z trawą falującą u jego stóp i słonecznym uśmiechem na ustach. Myślę o wszystkim, co mogło się wydarzyć, gdyby sprawy potoczyły się inaczej. Czy bylibyśmy teraz małżeństwem, żyjącym szczęśliwie w chacie w buszu? Czy nasze dzieci miałyby włosy koloru pszenicy, tak jak on, i dorastały, biegając swobodnie na bosaka? Nigdy się tego nie dowiem, bo prawdziwy Johnny spoczywa gdzieś w delcie Okawango, a jego kości kruszeją w ziemi, którą kochał. Z którą już na zawsze się połączył. Pozostały mi tylko wspomnienia i będę ich strzegła jak największej tajemnicy. Należą wyłącznie do mnie.

Samolot ląduje i kołuje do wyjścia. Niebo jest błękitne i wiem, że powietrze pachnie kwiatami i morzem. Wsuwam zdjęcie Johnny'ego z powrotem do koperty i wsadzam je do torebki. Pozostanie ukryte, ale nigdy o nim nie zapomnę.

Podnoszę się z fotela. Pora wrócić do rodziny.

Podziękowania

Nie zapomnę nigdy emocji, jakie przeżyłam, widząc po raz pierwszy panterę na wolności. Dziękuję za te bezcenne wrażenia wspaniałemu personelowi Ulusaba Safari Lodge w Sabi Sands. Na specjalne podziękowania zasługują strażnik rezerwatu Greg Posthumus i tropiciel Dan Ndubane za pokazanie mi piękna afrykańskiego buszu – i utrzymanie przy życiu mojego męża.

Mam wielki dług wdzięczności wobec mojej agentki Meg Ruley, nieugiętej przyjaciółki i sojuszniczki, a także wobec moich wydawców, Lindy Marrow (USA) i Sarah Adams (Wielka Brytania); dzięki ich nieocenionej pomocy ta książka lśni pełnym blaskiem.

A najbardziej dziękuję mężowi, Jacobowi, za towarzyszenie mi w podróży. Nasza przygoda wciąż trwa.

Polecamy thriller Tess Gerritsen

OSTATNI, KTÓRY UMRZE

Pięć ofiar, w tym troje dzieci, zabitych strzałami w głowy. Czternastoletni Teddy Clock ocalał, ukrywszy się pod łóżkiem. Przerażony chłopak już po raz drugi cudem uniknął śmierci: dwa lata wcześniej niezidentyfikowany sprawca zastrzelił na jachcie, odbywającym rejs dookoła świata, jego rodziców i dwie siostry. Okaleczony psychicznie, niemający dokąd pójść Teddy trafia pod opiekę detektyw Jane Rizzoli, która prowadzi śledztwo w sprawie koszmarnych morderstw. Po kolejnej próbie zamachu na życie nastolatka Jane decyduje się umieścić go w Evensong, prywatnej szkole specjalizującej się w uczeniu dzieci z urazami psychicznymi, ofiar przemocy. Otoczone hektarami lasu i wysokim żelaznym ogrodzeniem, chronione przez systemy alarmowe Evensong wydaje się miejscem bezpiecznym. Dziwnym zbiegiem okoliczności w szkole przebywa dwójka nastolatków, Claire i Will, których tragiczna przeszłość szokująco przypomina losy Teddy'ego: ich biologiczni rodzice też zostali zamordowani przed dwoma laty, a rodzice zastępczy – zaledwie miesiąc temu. Czy w Evensong coś im grozi? Czy rzekomo przypadkowe spotkanie trójki młodych ludzi stanowi kolejne ogniwo w precyzyjnym planie okrutnego zabójcy? Spryskane krwią lalki, które ktoś powiesił na drzewie, wskazują jednoznacznie, że niebezpieczeństwo czai się bardzo blisko, może nawet wewnątrz murów szkoły...